**Thea Harrison**

Classée en tête de liste des meilleures ventes du *New York Times* et du *USA Today*, elle est l'auteur d'une dizaine de livres. Récompensée à plusieurs reprises pour ses écrits, elle a connu le succès avec sa série *La chronique des Anciens*, qui l'a fait connaître aux yeux du grand public. Le premier tome, *Le baiser du dragon*, a été primé par le célèbre RITA Award 2012 de la meilleure romance paranormale.

Elle a également été publiée sous le pseudonyme d'Amanda Carpenter.

# Le baiser du dragon

THEA
HARRISON

LA CHRONIQUE DES ANCIENS – 1

# Le baiser du dragon

*Traduit de l'anglais (États-Unis)*
*par Laurence Murphy*

*Titre original*
DRAGON BOUND

*Éditeur original*
The Berkley Publishing Group, a division of Penguin Group (USA) Inc.

# Remerciements

J'ai tellement de raisons d'éprouver de la reconnaissance et tellement de personnes à mentionner. Tout au long du voyage que j'ai fait avec ce livre et qui a abouti à sa publication, j'ai eu la chance de rencontrer et de travailler avec des gens formidables.

J'aimerais tout d'abord remercier mon fabuleux agent, Amy Boggs de la Donald Maass Literary Agency, pour avoir cru en moi et en ce livre d'une manière absolument indéfectible. Je n'ai pas les mots pour remercier avec suffisamment d'éloquence mon éditrice, Cindy Hwang, pour son extraordinaire enthousiasme et son expertise, son assistante, Leis Pederson, pour ses réponses promptes et amicales, et toute l'équipe de Berkley pour leur sensationnel travail.

J'aimerais aussi particulièrement remercier Ann Aguirre, Nalini Singh, Shannon Butcher, J. R. Ward, Christine Feehan, Angela Knight, et Anya Bast. Ce sont des femmes étonnantes et des écrivains accomplis, et je suis honorée d'avoir leur soutien.

Et puis je dois acclamer mes super-héroïnes : mes premières lectrices. Merci à Anne, Shawn, Fran B.,

Suzi, Fran H. et Amanda pour leur implication et leur participation. Et je ne sais pas ce que j'aurais fait ces dernières années sans les encouragements et l'amitié de Steven, Pamela, et Anne ; ils m'ont aidée à rester saine d'esprit à des moments difficiles.

J'aimerais aussi adresser mes remerciements les plus sincères à Lorene et Carol pour leur formidable soutien. Elles savent ce qu'elles ont fait et que cela relève du miracle. Enfin, mais certainement pas en dernier, merci à Matt pour son travail généreux sur le site Web, et à Erin, qui m'aime, même si je suis une drôle de fille.

*Traiter avec un dragon. Voilà une expérience féroce.*

Attribué à Donald Trump.

# 1

Pia avait été victime d'un chantage qui l'avait forcée à commettre un acte suicidaire, et elle ne pouvait s'en prendre qu'à elle-même.

Et en être consciente ne facilitait en rien les choses. Elle n'arrivait pas à croire qu'elle ait pu manquer à ce point de discernement, de jugeote.

Quelle mouche l'avait piquée ? Elle avait vu un type mignon et oublié tout ce que sa mère lui avait appris en matière de survie. C'était tellement nul qu'elle ferait tout aussi bien de se tirer une balle dans la tête. Sauf qu'elle n'avait pas de revolver et que les armes, ça n'avait jamais été son truc. Et puis, appuyer sur la détente, c'était quand même une solution, disons, finale.

Un Klaxon de taxi hurla. Rien de plus banal à New York et personne n'y prêta attention, mais elle sursauta et jeta un coup d'œil par-dessus son épaule.

C'était la bérézina. Elle devrait se cacher toute sa vie désormais à cause de son inconscience et de son abruti d'ex, qui l'avait baisée, enfin dupée, tellement royalement qu'elle avait désormais l'impression qu'on lui labourait sans arrêt le ventre avec un couteau.

Elle se retrouva dans une rue étroite jonchée d'ordures à côté d'un restaurant coréen. Elle dévissa le bouchon d'une bouteille d'eau et en avala la moitié, une main posée sur le mur en ciment tandis qu'elle observait les passants. La vapeur qui s'échappait de la cuisine du restaurant l'enveloppait d'arômes de piment rouge et de soja, et masquait la puanteur des ordures débordant d'une benne et des pots d'échappement.

Les gens dans la rue avaient tous la même allure, l'oreille vissée à leur téléphone ; on aurait dit qu'ils étaient propulsés par des forces internes, chargeant droit devant eux. D'autres marmonnaient en fouillant dans les poubelles avec un regard vide. Tout semblait normal, en somme.

À l'issue d'une semaine cauchemardesque, elle avait commis *le* crime. Elle avait volé quelque chose à l'une des créatures les plus dangereuses de la terre, une créature tellement effrayante que le simple fait d'y penser véhiculait en elle une décharge de terreur. Elle avait presque fini maintenant. Encore deux ou trois trucs à régler, un dernier rendez-vous avec l'abruti, puis elle pourrait réfléchir à un endroit où se cacher.

C'est avec cette pensée en tête qu'elle descendit la rue jusqu'à ce qu'elle arrive aux abords du Magic District. Situé à l'est du Garment District et au nord de Koreatown, le Magic District de New York était parfois appelé le Chaudron. Il était constitué de plusieurs pâtés de maisons qui bruissaient d'énergie.

Le Chaudron faisait étalage de sa magie comme un boxeur professionnel parade dans son peignoir en satin. La zone regorgeait d'immeubles qui proposaient sur plusieurs étages des échoppes et des kiosques où l'on pouvait se faire tirer le tarot et prédire l'avenir, consulter des médiums, dénicher des fétiches et des sortilèges.

Elle arriva devant une boutique située à la périphérie du Chaudron. La façade était peinte en vert d'eau et les moulures autour de la vitrine et de la porte, en jaune pâle. Elle recula d'un pas et leva les yeux. *DIVINUS* était inscrit au fronton dans un lettrage simple de métal brossé. Des années auparavant, sa mère avait de temps à autre acheté des sorts à la sorcière qui possédait cette boutique. Le patron de Pia, Quentin, avait lui aussi mentionné la propriétaire du magasin en notant qu'elle possédait une des énergies magiques les plus puissantes qu'il ait jamais rencontrées chez une humaine.

Son reflet flou sur la vitre lui renvoya l'image d'une jeune femme fatiguée, longue et élancée aux traits tendus, dont les cheveux blond pâle étaient noués en queue-de-cheval. Oubliant son apparence, elle scruta l'intérieur plongé dans la pénombre.

Contrairement au voisinage peu reluisant, la boutique donnait une impression de calme et de sérénité. Elle reconnut des sorts de protection posés ici et là. Près de la porte, protégés par une vitrine, une disposition attrayante de cristaux, améthyste, péridot, quartz rose, topaze bleue et célestite, diffusait des énergies harmonieuses. Les pierres saisissaient les rayons obliques du soleil et projetaient d'étincelantes facettes irisées de lumière au plafond. Son regard tomba sur l'unique occupante, une femme très grande à l'allure altière, peut-être hispanique, dont le regard se planta dans le sien dans un crépitement de Force.

C'est alors que les cris fusèrent.

— N'entrez pas ! s'écria un homme.

Puis une femme renchérit en s'exclamant sur un ton strident :

— Arrêtez avant qu'il soit trop tard !

Pia sursauta, regarda derrière elle. Un groupe d'une vingtaine de personnes se tenait sur le trottoir d'en face et brandissait des pancartes. On pouvait lire sur l'une d'elles : *MAGIE = AUTOROUTE POUR L'ENFER*. Sur une autre : *DIEU NOUS SAUVERA*. Une troisième déclarait : *LES ANCIENS – UN CANULAR ÉLITISTE*.

Son sentiment d'irréalité s'accentua, provoqué par le stress, le manque de sommeil et une peur constante. C'était à elle qu'ils s'adressaient.

Un certain nombre d'humains s'obstinaient à ne pas croire aux Anciens en dépit du fait que, plusieurs générations auparavant, les légendes avaient laissé place aux preuves au fur et à mesure du développement de la méthode scientifique. Les Anciens et les humains vivaient en bonne intelligence depuis l'époque élisabéthaine. Ces gens et leur révisionnisme étaient à mettre dans le même panier que ceux qui affirmaient que les Juifs n'avaient pas été persécutés pendant la Seconde Guerre mondiale.

Un tintement ramena son attention sur la boutique. La femme au regard magnétique tenait la porte ouverte.

— Les ordonnances de la ville ne sont pas à sens unique, fit-elle d'un ton méprisant. Si les boutiques de magie sont tenues de rester dans les limites d'un certain district, ceux qui protestent ne doivent pas s'approcher à moins de quinze mètres desdites boutiques. Ils n'ont pas le droit de traverser la rue, ils ne peuvent pas entrer dans le Magic District et ils ne peuvent rien faire, si ce n'est apostropher de loin les clients potentiels et tenter de les faire fuir. Est-ce que vous voulez entrer ?

Son sourcil impeccable levé en un défi impérieux suggérait que le fait de mettre un pied dans la boutique était un véritable acte de bravoure.

Pia la regarda d'un air impassible. Après ce qu'elle avait vécu, le défi de cette femme n'avait pas de sens. Elle entra sans hésiter.

La porte se referma derrière elle et le carillon tinta une seconde fois. La femme se planta devant elle en souriant.

— Je suis Adela, la propriétaire de Divinus. Que puis-je faire pour vous, ma chère ?

L'expression de la commerçante était intriguée tandis qu'elle toisait Pia. Elle murmura, se parlant presque à elle-même :

— Qu'est-ce que c'est ?... Il y a quelque chose chez vous...

Mince, elle n'avait pas pensé à ça. Cette sorcière se rappelait peut-être sa mère.

— Oui, je ressemble à Greta Garbo, l'interrompit Pia.

La femme releva les yeux, légèrement interloquée.

— Toutes mes excuses, dit-elle d'un ton suave, indiquant la marchandise d'un geste de la main. J'ai des produits de maquillage à base de plantes, des soins de beauté, des teintures, des sorts de guérison...

Pia balaya la boutique du regard, remarquant une odeur épicée. C'était un arôme tellement exquis qu'elle inspira profondément sans réfléchir. Malgré elle, les muscles tendus de son cou et de ses épaules se dénouèrent. Le parfum contenait un sort léger, manifestement destiné à détendre les clients inquiets.

Si le sort était inoffensif et n'engourdit nullement ses sens, sa nature manipulatrice éveilla chez elle un élan de répulsion. Combien de gens, ressentant une sensation de détente, avaient dépensé plus qu'ils ne l'escomptaient ? Elle serra les poings en repoussant la magie. Le sort colla à sa peau encore un moment, avant de se dissiper. Elle garda cependant l'impression que des toiles d'araignées recouvraient son corps, et lutta contre une envie irrésistible de se frotter les bras et les jambes.

Agacée, elle se tourna vers la femme.

— Vous m'avez été recommandée par des sources dignes de confiance, déclara-t-elle d'un ton sec. J'ai besoin d'acheter un sort d'engagement, destiné à empêcher qu'une promesse ne soit pas rompue.

La mine affable d'Adela s'évanouit.

— Je vois. Si vous avez entendu parler de moi, vous savez que je ne suis pas bon marché.

— Vous n'êtes pas bon marché parce que vous êtes censée être l'une des meilleures sorcières de la ville, répliqua Pia en s'approchant d'un comptoir en verre.

Elle fit glisser le sac à dos de son épaule endolorie et le posa sur le comptoir, dégageant sa queue-de-cheval coincée sous une bride.

— *Gracias*, répondit la sorcière d'un ton neutre.

Pia baissa les yeux sur les cristaux amassés sous la plaque de verre. Ils étaient magnifiques et étincelants, remplis de magie, de lumière, de couleurs. Elle se demanda ce qu'elle ressentirait en en tenant un dans sa main, en sentant son poids, sa fraîcheur. En posséder un lui apporterait quelle sensation ?

Elle se retourna.

— Je sens les sorts que vous portez ainsi que ceux qui sont dans la boutique, y compris les sorts d'attirance sur ces cristaux ainsi que celui censé détendre vos clients. Je constate que vous avez une certaine compétence. J'ai besoin d'un sort qui permette de sceller un serment, et j'en ai besoin sur-le-champ.

— Ce n'est pas si simple, fit la sorcière. Je ne suis pas une marchande de restauration rapide.

— L'engagement n'a pas besoin d'être sophistiqué, répondit Pia. Écoutez, nous savons l'une comme l'autre que vous allez me prendre plus cher parce que j'en ai besoin tout de suite. J'ai encore beaucoup à faire, alors est-ce qu'on pourrait passer à l'étape suivante sans tourner autour du pot ? Parce que, sans vouloir être désagréable, la journée a été rude. Je suis fatiguée et pas d'humeur à discutailler.

La sorcière pinça les lèvres.

— Certainement. Même si je ne peux pas faire l'impossible, je ferai ce que je peux. Mais si vous cherchez un engagement noir, vous n'êtes pas au bon endroit. Je ne fais pas de magie noire.

Pia secoua la tête, soulagée par l'attitude professionnelle de la femme.

— Rien de trop noir, je pense, dit-elle d'une voix rauque. Mais quelque chose entraînant des conséquences graves malgré tout. Il faut que cela impressionne.

Une lueur sardonique brilla au fond des yeux sombres de la sorcière.

— Vous voulez dire, du genre : « Je jure que je ferai ci ou ça, ou bien je serai précipité dans les flammes de l'enfer jusqu'à la fin des temps » ?

Pia opina, sa bouche se tordit.

— Oui, un truc comme ça.

— Si quelqu'un prête serment de son plein gré, l'engagement tombe dans le domaine de l'obligation et de la justice contractuelle. Je peux le faire. Et je l'ai déjà fait, d'ailleurs.

Elle se dirigea vers l'arrière-boutique.

— Suivez-moi.

La conscience de Pia tiqua. Contrairement aux magies blanche et noire qui étaient polarisées, la magie grise était censée être neutre. Mais, sous le couvert de la neutralité, on pouvait faire beaucoup de mal.

Désabusée, elle secoua la tête et emboîta le pas à la sorcière. *Alea jacta est.*

Elles conclurent l'affaire en moins d'une heure. Sur la proposition d'Adela, elle s'éclipsa par l'arrière de la boutique afin d'éviter de se faire apostropher par les manifestants en sortant. Son sac à dos avait été délesté d'une énorme somme d'argent, mais elle se dit que dans une situation de vie ou de mort, c'était de l'argent judicieusement dépensé.

— Encore une chose, fit la sorcière, appuyée de manière languide contre le chambranle de la porte.

Pia s'arrêta. La sorcière soutint son regard.

— Si vous êtes personnellement impliquée avec l'homme à qui le sort est destiné, ce type n'en vaut sûrement pas la peine.

Pia laissa échapper un petit rire tout en remontant son sac sur son épaule.

— Si seulement c'était le seul problème que j'avais.

Quelque chose affleura à la surface des magnifiques yeux sombres de la femme. Le changement donnait l'impression d'un calcul, mais c'était peut-être une illusion de la lumière de cette fin d'après-midi. L'instant suivant, son beau visage avait repris une expression indifférente.

— Bonne chance, alors, *chica*. Si vous avez besoin d'autre chose, revenez quand vous voulez.

Pia déglutit et réussit à articuler :

— Merci.

La sorcière ferma la porte et Pia gagna rapidement le bout de la rue, puis se mêla aux piétons.

Elle n'avait pas donné son nom. Après la première rebuffade, la sorcière n'avait pas insisté. Elle se demandait si elle avait le mot « problème » tatoué sur le front. Ou c'était peut-être dans sa sueur. Le désespoir a une odeur singulière.

Elle effleura la poche de son jean dans laquelle elle avait glissé le sortilège enveloppé dans un mouchoir blanc. Une puissante magie émanait de la toile usée et lui donnait des picotements dans la main. Peut-être qu'après avoir vu l'abruti et conclu leur marché, elle pourrait enfin respirer un peu mieux.

C'est alors que Pia entendit le bruit le plus terrible de sa vie. Ce fut d'abord une vibration, tellement profonde qu'elle la ressentit jusque dans ses os. Elle ralentit, puis s'arrêta, suivant l'exemple des autres piétons. Les gens mirent les mains devant leurs yeux, puis regardèrent autour d'eux tandis que la vibration se transformait en un rugissement qui s'engouffra dans les rues et ébranla les immeubles.

C'était la puissance de cent trains de marchandises, de cent tornades, le mont Olympe explosant sous une pluie de feu.

Pia tomba à genoux et recouvrit sa tête de ses bras. D'autres suivirent son exemple en hurlant. D'autres encore prirent un air hébété en essayant de repérer l'endroit où avait frappé le désastre. Les carrefours étaient la scène de nombreux accidents de voitures, des conducteurs affolés perdant le contrôle et percutant d'autres véhicules.

Puis le rugissement s'estompa. Les immeubles se figèrent. Le ciel sans nuages demeura serein, mais New York était loin de l'être.

Bon.

Elle se redressa et essuya la sueur qui coulait sur son visage, indifférente au chaos qui l'environnait.

Elle savait ce qui avait émis ce son infernal, et pourquoi. Et cette prise de conscience lui donna mal au ventre.

Si elle était engagée dans une course pour la vie, ce rugissement était le coup de feu du départ.

Il était né en même temps que le système solaire. À quelques moments près.

Il se souvenait d'une lumière transcendante et d'un vent inouï. La science moderne l'appelait « vent solaire ». Il se remémorait la sensation d'un vol infini, d'un bain éternel dans la lumière et une magie tellement éclatante, jeune et pure qu'elle retentissait comme les trompettes de milliers d'anges.

Sa carcasse massive avait dû être formée en même temps que les planètes. Il devint lié à la terre. Il eut faim et apprit à chasser pour se nourrir. La faim lui apprit des notions telles que avant et après, le danger et la souffrance, le plaisir aussi.

Il commença à avoir des opinions. Il aimait le flot du sang lui emplissant la bouche quand il se gorgeait de chair. Il aimait somnoler sur un rocher chauffé par le soleil. Il adorait se lancer dans les airs, prendre son envol et se laisser porter par les courants thermiques loin au-dessus de la terre, retrouver cette extase du premier vol.

Après la faim, il découvrit la curiosité. De nouvelles espèces naissaient. Il y avait les Wyrkind, les Elfes, les Faes, les lumineuses ou blanches et les noires, des êtres de haute taille aux yeux brillants et des créatures trapues couleur de champignon, des cauchemars ailés et des choses timides virevoltant dans les arbres et se cachant dès qu'il approchait. Ceux qui devinrent connus sous le nom d'Anciens avaient l'habitude de se rassembler autour de poches dimensionnelles d'Autres Contrées remplies de magie, où le temps et l'espace s'étaient gondolés au moment de la formation de la terre et où le soleil brillait d'un autre éclat.

La magie avait le goût du sang, sauf que c'était une saveur dorée et chaude comme le soleil. La consommer en même temps que la chair rouge était un délice.

Il apprit les langues en écoutant secrètement les Anciens. Il s'exerça à les parler quand il volait, retournant chaque mot et sa signification dans sa tête.

Les Anciens avaient plusieurs mots pour le désigner. Wyrm. Monstre. Mal. La Bête.

*Dragua*.

Il ne remarqua pas tout de suite que les premiers *Homo sapiens* commençaient à proliférer en Afrique. Parmi toutes les espèces, il n'aurait pas pensé qu'ils se multiplieraient ainsi. Ils étaient faibles, ne vivaient pas longtemps, n'avaient pas d'armure naturelle, et il était facile de les tuer.

Il garda un œil sur eux et apprit leurs langues. À l'instar d'autres Wyrs, il développa l'aptitude de changer de forme, de se métamorphoser afin de pouvoir évoluer parmi les humains. Ils extrayaient de la terre les choses qu'il aimait, l'or et l'argent, des cristaux étincelants et des pierres précieuses qu'ils façonnaient et transformaient en beaux objets. Il aimait posséder, de par sa nature, et il amassait ce qui lui plaisait.

Il ménagea des repaires secrets dans des grottes souterraines où il réunit ses biens. Son butin comprenait des œuvres des Elfes, des Faes et des Wyrs, ainsi que des créations humaines, telles que des assiettes, des coupes, des objets religieux. L'argent, voilà un concept qui l'intriguait. Tellement de notions y étaient attachées : le commerce, la politique, la guerre. Il augmenta encore son butin avec des écrits des Anciens et des humains, car les livres étaient une invention qu'il estimait plus précieuse que les autres.

Outre sa passion pour l'histoire, les mathématiques, la philosophie, l'astronomie, l'alchimie et la magie, il fut captivé par la science moderne. Au XIXe siècle, il se rendit en Angleterre afin de discuter des origines avec un savant renommé. Ils s'étaient enivrés ensemble et avaient passé la nuit à parler jusqu'à ce que la brume nocturne ait été transformée en vapeur par le soleil.

Il se rappelait avoir confié au savant éméché que la civilisation humaine partageait beaucoup de choses avec lui. La différence, c'était que son expérience et appréhension du monde était contenue en une entité unique, une série de réminiscences. Cela signifiait d'une certaine manière qu'il incarnait toutes les étapes de l'évolution à lui seul : bête et prédateur, magicien et aristocrate, violence et raison. Il n'était pas certain d'avoir acquis des émotions humaines. Il n'avait en tout cas pas acquis leur sens moral.

Les humains, selon leur culture, lui donnaient plusieurs noms. Ryū, Wyvern, Nâga. Pour les Aztèques, il était Quetzalc¢atl, le serpent à plumes, qu'ils appelaient Dieu.

*Dragos.*

Quand il découvrit le vol, Dragos Cuelebre monta à l'assaut du ciel avec de longues poussées de ses immenses ailes. Son envergure approchait celle d'un Cessna à huit places.

La vie moderne était devenue compliquée. Il avait l'habitude de concentrer sa Force de façon à éviter les avions lorsqu'il volait, ou plus simplement de déposer un plan de vol auprès du contrôle aérien local. Vu son invraisemblable fortune et sa position en tant que l'un des plus anciens et puissants des Wyrs, la vie s'organisait autour de lui comme il l'entendait.

Cette fois-ci, il ne fit pas preuve d'une telle politesse. C'était un vol du genre « Écartez-vous, laissez-moi la voie libre ! ». La rage l'aveuglait, et elle était mâtinée d'incrédulité. De la lave coulait dans ses vénérables veines et ses poumons s'activaient comme des soufflets. Comme il approchait le zénith de son ascension, sa longue tête oscilla d'avant en arrière et il poussa un nouveau rugissement. Le son déchira l'air tandis que ses griffes acérées mettaient en pièces un ennemi imaginaire.

Toutes ses griffes, à l'exception de celles d'un de ses pieds avant. Celles-ci étreignaient un minuscule morceau de papier. Ce lambeau lui semblait totalement saugrenu. Et l'odeur indéfinissable qui se dégageait du papier émoustillait ses sens, évoquant quelque chose de tellement ancien qu'il n'arrivait pas à se rappeler exactement ce que c'était...

Son cerveau chauffé à blanc s'échappa de ses amarres dans le temps. Littéralement colonisé par la colère, il vola et vola jusqu'à ce qu'il retrouve son calme et puisse de nouveau réfléchir.

C'est alors que Rune lui murmura en esprit :

— *Seigneur ? Est-ce que ça va ?*

Dragos pencha la tête, prenant conscience du fait que son premier lieutenant volait derrière lui, à une distance respectable. Qu'il ne l'ait pas remarqué en disait long sur sa rage. En temps normal, Dragos se rendait compte de tout ce qui se passait autour de lui.

Les raisons qui avaient poussé Dragos à faire de Rune le premier lieutenant de sa cour étaient nombreuses. Et elles expliquaient que Rune soit à son service depuis tellement longtemps. C'était un mâle qui avait de l'expérience, mûr et suffisamment dominant pour assurer son autorité au sein d'une société de Wyrs qui pouvait se montrer indisciplinée.

Et surtout, Rune avait le sens de la diplomatie, une qualité que Dragos n'avait jamais maîtrisée. Ce talent se révélait utile lorsqu'il s'agissait de traiter avec les autres cours d'Anciens.

Dragos crispa ses mâchoires et serra ses redoutables dents faites pour déchirer n'importe quelle proie avec sauvagerie. Après un petit moment, il répondit :

— *Je vais bien.*

— *En quoi puis-je te servir ?* demanda son premier lieutenant.

Dragos crut qu'il allait de nouveau être aveuglé par la colère, abasourdi par ce qu'il avait découvert. Il lança d'un ton hargneux :

— *Il y a eu un vol.*

Une pause. Puis Rune reprit la parole.

— *Seigneur ?*

Pour une fois, le mâle, d'un sang-froid d'ordinaire immuable, semblait ébranlé.

— *Un VOLEUR, Rune.* (Il souligna chaque mot.) *Un voleur s'est introduit dans la grotte où je conserve mes trésors et m'a dérobé quelque chose.*

Rune s'accorda un moment pour absorber l'information.

Jamais une telle chose ne s'était produite. Quelqu'un avait réussi à localiser son trésor, ce qui était déjà un exploit en soi. Sous les sous-sols de la tour Cuelebre était installé un système factice équipé du *nec plus ultra* en matière de sécurité, mais personne ne connaissait l'endroit exact du trésor de Dragos, sauf lui-même.

Le trésor était par ailleurs protégé par de puissants sorts qui le dissimulaient et faisaient office de repoussoir. Ces sortilèges étaient plus anciens que les tombeaux des pharaons d'Égypte, et aussi raffinés et imperceptibles qu'un poison dénué de goût. Toutefois, après avoir localisé son repaire secret, le voleur avait réussi à se faufiler dans le lieu en passant outre tous les verrous physiques et magiques de Dragos. Pire encore, l'individu avait réussi à quitter les lieux de la même façon.

Le seul avertissement qu'avait reçu Dragos avait été un sentiment diffus, tenace et indéfinissable qui l'avait obsédé tout l'après-midi. L'impression désagréable que quelque chose n'allait pas s'était intensifiée au point qu'il avait finalement décidé d'aller inspecter ses biens.

Il avait su que son repaire avait été infiltré dès qu'il avait posé le pied à proximité de l'entrée de la caverne souterraine. Il n'avait, malgré tout, pas pu y croire, même lorsqu'il avait foncé à l'intérieur et découvert la preuve irréfutable du vol, accompagnée de quelque chose qui défiait toute logique. Il baissa les yeux sur son pied droit crispé.

Il bifurqua brusquement afin de suivre une trajectoire de retour vers la ville. Rune le suivit et se positionna derrière lui dans un mouvement fluide.

— *Il faut que tu retrouves ce voleur. Mets tout en œuvre. Tout, tu m'entends ? Utilise tous les moyens possibles, magiques et non magiques. Rien d'autre n'existe. Aucune autre tâche. Délègue toutes tes charges actuelles à Aryal ou à Grym.*

— *Je comprends, seigneur.*

Dragos perçut d'autres conversations dans l'air, même si personne n'osa entrer en contact direct avec lui. Son bras droit avait déjà commencé à donner des ordres.

— *N'oublie pas une chose, Rune,* ajouta-t-il. *Je ne veux pas que ce voleur soit blessé, maltraité ou tué. Il faut que tu aies une confiance aveugle en ceux que tu vas dépêcher à sa poursuite.*

— *Tu peux compter sur moi.*

— *Si quelque chose tourne mal, ce sera ta responsabilité.*

Il n'aurait pas su expliquer pourquoi il enfonçait ainsi le clou avec cette créature qui, depuis des siècles, était aussi fiable et fidèle qu'un métronome. Il resserra encore davantage ses griffes sur la preuve.

— *Compris ?*

— *Compris, mon seigneur,* répliqua Rune d'un ton calme.

— *Bien,* gronda Dragos.

Il constata qu'ils survolaient de nouveau la ville, car il n'y avait plus le moindre trafic aérien autour d'eux. Il vola au-dessus de la vaste plateforme d'atterrissage qui couronnait la tour Cuelebre ; dès qu'il se posa, il reprit sa forme humaine, un homme colossal de deux mètres aux cheveux de jais, à la peau bronze foncé et aux yeux dorés d'un rapace.

Dragos se retourna et regarda Rune atterrir. Les majestueuses ailes du griffon chatoyaient dans le soleil sur son déclin, jusqu'à ce qu'il reprenne lui aussi forme humaine, celle d'un homme aux cheveux fauves, d'une stature presque aussi impressionnante que Dragos.

Rune baissa la tête en signe de respect avant de bondir vers les portes d'accès au toit. Une fois qu'il fut parti, Dragos desserra le poing droit dans lequel il tenait le morceau de papier froissé.

Pourquoi n'en avait-il pas touché un mot à Rune ? Il n'en savait rien. Il obéissait simplement à une sorte d'instinct secret.

Il porta le papier à son nez et inspira profondément. Une odeur s'était collée au papier qui avait absorbé l'huile de la peau du voleur. C'était une odeur féminine qui évoquait la sauvagerie du soleil.

Il resta immobile, les yeux fermés. Ce soleil sauvage et féminin lui rappelait quelque chose d'un lointain passé. Si seulement il arrivait à mettre le doigt dessus. Il vivait depuis tellement longtemps que sa mémoire était un vaste territoire alambiqué. Des semaines pourraient s'écouler avant qu'il ne parvienne à localiser le souvenir.

Il se concentra pour revenir à cette époque insaisissable, à ce soleil juvénile, une forêt d'un vert profond et un parfum céleste qui l'incita à foncer dans les sous-bois...

Le fil de la réminiscence se rompit. Un grondement de frustration gonfla sa poitrine. Il ouvrit les yeux et se força à ne pas déchirer le papier qu'il tenait.

Il se rendit compte que Rune avait oublié de lui demander ce que le voleur avait dérobé.

Son repaire souterrain était immense et des grottes regorgeant d'inconcevables trésors se succédaient. Les parois rugueuses étaient tapissées de merveilles. Des articles de magie, des miniatures, des boucles d'oreilles en cristal qui laissaient fuser des arcs-en-ciel de lumière. Des œuvres de maîtres étaient soigneusement emballées afin de les protéger contre l'humidité. Des monceaux de rubis, d'émeraudes, de diamants de la taille d'œufs et de rangs de perles. Des scarabées égyptiens, des cartouches et des pendentifs. De l'or grec, des statues syriennes, des pierres précieuses venues de Perse, du jade chinois, des trésors espagnols récupérés sur des épaves. Il avait même une collection de pièces modernes qu'il avait démarrée quelques années auparavant et qu'il augmentait au petit bonheur quand il y pensait.

Son attention au moindre détail, une mémoire prodigieuse de chacun des objets constituant son extravagant trésor, les effluves d'un soleil sauvage et l'instinct avaient conduit Dragos à l'endroit même du larcin. Il avait découvert le vol d'une pièce en cuivre d'un penny frappée en 1962 aux États-Unis, subtilisée dans un bocal rempli de pièces qu'il n'avait pas encore pris le temps de ranger dans un album.

La voleuse lui avait laissé quelque chose en échange. Elle l'avait soigneusement posé sur le couvercle du bocal. C'était un message rédigé d'une main hésitante sur un bout de papier, de véritables pattes de mouche. Et il enveloppait une offrande.

*Je suis désolée,* disait le message.

Le larcin était une violation de sa vie privée. C'était un acte d'une impudence et d'un manque de respect hallucinants. C'était également… déconcertant. Lui qui était plus ancien que le péché n'arrivait pas à se souvenir quand il avait été furieux à ce point pour la dernière fois.

Il relut le message.

*Je suis désolée. J'ai dû prendre votre pièce. En voici une autre pour la remplacer.*

Sa bouche se crispa. Et, à sa grande surprise, il éclata de rire.

# 2

Pia passa l'heure suivante à déambuler. Elle constata la manière dont la ville s'était transformée après ce son infernal ; on aurait dit qu'un artiste l'avait peinte de couleurs sombres. Le stress marquait les physionomies des passants. Les nerfs étaient à fleur de peau, des altercations éclataient ici et là, et des groupes de policiers en uniforme apparurent. Les boutiques et les kiosques affichèrent leurs pancartes *Fermé* et baissèrent leurs rideaux de fer.

En temps normal, elle aurait pris le métro, mais vu l'atmosphère agressive dans la rue, elle n'avait pas du tout envie de se retrouver piégée sous terre. Enfin, elle arriva devant la porte de l'abruti.

L'immeuble où il vivait était délabré. Elle inspira par la bouche et ignora le préservatif usagé jeté sur une des marches de l'escalier. Une fois qu'elle aurait fait cette dernière chose et serait passée au boulot pour dire au revoir à Quentin, elle mettrait les voiles.

La porte s'ouvrit brutalement. Elle leva le poing avant même d'avoir posé les yeux sur lui. Il se plia en deux quand elle lui assena un coup dans le ventre.

Il toussa et s'écria, pantelant :

— Putain, garce !

— Aïe !

Elle secoua la main. Le pouce à l'extérieur, idiote, pas à l'intérieur !

Il se redressa et lui jeta un regard furibond en se frottant l'abdomen. Puis il sourit.

— Tu l'as fait, c'est ça ? Tu l'as vraiment fait.

— Comme si tu m'avais donné le choix, répliqua-t-elle sèchement.

Elle le poussa pour avoir la place de se glisser dans l'appartement, puis elle claqua la porte.

Son sourire se transforma en un rire sonore.

— Génial !

Pia le regarda d'un air amer. L'abruti, qui s'appelait Keith Hollins, était beau gosse avec des cheveux blonds en désordre et un corps de surfeur. Son sourire effronté attirait les filles comme le miel attire les mouches.

Elle avait été l'une de ces mouches, à une époque. Puis le temps de la désillusion s'était installé. Quand il avait usé de son charme, elle l'avait trouvé gentil. Elle avait pris ses manières caressantes pour une affection sincère, quand il était en fait d'un incommensurable égoïsme. Et il était accro au jeu.

Elle avait rompu quelques mois plus tôt. Puis, la semaine passée, sa trahison l'avait frappée de plein fouet.

Pia avait été tellement seule depuis la mort de sa mère six ans auparavant. Personne d'autre ne savait ce qu'elle était. Sa mère l'aimait tellement qu'elle avait consacré sa vie à assurer le bien-être et la sécurité de Pia. Elle avait élevé sa fille dans l'obsession du secret, avec tous les sorts de protection qu'elle avait pu rassembler.

Et Pia avait jeté aux quatre vents tout ce que sa mère lui avait enseigné pour un sourire charmeur et une promesse d'affection. Je suis tellement désolée, maman, se dit-elle. Je jure que je vais mieux faire à partir de maintenant. Elle toisa Keith qui était occupé à sauter sur place pour exprimer sa joie. Il lui fit un grand sourire.

— Je savais bien que ça allait être ma fête. Je le méritais. Je ne t'en veux pas, pas de soucis, mon chou.

— Parle pour toi. (Le ton de Pia était glacial.) Des soucis, en ce qui me concerne, c'est pas ce qui manque.

Elle laissa tomber son sac à dos par terre et balaya la pièce du regard. Des emballages de sandwichs jonchaient la table basse. Un tee-shirt sale était drapé sur le sofa. Certaines choses ne changeaient jamais.

— Oh, allez, P., pas besoin de le prendre comme ça. Écoute, je sais que t'es en pétard, mais faut que tu comprennes quelque chose, mon chou. Je l'ai fait pour nous.

Il essaya de la prendre par les épaules, mais elle recula à la hâte pour éviter que ses doigts ne la touchent. Le sourire de Keith se voila, mais il poursuivit sur le même ton enjôleur :

— P., t'as pas l'air de comprendre. On va être riches maintenant. Pétés de pognon. Tu vas pouvoir avoir tout ce que tu veux, bordel. Ça va te plaire non, chérie ?

C'était lui qui ne pigeait rien. L'abruti ne se rendait pas compte qu'il allait faire partie des dommages collatéraux. Il avait élaboré cet univers de bande dessinée dans lequel il avait un rôle tandis que ses dettes de jeu s'accumulaient et qu'il tombait de plus en plus sous la coupe de ses soi-disant associés.

Ces « associés » étaient des relations louches vaguement liées au bookmaker de Keith. Elle se les représentait comme une horde de hyènes massées autour de leur proie. Keith était le déjeuner, mais ils avaient décidé de s'amuser avec leur casse-croûte avant de lui donner le coup de grâce.

Elle ne savait pas qui étaient ces gens et elle n'avait pas envie de l'apprendre. C'était suffisamment affreux de savoir qu'une Force réelle dominait cette chaîne alimentaire. Humain, elfique, wyr ou fae, peu importait. Quelque chose de maléfique s'intéressait à eux. Et cette entité avait suffisamment de magie et de puissance pour décider de se mesurer à l'une des Forces les plus influentes du monde.

— J'ai l'impression d'entendre les répliques d'un mauvais film, lui fit-elle remarquer.

Keith laissa tomber le charme et la fusilla du regard.

— Ah oui ? Va te faire foutre.

— Et voilà, on remet ça, soupira-t-elle. Écoute, finissons-en avec tout ça. Tes maîtres-chiens voulaient que je vole quelque chose de Cuelebre…

— J'ai *parié* avec mes associés que je pouvais m'emparer de n'importe quoi n'importe où, corrigea Keith d'un ton méprisant. Et ils ont *suggéré* quelque chose de Cuelebre.

Cette journée était la dernière d'une longue semaine éprouvante. La semaine en question avait commencé au moment où Keith lui avait glissé dans la main un objet imprégné de Force et lui avait dit qu'elle allait trouver le repaire de Cuelebre grâce à lui. Le choc éprouvé lorsque la pulsation d'intense magie lui avait brûlé la main lui revint en mémoire.

À ce choc s'ajoutait la terreur pour la personne ou la chose qui avait eu le culot de créer ce type de charme et de le donner à Keith.

Inutile de préciser que découvrir que Keith l'avait trahie avait été un moment particulièrement mémorable. Elle s'était rendu compte qu'entre Cuelebre et la horde de hyènes, elle était prise en tenaille. Si elle volait quelque chose de Cuelebre, elle était cuite. Si elle ne le faisait pas, Keith le dirait aux hyènes et elle était tout aussi cuite.

Avoir le charme au creux de sa paume revenait à tenir une bombe à retardement. La conception du charme avait été plus simple qu'elle n'y paraissait à première vue. On aurait dit un charme de pistage doté d'une activation unique, mais il avait eu le pouvoir de traverser toutes les protections de Cuelebre.

Sa gorge se serra en se souvenant de la marche tellement pénible qu'elle avait faite quelques heures plus tôt, la traversée d'un parc baigné de soleil où des adultes, un gobelet de café à la main, surveillaient des enfants qui riaient aux éclats.

Les bruits de la circulation et les aboiements de chiens avaient ponctué la douleur cuisante dans sa main tandis que la Force du charme, qui avait été activée, redoublait d'intensité et donc de chaleur en l'entraînant le long d'un chemin fleuri jusqu'à une porte de service en métal rouillé totalement banale, découpée dans un viaduc du parc. Le charme traçait un chemin étroit et scintillant qui l'avait fait passer à travers une brume d'invisibilité et de sorts d'aversion, lui donnant le sentiment d'être perdue, maudite, piégée dans son cauchemar le plus effrayant, courant un danger mortel, damnée pour l'éternité entière...

Le fragile contrôle que Pia s'efforçait de garder se brisa. Elle frappa Keith des deux mains sur la poitrine, le faisant reculer de quelques pas.

— Tu m'as fait du chantage pour que je vole quelque chose à un dragon, espèce de salaud ! hurla-t-elle. Je t'ai confié mes secrets, je t'ai fait confiance.

Pas tous ses secrets, gracieuses Forces merci, pas tous. Elle avait, elle ignorait par quel miracle, conservé quelques bribes d'intelligence.

— J'ai cru à un moment que nous nous aimions, enchaîna-t-elle. Quelle blague sinistre. Je pourrais ramper sous un rocher et mourir de honte, sauf que tu. N'en. Vaux. Pas. La. Peine.

La dernière poussée qu'elle lui donna l'accula contre le mur. Son expression aurait été comique si Pia avait conservé un peu d'humour.

La stupéfaction de Keith se transforma en hargne. Il réagit plus vite qu'elle ne s'y attendait et la poussa si violemment qu'elle trébucha et faillit tomber.

— J'ai dû exceller à faire semblant, alors, cracha-t-il. Parce que tu es le plus mauvais coup que j'aie jamais tiré.

Jusqu'à ce moment précis, Pia n'avait jamais pris conscience qu'elle était capable de tuer. Elle replia les doigts pour en faire des griffes.

— Me rencontrer est ce qui t'est arrivé de mieux, pauvre connard d'éjaculateur précoce. Simplement, tu n'avais pas l'élégance de le reconnaître. Et tu sais quoi ? Je ne sais même pas pourquoi je suis restée avec toi tout ce temps. J'ai pris davantage mon pied sous la douche, en me servant de ma main.

Keith devint vert. Il leva le bras pour la frapper.

— Tu fais ça et tu n'auras jamais ce que tu veux que je te donne. En plus, tu perdras une main.

De froid, son ton était devenu glacial. Il se figea. L'étrangère impitoyable qui avait investi son corps approcha son visage du sien au point de presque le toucher.

— Vas-y, ajouta-t-elle tranquillement. Une amputation sera peut-être thérapeutique, d'ailleurs.

Elle le toisa jusqu'à ce qu'il laisse retomber sa main et recule d'un demi-pas. Ce n'était pas grand-chose, mais pour sa fierté malmenée, c'était beaucoup. Elle avait remporté le bras de fer.

— Finissons-en, dit-il sèchement.

— Pas trop tôt. (Elle fouilla dans son jean et lui tendit un morceau de papier plié en deux.) Tu auras ce que j'ai volé une fois que tu auras lu à voix haute ce qui est inscrit sur ce papier.

— Quoi ?

Il la regarda sans comprendre. Étant humain et donc dénué de pouvoirs magiques, il n'était pas en mesure de capter la Force qui émanait du papier et du sort d'engagement.

Il le déplia et le parcourut rapidement. Son visage se tordit de fureur. Il laissa tomber la feuille comme s'il avait touché du feu.

— Oh non, non, garce. Ça ne va certainement pas se passer comme ça. Tu vas me donner ce que tu as pris et tu vas me le donner *immédiatement* !

Il plongea sur son sac à dos. Elle recula de quelques pas, le laissant fouiller. Portefeuille, baskets, la bouteille d'eau à moitié vide et son iPod atterrirent sur le plancher.

Il produisit un son étranglé et se retourna vers elle. Elle recula d'un pas dansant et resta sur la pointe des pieds, levant ses deux mains en lui décochant un sourire moqueur.

— Où c'est, bordel ! éructa-t-il. Qu'est-ce que tu as pris ? Où tu l'as caché ? Merde !

— *Tu* as décrété que ça n'avait pas d'importance, répliqua-t-elle. (Au fur et à mesure qu'il avançait vers elle, elle reculait, ménageant toujours quelques mètres entre eux.) *Tu* as décrété que tes maîtres-chiens…

— Associés ! rugit-il en serrant les poings.

— … se fichaient de ce que je prenais, du moment que cela venait de Cuelebre, vu qu'ils avaient les moyens de vérifier ce qui serait dérobé. Je présume qu'ils peuvent y attacher un sort leur permettant de prouver que cela vient vraiment de lui.

Elle sentit son mollet entrer en contact avec la table basse et, tendant ses muscles, elle bondit en arrière au moment où Keith se jetait sur elle. Elle atterrit sur la table en position accroupie tandis qu'il se cognait contre un coin du meuble.

— Et tu sais quoi ? lança-t-elle. Je m'en fiche totalement, à l'exception d'une chose.

Pia marqua une pause et se redressa. Elle dansa sur place pendant que Keith retrouvait son équilibre. Ses traits séduisants s'étaient transformés en un masque de haine.

Elle se demanda s'il allait s'interroger sur la hauteur et la puissance du bond qu'elle venait de faire en arrière et qu'une humaine n'aurait jamais pu accomplir, mais tout cela n'avait plus tellement d'importance.

— Le chantage ne cesse jamais après un paiement. En tout cas, c'est toujours ce qu'on dit dans les feuilletons télévisés. (Le cœur lui manqua en voyant une lueur sournoise passer dans le regard de Keith.) Tu croyais que je ne devinerais pas que tu avais l'intention de te servir encore de moi ? Pourquoi te serais-tu arrêté à un vol, après tout ? Ça aurait toujours été :

« Eh, Pia, je ne dirai rien sur toi si tu fais encore une petite chose pour moi. » C'est ça, hein ?

Sa lèvre supérieure se retroussa.

— On aurait pu former un vrai partenariat.

Il avait le culot de prendre un ton amer. Incroyable.

— Soit tu aurais continué à me faire du chantage, soit, tôt ou tard, si ce n'est pas déjà fait, tu aurais parlé de moi à tes patrons. Ou, autre scénario : tu leur donnes ce que j'ai volé, ce qui leur prouvera que tu en as un peu plus que ce qu'ils pensaient. Et ils te prennent au sérieux.

— Ils me prennent déjà au sérieux, connasse.

— Ben voyons. Ils ont probablement promis d'oublier toutes tes dettes de jeu. Peut-être qu'ils t'ont promis une belle liasse de billets en plus. Tu espères sauver ta peau de minable et qu'ils t'accordent enfin l'attention que tu crois mériter. Mais est-ce que tu as réfléchi deux minutes ? Ils vont fortement s'intéresser à la manière dont tu as pu réussir l'exploit de piquer un truc à Cuelebre. Et ils vont vouloir te poser beaucoup de questions.

La colère s'effaça du visage de Keith tandis qu'il absorbait cette réalité qui apparemment lui avait échappé.

— Ça ne va pas se passer comme ça, fit-il. Je leur ai à peine parlé de toi.

Alléluia, on aurait dit qu'il se mettait à réfléchir ! Enfin, tout était relatif. Elle s'assit sur le sofa.

— Je te crois sur ce détail. En tout cas, je pense que tu le crois. Mais avoir à peine parlé de moi, c'était déjà trop.

Elle voyait les rouages tourner dans sa tête. Il aurait gardé tout le pouvoir. Il l'aurait tranquillement menée en bateau sous le couvert d'un soi-disant partenariat dont il aurait tiré toutes les ficelles.

— Bon, fit-elle, rassemblant le peu d'énergie qui lui restait. Tu avais juré que tu ne soufflerais mot à personne de ce que je t'avais confié. Tu m'as fait chanter, à mon tour de te faire chanter, parce que quel que soit le scénario susceptible de se développer parmi ceux que je viens de dépeindre, je serai cuite.

Il secoua la tête.

— Non, P. Tout ce que tu as à faire, c'est t'entendre avec moi. Pourquoi tu peux pas le voir, bordel ?

— Parce que je ne suis pas comme toi, Keith, répliqua-t-elle sèchement. Et sauver les meubles est ma seule chance d'échapper à ce cauchemar.

— J'arrive pas à croire que tu puisses juste jeter l'éponge.

Il avait l'air sur le point de faire un caprice.

— J'ai jeté l'éponge il y a des semaines déjà, lui rappela-t-elle. Sauf que tu ne pouvais pas lâcher le morceau. Maintenant, prends ce morceau de papier et prononce à haute voix le serment d'engagement, ou bien je m'en vais et tu n'auras jamais ce que j'ai volé. Ce qui signifie que tu devras négocier d'autres modalités de paiement avec tes « associés ». C'est clair ?

Keith la regarda d'un air dépité.

— Ça aurait pu être bien, tu sais.

— Dans tes rêves, cow-boy, rétorqua-t-elle en secouant la tête.

Il s'approcha et ramassa le papier à contrecœur. Elle resta coite tandis qu'il marquait une pause. Elle voyait qu'il essayait de trouver un moyen de ne pas lire ce qui était inscrit. Mais il n'avait pas le choix.

Il le lut rapidement d'un ton courroucé.

— Moi, Keith Hollins, jure ici de ne jamais parler de Pia ou de ses secrets d'aucune façon que ce soit, directement, par inférence ou silence, ou je perdrai l'usage de la parole et souffrirai physiquement tout le reste de ma vie.

Il poussa un cri au moment où la magie s'activa. Le papier s'enflamma.

Avec un soupir, Pia se leva et rangea dans son sac ses affaires éparpillées par terre.

— OK, j'ai fait ce que tu voulais, reprit-il. Maintenant, on va chercher ce que tu as volé. C'est quoi ? Une pierre précieuse, un bijou ? Ça ne peut être qu'un truc que tu pouvais emporter. (La convoitise brilla dans ses yeux.) Tu l'as caché où ?

— Nulle part, répondit-elle en haussant les épaules.

— Quoi ? Tu l'avais sur toi tout ce temps ? s'exclama-t-il en montrant les dents comme un chien.

Elle sortit un mouchoir en coton plié de la poche de son jean et le lui tendit. Il l'ouvrit en le déchirant presque tandis qu'elle mettait son sac à dos. Elle sortait de la pièce quand les jurons commencèrent à fuser.

— Putain, c'est pas vrai. Tu as volé un putain de *penny* !

— Bye, chéri.

Elle s'éloigna. Le corridor s'embruma. Elle serra les dents jusqu'à s'en faire mal. Elle n'allait pas verser une larme de plus pour ce mufle.

— Qu'est-ce que fout un dragon avec un penny dans son trésor ? cria-t-il. Comment je peux savoir que cette pièce est bien à lui ?

Elle envisagea de lui rappeler que ses « associés » étaient en mesure d'en vérifier l'origine. Elle envisagea de lui dire qu'elle savait qu'un faux aurait signé son arrêt de mort, mais l'abruti était de toute façon cuit.

Soit Cuelebre allait le retrouver et lui régler son compte, soit Keith se mettrait à dos tôt ou tard l'un de ses « associés ». Ils voudraient savoir comment il avait pu mettre la main sur quelque chose qui appartenait à Cuelebre. Et, grâce au sort, Keith ne serait pas en mesure de le leur dire. Ce qui serait une situation passablement inconfortable.

Elle envisagea ensuite de lui dire à quel point elle avait été elle-même idiote, vu qu'il ne lui était pas venu à l'esprit d'essayer de lui refiler un faux. Pia avait beau avoir quelques talents singuliers, elle n'avait pas une goutte de malhonnêteté en elle. Elle était incapable de tromper les gens.

Et puis, elle n'avait pas osé renoncer à la tâche demandée une fois qu'elle avait pris conscience du fait qu'une vraie Force la guettait à son insu. Quelque chose se tramait. Quelque chose d'énorme, de funeste, évoquant un assassinat ou une guerre. Elle voulait s'en éloigner aussi vite que possible.

— Tu le regretteras ! cria-t-il. Tu ne rencontreras jamais personne d'autre prêt à supporter toutes tes conneries !

Elle lui fit un bras d'honneur et disparut.

Une panique sourde continuait à l'inciter à prendre ses jambes à son cou. Après avoir tergiversé quelques minutes en se mordant les lèvres, elle prit la décision de ne pas retourner à son appartement. La difficulté de la décision la surprit. Elle ne tenait pas à grand-chose. Ses meubles, c'était juste des meubles. Elle avait toutefois quelques souvenirs de sa mère et elle était attachée à quelques vêtements. Indépendamment de ses possessions, le véritable arrachement, c'était de quitter son chez-soi, de rompre la stabilité qu'elle y avait trouvée.

— Ne t'attache pas aux gens, aux lieux, ou aux choses, lui avait répété sa mère. Il faut que tu sois en mesure de tout quitter sans regarder en arrière. Sois prête à fuir sans le moindre préavis.

La mère de Pia avait caché d'importantes sommes d'argent et différentes identités pour elles deux dans une demi-douzaine d'endroits un peu partout en ville. Pia avait mémorisé dès son plus jeune âge les combinaisons de verrous et de coffres-forts de tous les endroits concernés. Elles avaient régulièrement effectué des exercices dits de fuite de New York, durant lesquels elle suivait les itinéraires et accédait aux documents et au liquide pendant que sa mère la suivait et l'observait. Les photos des faux documents étaient changées au fur et à mesure que Pia grandissait.

Mais si Pia avait hoché la tête et affirmé qu'elle comprenait, les événements de la semaine qui venait de s'écouler indiquaient à quel point elle n'avait pas vraiment intégré les choses. Sa mère était morte alors qu'elle avait dix-neuf ans. Âgée maintenant de vingt-cinq ans, elle commençait à se rendre compte de l'insouciance dont elle avait fait preuve.

Pas seulement de son aveuglement et de sa sottise d'avoir fait confiance à Keith. Elle avait continué à s'entraîner et à suivre des cours d'autodéfense et d'arts martiaux, mais avait négligé de les prendre au sérieux. Elle les avait considérés comme l'occasion de faire du sport et de se distraire. Mais les leçons de sa mère lui revenaient et la hantaient.

Elle emprunta un chemin compliqué pour rejoindre le bar Elfie's situé au sud de Chelsea. Elle réussit à vider un coffre avant la fermeture des banques, puis une autre cachette, moins classique, dans la cour de récréation de son école primaire. Elle avait désormais trois nouvelles identités et cent mille dollars en petites coupures dans son sac à dos.

Quand elle poussa enfin la porte d'Elfie's, elle avait l'impression de porter la moitié de la saleté de la ville sur elle. Elle était littéralement vidée émotionnellement, et la faim la tenaillait. Cela faisait plusieurs jours que le stress lui nouait la gorge, et elle n'avait pas pu avaler grand-chose. Elfie's était ouvert dans la journée afin de servir à déjeuner entre onze heures et quinze heures. Le soir, le bar s'animait vraiment et Quentin, le propriétaire, aurait pu en faire l'un des clubs les plus courus de New York s'il l'avait voulu. Il avait suffisamment de charme et de style pour ça.

Mais il préférait ne pas trop se développer. Elfie's avait la réputation d'être un agréable club bénéficiant d'une clientèle fidèle, qui incarnait les laissés-pour-compte des sociétés, ceux qui n'étaient pas totalement wyrs, faes, elfiques ou humains et qui n'avaient donc leur place nulle part. Certains affichaient leur nature sans complexe, leur métissage, mais nombreux étaient ceux qui, à l'instar de Pia, cachaient ce qu'ils étaient réellement.

Elle travaillait à Elfie's depuis qu'elle avait vingt et un ans. C'était le seul endroit qu'elle avait trouvé après la mort de sa mère où elle se sentait chez elle.

Elle se dirigea vers l'extrémité du bar où se groupaient les serveurs et s'affala plus ou moins contre. Le barman de service, Rupert, cessa une seconde de manipuler ses bouteilles pour lui jeter un regard surpris. Il leva le menton, lui proposant silencieusement un verre.

Elle secoua la tête et lui demanda où se trouvait Quentin.

Il haussa les épaules. Elle opina et lui fit un petit signe de la main, et il reprit son travail.

La climatisation lécha sa peau surchauffée. Elle sentit les larmes lui monter aux yeux en observant le cadre familier. Elle aimait s'occuper du bar. Elle aimait travailler pour Quentin.

La clientèle des bureaux se pressait dans le vaste espace, et trois rangées de gens étaient massées au bar et attendaient leurs boissons. De l'autre côté, d'immenses écrans plats diffusaient des émissions de sport. La plupart des gens, toutefois, avaient les yeux rivés sur le grand écran fixé au mur. Elle leva le regard.

— ... pour les nouvelles locales, les témoignages continuent d'affluer quant à l'étendue des dégâts causés cet après-midi par l'événement mystérieux, tandis que les spéculations vont bon train pour en expliquer la cause.

Une femme blonde, l'une des journalistes habituelles, affichait un sourire radieux en direction de la caméra. Elle se tenait devant un trottoir où des équipes d'agents municipaux balayaient des montagnes de verre brisé.

Le pilier de bistro qui se trouvait à côté de Pia lui lança d'une voix rocailleuse :

— Salut la belle. Tu n'étais pas en vacances pour une semaine ? Qu'est-ce que tu fais ici ?

Elle jeta un coup d'œil au demi-troll trapu perché sur un tabouret en acier. Debout, il mesurait près de deux mètres cinquante, sa peau était gris pâle et il avait une tignasse noire qui refusait de se laisser peigner.

— Salut Preston, répondit-elle. Oui, je suis toujours en congé. Il faut juste que je dise un truc à Quentin.

Preston était l'un des habitués du bar. Informaticien free-lance de son état, il passait ses journées chez lui devant son écran et réchauffait le tabouret du bar tous les soirs. Il buvait comme un trou et faisait à l'occasion le videur quand il y avait du grabuge.

— Tu sais que ce n'est pas bon signe de ne pas pouvoir oublier le boulot, mignonne.

— C'est une malédiction, reconnut-elle.

Tirée par un fil invisible, elle leva de nouveau les yeux sur l'écran. Elle regarda avec fascination et horreur.

— Quentin est sorti il y a une vingtaine de minutes, ajouta le troll. Il a dit qu'il revenait tout de suite.

Elle fit un signe de tête tandis que la journaliste poursuivait :

— Pendant ce temps, les autorités confirment que la source de l'incident se trouvait non loin de la tour Cuelebre sur la Cinquième Avenue, dans un parc situé à deux pas de Penn Station. Cuelebre Enterprises a publié un communiqué de presse assumant la responsabilité du regrettable « accident de recherche et développement ». Nous nous tournons maintenant vers Thistle Periwinkle, directrice des relations publiques pour Cuelebre Enterprises et l'une des porte-parole les plus célèbres des Anciens.

La caméra se déplaça pour se poser sur une personne de petite taille qui se tenait devant le chrome poli et le marbre de la tour Cuelebre et était entourée de reporters.

La foule massée dans le bar se mit à siffler, à trépigner et à applaudir.

— Ouiiii ! Fée Barbie, ouiiiiiiiiiiii ! Ma douce !

La petite femme portait un tailleur rose pâle qui soulignait sa silhouette de rêve et sa taille fine. Avec son mètre soixante-quinze, Pia avait toujours eu l'impression d'être une grande perche lorsqu'elle voyait la fée à la télé. Les cheveux lavande de la célèbre porte-parole de Cuelebre étaient coupés au carré avec chic. Elle fronça son nez retroussé en souriant d'un air affable tandis qu'une dizaine de micros l'assaillaient.

Preston poussa un long soupir.

— Elle est canon, bordel. Qu'est-ce que je ne donnerais pas pour me la faire !

Pia jeta un rapide coup d'œil au colosse hirsute. Elle avait toujours trouvé que c'était une décision très calculatrice d'avoir choisi la mignonnette petite fée comme directrice des relations publiques de Cuelebre Enterprises. « Voyez comme nous sommes gentils, avenants et inoffensifs. » Tu parles.

La fée leva une petite main délicate. Elle prit la parole dès que les exclamations et les cris cessèrent.

— Je ne vais faire qu'une déclaration brève aujourd'hui. Nous reviendrons vers vous un peu plus tard avec davantage de détails une fois que nous comprendrons mieux la situation. Cuelebre Enterprises regrette les désagréments que cet incident a causés à nos chers New-Yorkais et promet une résolution rapide de toutes les demandes d'indemnisation, s'il y en a, pour les dégâts.

L'expression mutine de la fée s'effaça. Elle focalisa son regard sur l'objectif de la caméra d'un air sombre et non plus joyeux.

— Soyez sûrs que Cuelebre a mis en œuvre toutes les ressources à sa disposition pour qu'une enquête exhaustive soit menée. Il vous garantit personnellement que la cause de l'incident d'aujourd'hui sera résolue de manière rapide et ferme. Ceci ne se produira plus.

Oubliées les minauderies… La foule de reporters se figea. Dans le bar, le brouhaha généralisé s'éteignit. Même Rupert cessa de servir à boire.

— Nom d'un petit bonhomme. Est-ce que cette minuscule bonne femme vient de montrer les dents ?

Sur l'écran de télévision, la scène redevint chaotique avant que l'image revienne dans les studios de la chaîne où la journaliste blonde déclara d'un ton urgent :

— Voilà, c'était la déclaration officielle de Cuelebre et elle a fait l'effet d'un coup de tonnerre.

L'émission continua en diffusant un reportage biographique court sur Cuelebre. On ne savait pas beaucoup de choses sur le milliardaire qui vivait comme un ermite. Il était universellement reconnu comme l'une des Forces les plus immémoriales des Anciens, et reconnu comme le dirigeant à la poigne de fer du domaine des Wyrs de New York. Il était aussi un acteur important, quoique mystérieux, de la scène politique de Washington.

Les gros plans et les séquences filmées de lui étaient toujours floutés. C'était seulement de loin que des photos avaient pu être prises de manière un peu plus nette. La chaîne montra quelques clichés d'un groupe de mâles puissants et à l'air dur. Au milieu, se dressait un personnage immense saisi en plein mouvement, la tête tournée.

Cuelebre n'avait jamais publiquement dit ce qu'il était, mais les journalistes commentaient longuement le fait que son prénom, Dragos, signifiait « dragon » et que, d'après la mythologie, Cuelebre était un serpent ailé géant.

Même les plus marginalisés des hybrides connaissaient la nature de Cuelebre. Chacun d'entre eux avait ressenti dans sa moelle le rugissement de dragon qui avait fait trembler les fondations de la ville.

Pia tendit la main vers le scotch de Preston sans quitter l'écran des yeux. Le troll lui tendit le verre, et elle avala une gorgée. Le liquide glissa dans sa gorge desséchée et explosa dans son estomac, lui donnant l'impression d'avoir avalé une boule de feu. Elle hoqueta et lui rendit le verre.

— Je sais, dit-il. Ils ont passé des trucs comme ça tout l'après-midi. Apparemment, « l'incident » a cassé des fenêtres jusqu'à plus d'un kilomètre et a fissuré les fondations d'un hôtel particulier. Je l'ai entendu moi-même et je n'ai pas honte d'avouer que le son m'a rétréci les noisettes.

La panique s'empara de nouveau d'elle. Elle cacha ses mains sous le bar afin de masquer leur tremblement et s'éclaircit la gorge.

— Oui, je l'ai entendu, moi aussi.

— Mais qui a bien pu le mettre en colère à ce point ? Je n'en sais rien, mais l'Apocalypse, à côté, ça fera figure de promenade dans la campagne.

— T'as vraiment une sale tête, murmura alors quelqu'un à son oreille.

Pia sursauta violemment, puis elle pressa ses paumes contre ses paupières jusqu'à voir des étoiles avant de se retourner pour faire face à Quentin.

— C'est mon patron, dit-elle en direction de Preston. Toujours le mot pour plaire.

Le troll pouffa.

Quentin était appuyé contre le mur qui jouxtait les portes à tambour qui menaient à l'arrière du bar. Il la dévisageait en fronçant les sourcils. C'était un homme d'un mètre quatre-vingt-sept, élancé et puissant, avec des traits bien dessinés. Ses cheveux blond foncé étaient longs et dépassaient ses larges épaules, mais il les portait normalement en catogan. Le style sévère accentuait l'ossature de son visage et ses yeux bleus perçants.

Pia sentit sa gorge se serrer.

— Il faut que je te parle, dit-elle.

— J'ai bien compris.

Il se tourna afin de pousser l'une des portes.

Pia fit un petit signe de la main à Preston et se dirigea vers l'arrière du bar, Quentin sur ses talons. La porte se referma, étouffant le bruit.

Elle traversa la réserve et entra dans le spacieux bureau de Quentin. Elle s'arrêta au milieu de la pièce, laissa tomber son sac et resta immobile, l'esprit vide.

Une très belle main s'approcha et lui prit le menton. Elle le laissa la tourner vers lui, mais elle ne put soutenir son regard intense qu'un moment avant de fixer un point au-delà de son épaule droite. Elle se sentait oppressée.

— Je m'en vais, annonça-t-elle, les yeux toujours rivés sur le point au-delà de son épaule. Je suis venue te dire au revoir.

Le silence s'étira et devint pesant. Puis Quentin posa une main sur son front et enveloppa son cou de l'autre. Elle croisa son regard, et l'inquiétude qu'elle y lut faillit avoir raison du peu de contrôle qu'elle s'efforçait de garder.

— Tu as mal à la tête, fit-il remarquer.

Une chaleur dorée se mit à couler de ses mains et à se répandre dans sa tête, puis dans tout son corps, effaçant la douleur.

— Oh, je ne savais pas que tu pouvais faire un truc pareil, soupira-t-elle. Ça fait un tel bien.

Quand ses genoux fléchirent, il l'attira dans ses bras et la serra contre lui.

— Je crains de ne pouvoir faire quoi que ce soit pour les peines de cœur.

La bouche de Pia trembla. Il avait deviné son chagrin. Elle posa la tête sur son épaule.

— Est-ce que tu n'es pas censé me passer un savon pour ne pas te donner deux semaines de préavis ?

— Et si on se contentait de dire que je l'ai fait, hein ? Ça marche ?

Elle renifla et opina, entoura sa taille de ses bras.

L'âge de Quentin était impossible à déterminer. Il pouvait avoir entre trente-cinq et cent trente-cinq ans. Il y avait quelque chose chez lui de sérieux et sans âge, et son aura véhiculait un soupçon de violents secrets, si bien que Pia avait toujours parié qu'il était assez âgé. Cela faisait des années qu'elle avait un béguin pour lui. En général, cela l'amusait et lui plaisait. C'était une petite faiblesse confortable, d'autant plus qu'elle ne la lui dévoilerait jamais.

Quelque chose s'était passé, une reconnaissance, la première fois qu'ils avaient échangé un regard. Un léger bourdonnement de Force émanait de Quentin, et Pia l'avait perçu au plus profond de son être. Elle avait reconnu ce qu'il était. Il y avait un magnétisme attaché à lui qui l'aidait à passer pour un humain, similaire au sien et à celui des autres hybrides qui se cachaient parmi la population. Elle ne savait pas ce qu'il était précisément, mais elle supposait qu'il était elfique, au moins en partie.

Il n'avait pas la moindre idée de sa nature à elle et, parce qu'il ne posait pas de questions, elle avait toléré les regards scrutateurs qu'il lui jetait au début de leur rencontre.

Il entreprit de démêler sa queue-de-cheval, passant ses longs doigts dans les mèches.

— Est-ce que Keith joue un rôle dans tout ça ? Tu ne l'as pas revu depuis que vous avez rompu, n'est-ce pas ?

Cela lui faisait du bien que Quentin caresse ses cheveux. Liquéfiée, elle enfouit son visage dans sa chemise. Elle huma son odeur virile, chaude, qui lui faisait penser à de la chlorophylle. C'était si agréable d'être dans les bras d'un homme fort et solide.

Elle s'écarta de lui.

— Si, je l'ai vu. Keith est responsable de ce qui se passe, en partie en tout cas, avoua-t-elle, peu désireuse de mentir, non seulement parce qu'elle était attachée à Quentin, mais aussi parce qu'elle n'avait jamais été capable de déterminer dans quelle mesure il pouvait détecter les mensonges. Mais c'est compliqué.

Quentin se dirigea vers la porte de son bureau et la ferma. Il s'appuya contre elle, les bras croisés.

— Bon, eh bien, je vais décompliquer l'affaire. Dis-moi juste où il habite.

La panique la saisit.

— Non ! Tu dois me promettre que tu le laisseras tranquille.

Quentin pencha la tête, la toisant avec beaucoup trop de clairvoyance à son goût.

— Pourquoi ? Tu n'as plus de sentiments pour lui, n'est-ce pas ?

— Mon Dieu, non ! s'exclama-t-elle. (Elle se frotta le visage.) Ce n'est pas ça du tout. Écoute, tu ne comprends pas parce que tu ne sais rien, et je ne peux pas t'expliquer ce qui se passe. Je n'aurais même pas dû venir te dire au revoir. C'est une grosse erreur.

Elle lui fit signe de s'écarter. Il ne bougea pas. C'est alors qu'elle se rendit compte qu'il s'était délibérément mis devant la porte. Elle poussa une exclamation de dépit, plus en colère après elle qu'après lui. Il fallait qu'elle fasse preuve de davantage de jugeote si elle voulait rester en vie.

Quentin chercha son regard.

— Dis-moi juste dans quel pétrin tu es, déclara-t-il posément. Et je m'en occuperai. Je ne poserai pas de questions auxquelles tu ne peux pas ou ne veux pas répondre. Tout ce que tu dois faire, c'est me dire ce qui ne va pas.

Les mots réveillèrent instantanément sa panique, mais cette fois-ci, elle avait peur pour lui. Elle fit un bond en avant et le saisit par les épaules.

— Il faut que tu m'écoutes. Un truc grave, énorme s'est produit et je ne vais pas t'en parler. Je m'en vais, point barre.

Sans la quitter des yeux, il retira ses mains de ses épaules, les enveloppa dans les siennes et les tint contre son torse musclé.

— Pia, on se connaît depuis quatre ans et nous avons respecté de manière exemplaire la vie privée de l'autre jusqu'à maintenant. Si je ne sais pas exactement ce que tu es, je sais que tu es futée…

— Tu dis ça d'un air sérieux alors que je suis tombée en pâmoison devant Keith ? Quelle blague !

Elle essaya de dégager ses mains, mais il ne les lâcha pas.

— Tu as fait une bêtise. Ça ne fait pas de toi une idiote, dit-il en broyant ses mains contre sa poitrine au point de lui faire presque mal. Je t'ai vue observer la marche des choses ici. Tu crois que je n'ai pas de contacts ou d'influence ? Laisse-moi t'aider.

Elle cessa de se débattre.

— Je sais que tu as de l'influence. Il doit y avoir une myriade de raisons expliquant qu'Elfie's ait une si grosse clientèle, fidèle en plus, et pourquoi tu t'entretiens avec un si grand nombre de clients dans ton bureau. Et je suis sûre qu'il y a des conversations passionnantes le lundi soir pendant les parties de poker. Et puis, si j'en juge par d'autres visites que j'ai remarquées et certaines livraisons, je suis également à peu près certaine que tu as des contacts avec le domaine des Elfes et Dieu sait qui d'autre.

Il sembla se rendre compte qu'il lui faisait mal et relâcha sa prise.

— Alors tu dois savoir que je peux t'aider. Il suffit de me laisser faire.

Elle leva les yeux au ciel. Elle savait qu'il était têtu, mais là c'était absurde.

— Tu ne m'écoutes pas, reprit-elle. Tu. Ne. Peux. Pas. M'aider. Nous n'allons *pas* en parler, mais réfléchis une seconde, tu veux bien ? Dragon ? Ru-gis-sement ? Mon départ ?

Il blêmit.

— Qu'est-ce que tu as fait ?

Elle secoua la tête. Au moins, il la prenait enfin au sérieux.

— Tout ce que tu as besoin de savoir, c'est que mon problème dépasse tout ce que tu peux imaginer. Ne fais rien. Mieux encore : ne pense même pas à faire quelque chose. Et je t'en prie, Quentin, ne t'en prends pas à Keith. Il y a quelque chose de réellement maléfique et terrifiant qui pense pouvoir chercher à nuire à Cuelebre sans souci. (Elle se pencha et posa le front contre sa poitrine.) Écoute-moi. Tu comptes beaucoup pour moi et je ne veux pas apprendre que tu as été blessé ou tué. Surtout alors que tu ne peux rien faire, de toute façon.

Il l'enveloppa de nouveau dans ses bras et la serra si fort qu'elle en eut le souffle coupé. Puis il posa ses lèvres contre son oreille.

— Je ne vais pas te laisser fuir et être aux abois sans t'aider. Alors, fais-toi à cette idée.

Elle grogna et tenta de le pousser pour se libérer, mais il tint bon.

— Qu'est-ce qui te prend, espèce d'idiot ? Tu as envie de mourir ?

— Je veille sur les miens, voilà tout.

Il la lâcha et se dirigea vers son bureau d'un pas rapide. Surprise, elle chancela, puis se retourna pour l'observer. La tension se lisait sur le visage de Quentin, et elle vit l'ombre de quelque chose d'effrayant passer sur son visage. Il lui jeta un regard empreint d'ironie :

— Même si tu fais des trucs idiots et couines comme une petite fille.

— Va te faire foutre. Tu ne me commandes pas. Plus maintenant, marmonna-t-elle.

Elle le regarda ouvrir son coffre-fort en deux temps trois mouvements. Il sortit une enveloppe qu'il lui tendit.

— Tu vas aller là-bas. T'installer dans une petite maison que j'ai.

Son attitude autoritaire ranima la flamme de sa colère, mais elle commençait à ne plus avoir l'énergie d'argumenter. Elle ouvrit l'enveloppe et en sortit deux clefs enfilées sur un simple anneau en métal.

— Demande-moi où c'est. Dis : « Quentin, c'est où ? » insista-t-il. Allez.

— Quentin, c'est où ? répéta-t-elle d'une voix atone en s'apprêtant à jeter les clefs sur son bureau.

— Oh, merci de demander, Pia. C'est à la sortie de Charleston.

Elle suspendit son geste.

— Charleston en Caroline du Sud ? Charleston où siège la cour des Elfes, en plein milieu de leur domaine ?

— Là même, répondit-il en souriant. Cuelebre ne peut pas y entrer sans la permission du Seigneur suprême des Elfes, à moins de violer toutes sortes de traités et de se mettre dans un pétrin invraisemblable. (Son sourire s'évanouit, et il la scruta.) Je ne sais pas ce qui se passera une fois que tu seras là-bas ou ce que tu dois faire ensuite. Peut-être que cette initiative ne servira qu'à te permettre de souffler un petit moment. Mais, bon, c'est un début.

— Oui, admit-elle, les yeux rivés sur les clefs.

Elle les fourra dans sa poche et serra Quentin contre elle.

Il pressa un autre trousseau de clefs dans sa paume et l'accompagna jusqu'au petit parking jouxtant l'arrière du bar. Il s'arrêta devant une Honda Civic bleue tout à fait ordinaire datant de 2003.

— Prends-la, dit-il.

— C'est trop généreux, articula-t-elle d'un ton étranglé. Et tu es déjà suffisamment impliqué.

— J'en ai au moins cinq dans le genre. Ce n'est pas grand-chose. Tais-toi et monte.

— Tu vas me manquer, fit-elle.

Il l'embrassa.

— Ce n'est pas un adieu.

— Bien entendu que ça ne l'est pas.

— Sérieusement, Pia. Trouve un moyen de me contacter pour me dire que tu vas bien, ou je me lance à ta poursuite.

Elle espérait de tout son cœur que cela n'arriverait pas. Il fallait qu'il reste en dehors de ce cauchemar. Elle ne supporterait pas l'idée d'être responsable de la mort de son patron et ami, simplement parce qu'elle n'avait pas été capable de s'en aller sans lui dire au revoir.

Il pressa ses lèvres contre son front et recula.

— Allez, file.

Elle poussa la touche de déverrouillage des portes, jeta son sac à dos sur le siège du passager et s'installa au volant. Quand elle arriva à un stop au bout de la rue, elle regarda dans le rétroviseur. Quentin se tenait debout à la sortie du parking. Il lui fit un signe de la main.

La voie était libre, elle s'engagea sur l'avenue.

Quentin lui avait dit que le voyage entre New York et Charleston prendrait environ douze heures, en suivant l'autoroute I-95 la plupart du temps. Elle voulait s'éloigner le plus vite possible du domaine des Wyrs de New York. Au bout de quarante minutes, elle s'arrêta à un Starbucks et acheta un sandwich au tofu et un grand café tellement fort qu'il aurait pu récurer sa baignoire. Puis elle conduisit jusqu'à ce qu'elle n'ait plus les yeux en face des trous.

Les domaines des Anciens étaient en surimpression sur la carte géographique des humains. Les États-Unis comptaient sept domaines d'Anciens, y compris le domaine wyr, établi à New York, et la cour des Elfes dont le centre se trouvait à Charleston.

Chaque domaine avait son propre seigneur ou sa propre dame qui faisait respecter ses lois. Un certain nombre des dirigeants anciens préféraient vivre à une certaine distance des humains. Ils avaient leurs cours dans d'autres espaces où seuls ceux qui possédaient des pouvoirs magiques étaient en mesure de distinguer et de traverser les frontières dimensionnelles. D'autres, Dragos par exemple, vivaient parmi les humains.

Elle ne savait pas où se trouvait exactement la frontière wyr-elfique, et elle conduisit jusqu'à ce qu'elle soit sûre de l'avoir franchie. Que ce soit justifié ou non, elle sentit l'étau de la peur se desserrer. Vers trois heures du matin, l'épuisement eut raison d'elle, et elle prit une chambre dans un motel en utilisant une de ses fausses pièces d'identité. Elle verrouilla la porte, mit la chaîne, posa son sac et s'écroula sur le lit. La chambre se mit à tanguer tandis qu'elle retirait une chaussure, puis l'autre avec un pied.

Je pourrais dormir un mois entier, pensa-t-elle alors qu'elle était entraînée dans un tourbillon de ténèbres.

Elle n'eut pas cette chance.

Dragos se tenait sur le balcon de son penthouse au sommet de la tour Cuelebre. Il contemplait sa ville tandis que le soleil s'approchait de l'horizon. À cette heure du jour, la lumière de l'astre se transformait en une lourde masse d'or qui avait la richesse et la complexité d'un vieux bourgogne blanc. Il avait les mains croisées derrière le dos et les pieds solidement plantés à une bonne distance l'un de l'autre.

Le balcon était l'un de ses endroits de méditation préférés. Il était dépourvu de rambarde. Il consistait en une large corniche courant tout autour de l'immense bâtiment qui occupait un pâté de maisons. C'était un endroit plus pratique et plus discret pour prendre son envol ou se poser, quand il n'avait pas envie d'aller sur le toit qui était utilisé par ses sentinelles et certains autres membres privilégiés de sa cour.

D'innombrables sociétés se trouvaient sous l'égide de Cuelebre Enterprises. Casinos, hôtels et stations balnéaires et de ski, opérations sur actions, expéditions, banques. Il employait des milliers de fées, d'Elfes, de Wyrs et d'humains partout dans le monde, même si l'essentiel de la population wyr préférait vivre dans l'État de New York de façon à pouvoir dépendre de ses lois et être sous sa protection.

Ces Wyrs qui se rassemblaient à la cour de Dragos et occupaient des positions clés dans ses entreprises étaient des prédateurs d'une manière ou d'une autre, même s'il existait quelques exceptions notoires, telle la fée chargée des relations publiques, Thistle Periwinkle, Tricks pour ses amis.

À l'instar de Rune, son premier lieutenant, ses sept sentinelles étaient des créatures immortelles investies d'une dose importante de Force. Il y avait les quatre griffons, Rune, Constantine, Graydon et Bayne, chacun chargé de faire régner la paix dans l'un des quatre secteurs de son domaine. La gargouille Grym s'occupait de la sécurité de Cuelebre Enterprises. Tiago, l'un des trois oiseaux-tonnerre dont on connaissait l'existence, était à la tête de l'armée privée de Dragos.

Enfin, la harpie Aryal était chargée des enquêtes. Elle n'avait pas apprécié de devoir passer les rênes de l'enquête sur ce vol à Rune. Elle n'était pas connue pour la sérénité de son tempérament, ce qui expliquait d'ailleurs son ascension à la cour.

Il fouilla dans sa poche et en sortit le bout de papier laissé par la voleuse. Le message avait été griffonné au dos du reçu d'une petite chaîne d'épiceries. Le papier fin commençait à être corné à force d'être manipulé. Il l'ouvrit et regarda les achats du voleur : un paquet de réglisse et un grand Coca à la cerise.

— *Rune,* appela-t-il de manière télépathique.

Son premier lieutenant répondit immédiatement.

— *Seigneur.*

— *Rends-toi au 7-Eleven de la 42e et récupère leurs séquences de surveillance pour les dernières vingt-quatre heures. Il y a des chances que notre malfaiteur soit dessus.*

— *J'y vais. Je serai de retour dans une heure.*

— *Oh, Rune ? Ramène un paquet de réglisse et un Coca à la cerise.*

Il voulait savoir à quoi ressemblaient ces trucs.

— *D'accord,* répondit Rune, clairement décontenancé. *Dragos ?*

— *Quoi ?*

— *Tu sais quelle taille de boisson tu veux, par hasard ?*

La voix mentale de son premier lieutenant avait un curieux timbre.

— *Tu connais suffisamment mes goûts. Ça me plaira ?*

Dragos ayant retrouvé son calme, Rune reprit le ton de leurs échanges quotidiens, dénués de tout cérémonial.

— *Ben, je ne pense pas, camarade. Je ne t'ai jamais vu manger ou boire des saletés de ce genre.*

— *Un petit, alors.*

Dragos leva le reçu, le renifla, et fronça les sourcils. Même pour son odorat développé, il commençait à perdre son délicat parfum féminin.

Il quitta le balcon et rentra dans le penthouse. L'appartement occupait tout le dernier étage de la tour. Ses bureaux, ses salles de réunion, une salle à manger réservée aux cadres, une salle de sport et d'autres lieux publics se trouvaient à l'étage au-dessous. Un étage plus bas encore se trouvaient les logements de ses sentinelles et d'autres hauts représentants de la cour et du monde des affaires. Toutes les pièces étaient immenses.

Dragos partit à la recherche de la cuisine commune où l'on préparait les repas servis dans la salle à manger. Il la trouva à l'étage au-dessous. Il franchit les portes à double battant, et cinq ou six personnes attachées au service de la cuisine s'immobilisèrent. Dans le coin, un lutin émit un glapissement de saisissement et se fit invisible.

La cuisinière en chef se précipita vers lui en se tordant les mains. Dans sa forme wyr, elle était un affreux loup, mais elle gardait sa forme humaine, celle d'une grande femme d'âge mûr aux cheveux gris, pendant les heures de travail.

— C'est un honneur inattendu, mon seigneur, balbutia-t-elle. Que pouvons-nous faire pour vous ?

— Ces sachets en plastique munis de petites fermetures Éclair... je les ai vus dans des publicités, lui dit Dragos. On met de la nourriture dedans.

— Des sachets Ziploc ? demanda-t-elle timidement.

— Oui, c'est ça. J'en veux un.

Elle se retourna et s'adressa à son personnel d'un ton hargneux. Une fée bondit vers un placard, puis sautilla vers eux. Elle s'inclina bas devant Dragos, tête baissée et regard rivé au sol, tout en lui tendant une boîte en carton. Il sortit un sachet, glissa le reçu dedans et le referma hermétiquement.

— Parfait, dit-il en rangeant le sachet dans sa poche de chemise.

Il sortit, sans prêter attention au brouhaha qui s'élevait derrière lui.

En attendant le retour de Rune, il se dirigea vers ses bureaux. Ses quatre assistants, tous des Wyrs sélectionnés pour leur intelligence et la force de leur caractère, occupaient les pièces extérieures ornées d'œuvres de peintres expressionnistes abstraits, tels que Jackson Pollock et Arshile Gorky, et de sculptures de Herbert Ferber.

Situé dans un coin de l'immeuble, son bureau tout en bois et en pierre était décoré dans des tons naturels. À l'instar du penthouse, la façade était constituée de panneaux de verre encastrés dans un cadre en fer forgé, de façon à former des portes-fenêtres qui s'ouvraient sur une corniche faisant office de balcon privé. Les murs étaient ornés de deux toiles qu'il avait commandées à l'artiste Jane Frank. L'un des tableaux représentait un paysage le jour, l'autre la nuit.

Au moment où il s'assit à son bureau, son assistant, Kristoff, passa sa tête hirsute par la porte. Dragos serra les dents.

— Approche-toi avec précaution, prévint-il en gardant la tête penchée sur les contrats étalés devant lui.

La nature d'ours du Wyr masquait un docteur en économie diplômé de Harvard, spirituel et à l'intelligence vive. Futé comme il l'était, Kristoff prononça les deux mots susceptibles d'éveiller l'attention de Dragos.

— Urien Lorelle.

Il leva la tête. Urien Lorelle, le roi des Faes noires, était l'un des sept chefs des Anciens ; son domaine était établi à Chicago et il s'avérait être la bête noire de Dragos. Il se carra dans son fauteuil et fléchit les doigts.

— Crache le morceau.

Les bras chargés, Kristoff bondit et déversa une brassée de documents sur son sous-main.

— Je l'ai – le lien que nous cherchions entre Lorelle et le développement des armes. Ce sont des copies papier de tout ce que j'ai pu exhumer. La déclaration auprès de la SEC de la Transcontinental Power and Light, la circulaire d'information, le rapport annuel. J'ai marqué les pages importantes et j'ai tapé un compte rendu.

Formée à la fin du XIXe siècle, la Transcontinental Power and Light était l'une des entreprises de service public appartenant au secteur privé les plus importantes du pays. Le roi des Faes noires en était le principal actionnaire individuel.

Dragos saisit le rapport annuel et le feuilleta. Le document émanant de la commission des valeurs mobilières des États-Unis était épais, rempli de statistiques et de tableaux.

Urien Lorelle et lui avaient tellement de divergences d'opinions. L'entreprise de Lorelle était favorable à l'extraction du charbon à ciel ouvert. Dragos préférait que les sommets des montagnes ne bougent pas. L'armada de centrales thermiques au charbon vieillissantes d'Urien rejetait annuellement plus de cent millions de tonnes de dioxyde de carbone dans l'atmosphère. Quand il volait, Dragos aimait respirer un air pur.

— Résume, dit-il à Kristoff.

— Transcontinental a établi un partenariat appelé RYVN, qui a déposé une demande de subvention auprès du département de l'Énergie destinée à nettoyer un site vieillissant dans le Midwest qui produisait dans les années cinquante du combustible nucléaire et des applications pour la Défense. RYVN prétend vouloir explorer la possibilité de construire une nouvelle centrale nucléaire électrogène sur le site, ainsi qu'établir de nouveaux contrats avec le département de la Défense.

Les yeux de Dragos virèrent au rouge de la lave liquide.

— Applications pour la Défense, feula-t-il.

Kristoff opina, un éclair dans le regard.

— Armement.

Les documents qu'il avait entre les mains sentaient l'encre et le papier, mais Dragos humait l'odeur du sang d'une proie.

— Mets la main sur notre contact DOE, ordonna-t-il. Assure-toi qu'il soit averti de rejeter les demandes de subvention émanant de RYVN et explique-lui pourquoi. Une fois que tu auras fait ça, je veux que tu détruises le partenariat RYVN. Ensuite, occupe-toi des partenaires individuels et démantèle-les les uns après les autres. Et occupe-toi personnellement du projet.

— Ça marche.

— Pas de pitié, Kris. Une fois que nous en aurons fini avec eux, plus personne n'osera établir de partenariat de ce genre avec Urien.

— Budget ?

— Illimité.

Le Wyr se dirigea vers la porte et Dragos ajouta :

— Kris ? Assure-toi qu'ils sachent qui les a fait tomber. Surtout Urien.

Kristoff lui décocha un sourire radieux.

— Comme si c'était fait.

Rune apparut soudain dans l'encadrement, vêtu d'un jean déchiré, de rangers et d'un tee-shirt

*Grateful Dead*. Le vent avait soulevé sa chevelure fauve. Il portait deux gobelets, un sac en plastique, et avait glissé sous un bras une épaisse enveloppe en papier kraft. Des paquets de réglisse s'éparpillèrent sur le bureau.

Dragos en déchira un. Rune enfonça des pailles dans le couvercle des gobelets.

— J'ai les segments, dit-il en indiquant l'enveloppe. Tu sais ce qu'on cherche ?

— Fais des tirages de toutes les personnes achetant de la réglisse et des Coca à la cerise, et apporte-les-moi. Ce sera une femme, mais elle pourrait être déguisée.

Dragos mordit dans le bonbon. Avec une moue dégoûtée, il le jeta dans la poubelle. Il saisit ensuite son gobelet et mit la paille dans sa bouche en hésitant.

Rune éclata de rire en voyant son expression.

— Je t'avais dit que ça ne te plairait pas.

— En effet.

Il fit subir au gobelet le même sort qu'à la réglisse.

Rune ramassa quelques-uns des rouleaux de réglisse en faisant un clin d'œil à Dragos.

— Puisque tu ne les aimes pas, fit-il, et il sortit.

Dragos retourna à ses dossiers, mais il n'arrivait pas à se concentrer. Il avait dans son bureau trois écrans plats diffusant les nouvelles sur trois chaînes différentes. Le téléscripteur d'une des chaînes l'interpella soudain et il augmenta le volume. L'estimation des dommages qu'il avait causés l'après-midi s'élevait déjà à des dizaines de millions de dollars.

Les reporters interviewaient des piétons. Une femme en larmes s'adressa à la caméra :

— Les dégâts, d'accord, mais le son atroce que j'ai entendu aujourd'hui va me précipiter chez un psy pour le restant de ma vie. Je veux savoir si Cuelebre va payer pour ça aussi !

Il mit le volume en sourdine. Ce fichu penny commençait à lui revenir cher.

Derrière les portes vitrées, la nuit engloutissait le crépuscule. Rune réapparut, des papiers à la main.

— Je l'ai ! s'exclama-t-il. Un tas de gens ont acheté un tas de saletés, mais une seule femme a acheté des rouleaux de réglisse et un Coca.

Dragos s'appuya contre son dossier. Une impatience ombrageuse l'envahit comme il prenait les feuilles.

Rune avait imprimé plusieurs clichés pris successivement. Tandis qu'il fixait les photos en noir et blanc, Dragos arrivait presque à imaginer la femme en mouvement. Il avait hâte de voir le film et de pouvoir l'observer alors qu'elle se déplaçait pour de vrai.

On la voyait ouvrir la porte, puis se diriger vers la gauche et disparaître de l'image pour réapparaître, un paquet de réglisse et un gobelet entre ses mains fines. Elle payait, souriait au caissier. La dernière photo la montrait poussant la porte au moment de sortir du magasin.

Il se pencha pour les examiner plus attentivement encore.

L'angle des prises de vue ne facilitait pas les choses, mais elle semblait être de taille normale pour une humaine. Elle était mince et élancée, et ses formes étaient gracieuses. La caméra avait saisi le creux de ses épaules. Ses cheveux épais étaient attachés en queue-de-cheval et semblaient quelque peu en désordre. Ils étaient d'une couleur très claire.

Il fronça les sourcils. Elle avait l'air fatigué, préoccupé. Non, c'était plus que cela, elle avait l'air... hanté. Le sourire qu'elle adressait au caissier était courtois, doux même, mais triste. Elle ne ressemblait pas du tout à l'idée qu'il s'était faite de la voleuse.

Il passa un doigt sur sa silhouette, prise au moment où elle sortait. C'était la seule photo sous cet angle. Il frappa le cliché du plat de la main.

— Je te tiens, maintenant.

— J'ai juste une question, intervint Rune en le regardant avec curiosité. Comment as-tu su qu'il fallait que j'aille là-bas et ce que je devais y chercher ?

Dragos leva les yeux.

— Peu importe. On l'a trouvée et ton rôle se termine. Tu peux retourner à tes tâches habituelles.

— Et elle ? demanda Rune en indiquant les photos d'un geste.

— Je m'occupe d'elle. Je la chasserai seul.

Il congédia Rune, monta dans sa chambre et ouvrit les portes-fenêtres. Un souffle printanier s'insinua dans la pièce. Il leva la tête et huma le complexe mélange d'odeurs de la ville porté par la brise.

Le pouvoir, qu'il soit magique ou non, a ses habitudes. Il se rendait compte qu'il était tombé dans une espèce de paresse intellectuelle. Soit la vie se conformait à ses exigences, soit il la pliait à sa volonté. Il ne demandait pas, il prenait. Il s'était installé dans une léthargie facile.

Il invoqua sa Force et se mit à murmurer des incantations dans la nuit. Il projetait l'image de la voleuse dans son esprit. Les fils magiques se déroulèrent comme des muscles qui n'ont pas été sollicités depuis longtemps peuvent se tendre, puis ils se mirent à se déployer et à se laisser porter par la brise. La localisation de leur cible n'était qu'une question de temps.

Je te tiens, désormais.

# 3

Pia rêvait d'une voix ténébreuse qui lui chuchotait quelque chose. Elle se retourna, essayant de ne pas y prêter attention. Tout ce qu'elle voulait, c'était dormir. Mais la voix s'insinua dans sa tête et y plongea ses griffes de velours.

Elle ouvrit les yeux et constata qu'elle se tenait debout sur la corniche d'un vaste balcon qui surplombait New York.

Le spectacle nocturne était éblouissant. Des lumières de toutes les couleurs peignaient les gratte-ciel qui se profilaient sur un fond violet presque noir. Elle baissa les yeux. Elle était pieds nus.

Et il n'y avait pas de rambarde.

Elle recula en chancelant, et se retrouva sur son séant. Elle se releva précipitamment. C'est alors qu'elle remarqua ses longues jambes nues dépassant d'un simple déshabillé blanc. Le vêtement soulignait sa silhouette de coureuse, légère et athlétique, et ses muscles déliés.

Un déshabillé ? Elle palpa le tissu satiné. Elle n'avait pas de déshabillé. Si ? Elle aurait juré qu'elle ne l'avait pas mis avant de se coucher. Au fait, où s'était-elle couchée ?

Une luminescence douce et laiteuse éclairait les dalles. Une décharge d'adrénaline la parcourut.

Mince, elle luisait.

Ce n'était pas bon, ça. Elle repoussa ses cheveux. La lueur lui donnait l'impression d'être plus nue que si elle s'était retrouvée complètement dénudée. Elle n'avait pas perdu son contrôle sur le sort qui lui permettait d'estomper sa luminescence depuis qu'elle était petite fille.

Elle s'efforça de redonner à sa peau une apparence humaine. C'était dangereux pour elle d'être exposée ainsi.

— Te voilà, fit une voix basse. Je t'attendais.

Cette voix. Whiskey et soie, sans âge, masculine. Elle se déversa sur elle et incendia ses sens. L'air lui manqua. Ses lèvres s'entrouvrirent et elle laissa échapper un halètement muet.

Elle se tourna vers les élégantes portes-fenêtres en fer forgé. Des rideaux blancs, vaporeux, flottaient. Ils dissimulaient autant qu'ils révélaient.

— Rentre maintenant, veux-tu.

Cette voix sublime et incomparable éveilla en elle un désir foudroyant. Elle fit un pas.

Un recoin de son esprit se rebellait. Euh, coucou ? lui disait-il. Tu te souviens de ce qui s'est passé la dernière fois que tu as succombé au désir ? Tu t'es retrouvée dans le lit d'un abruti qui t'a fait du chantage.

La scène commença à clignoter et à s'estomper. Le murmure mystérieux s'intensifia au point qu'elle n'entendit plus rien d'autre et ne put plus penser à rien d'autre. Elle se sentait tellement seule qu'elle en avait mal. Mal physiquement. Elle appuya une main entre ses seins et regarda autour d'elle d'un air confus.

— Rentre, maintenant, ordonna la voix hypnotique.

Soudain, toute sa résistance s'évanouit. Elle s'approcha des rideaux et les souleva en scrutant l'intérieur d'une immense chambre à coucher plongée dans l'obscurité. Elle distingua une cheminée et des meubles massifs.

Un mâle était étendu sur les draps de couleur claire d'un énorme lit au cadre sombre. Il était colossal, ses muscles puissants saillant sur ses longs membres, la peau nue de son torse contrastant avec la pâleur de la literie. Les cheveux qui retombaient sur son front étaient encore plus foncés. Une bouche sensuelle dessinait un sourire cynique. Seuls ses yeux luisaient dans l'obscurité, d'une lueur diffuse, ensorcelante et calculatrice.

Un frisson lui parcourut l'échine. Ces yeux lui rappelaient quelque chose d'important. Si seulement elle arrivait à se rappeler quoi…

Une Force qui évoquait le champagne emplit la pièce jusqu'à ce qu'elle ait l'impression de nager dedans. C'était la première fois qu'elle se trouvait en présence d'une magie d'une telle intensité. Elle se pressait contre sa peau, étourdissante et terrifiante, enivrante. Et surtout elle transformait le feu que la voix avait allumé en elle en un désir liquide. Elle émit un grondement animal.

L'homme déplia un bras et tendit la main vers elle. Sa résistance s'évapora totalement. Elle se rua sur lui.

Elle avait à peine atteint le lit qu'il bondissait. Il lui saisit les bras, la plaqua contre son corps, puis la jeta sur le matelas tout en se positionnant sur elle.

L'immobilisant de son corps massif, il enveloppa ses poignets dans ses mains et les tira brutalement au-dessus de sa tête.

La magie et le désir étouffaient Pia. Sa respiration devint saccadée face à cette violence maîtrisée. Une chaleur inonda son ventre tandis qu'elle sentait son sexe s'ouvrir et ses cuisses se mouiller.

Un grondement roula dans la gorge de l'homme. Le bruit sauvage fit trembler le lit. Sa face dure était plongée dans l'ombre. Ses cheveux noirs en désordre lui rappelaient quelque chose.

— Regarde-moi, dit-il en approchant son visage tellement près que leurs nez se touchèrent presque. *Regarde-moi.*

Son regard lançait des éclairs d'or à l'instar d'un faucon. Des yeux de prédateur. Des yeux de sorcier.

Quelque chose émanant d'une région éloignée de son cerveau cria un avertissement, mais il était trop tard. Elle avait rejeté la tête en arrière pour mieux le voir et plongé son regard dans le sien. Et c'est ainsi qu'elle se retrouva prise au piège, comme un insecte dans la toile d'une araignée. Il pouvait faire ce qu'il voulait d'elle désormais, absolument tout.

Et elle n'arrivait pas à s'en inquiéter. Elle voulait être prise dans sa toile. Elle se frotta contre son corps vigoureux et sexy. C'était tellement bon d'être maintenue ainsi par lui, un plaisir qui allait à l'encontre de tout ce qu'on lui avait appris.

Elle se tendit, le cou bandé comme un arc tandis qu'elle essayait de positionner ses hanches où elle le souhaitait. La zone entre ses cuisses palpitait avec de plus en plus d'intensité, au point d'en devenir douloureuse.

— Qu'est-ce que vous attendez ? gronda-t-elle.

Il s'immobilisa, surpris. Puis un changement s'opéra entre eux. Elle ne savait pas quoi, mais elle sentit le moment où il se produisit. L'air s'électrisa encore davantage. Puis il se déplaça avec lenteur pour peser sur elle de tout son poids. Ses yeux étincelaient avec sauvagerie et voracité. Sa tête descendit sur elle avec la force du vol en plongée d'un rapace.

Des lèvres dures capturèrent les siennes. Il plongea dans sa bouche et la pénétra d'une langue chaude tout en frottant ses hanches contre son bassin. Elle sentit quelque chose de ferme et de lourd peser sur son ventre. Elle se rendit compte avec une certaine stupeur que c'était une massive érection.

Ses lèvres tremblèrent contre les siennes tandis qu'elle gémissait. Elle s'arc-bouta, essayant de frotter ses hanches contre son membre.

Il lâcha un juron étranglé. Il la cloua au matelas avec ses bras, ses jambes et son poids. Elle se cambra de toutes ses forces, se sentant euphorique, ce qui lui apporta un sentiment paradoxal de libération. Leurs souffles se mêlèrent dans la frénésie sensuelle, il menottait ses poignets de ses mains en plongeant et replongeant sa langue, baisant sa bouche avec fureur.

Ce va-et-vient remontant à la nuit des temps la chauffa à blanc. Elle avait besoin de davantage. Elle louvoya sous lui et il positionna ses épaisses cuisses musclées de chaque côté des siennes, ce qui lui permit de parfaitement aligner ses hanches sur son bassin en feu.

Et le mouvement plaqua son sexe gonflé contre son clitoris. Il bougea comme un félin sauvage, frottant le cœur de son intimité. Le plaisir la griffait de toute part. Elle poussa un hurlement dans sa bouche et souleva le bassin pour rencontrer ses hanches.

Elle savait vaguement que quelque chose n'allait pas. Elle n'était pas elle-même, rêve ou pas rêve. Son déchaînement était lié à une vie de solitude et à la sensualité électrisante qui sortait par tous les pores de ce mâle, à son appel de sorcier et à son magnétisme. Elle essaya de saisir ses pensées, mais celles-ci lui filèrent entre les doigts.

Il détacha sa bouche de la sienne, tourna la tête et balbutia des mots étrangers, brûlants de Force. C'était l'intonation de malédictions. Il relâcha ses poignets, plaqua une main sur ses reins et força ses hanches à buter contre les siennes, toujours plus près, plus fort, tout en prenant un de ses seins au creux d'une paume. Puis ses lèvres voyageuses plongèrent sur sa gorge.

Il la mordit, geste sauvage et archaïque qui fit à Pia l'effet d'un tremblement de terre. Elle cria et enfonça ses ongles dans son dos en enveloppant ses jambes autour de ses hanches pour le tirer à elle.

Ils y étaient presque. Presque. Il roula avec elle, jusqu'à ce qu'elle soit littéralement vautrée sur lui. Elle rectifia sa position, sa bouche cherchant la sienne. Une poigne de fer emprisonna ses cheveux et sa tête contre sa poitrine velue. Elle avait besoin qu'il la pénètre comme elle n'avait jamais eu besoin de quelque chose. Elle glissa une main entre eux pour saisir son gland velouté. Il était humide.

C'est alors que, haletant, il guida sa tête en arrière de sorte que leurs lèvres s'effleurent. Continuant à faire aller et venir ses hanches contre les siennes dans un rythme lent, mais soutenu, frottant son membre épais contre sa paume, il murmura :

— Dis-moi ton Nom.

Oh, attention. Elle avait besoin de se rappeler quelque chose. Elle lutta pour arriver à réfléchir, à dépasser le désir incandescent.

— Dis-moi, chuchota-t-il, les mots l'enveloppant et la serrant un peu plus dans la toile.

Attends une minute, se dit-elle. Le souffle lui manqua. Les noms ont de la Force. De la Force semblable à la Force qui module la voix de cet homme…

Elle chercha désespérément à inventer un nom, mais elle s'entendit articuler :

— P… Pia Giovanni.

Elle se frotta contre son corps, en quête du rythme qu'il avait lancé. Elle avait tellement besoin de jouir qu'elle en aurait hurlé.

— Pia. Joli.

Son souffle chaud flotta autour d'elle à l'instar de volutes de fumée créées par un feu infernal.

Mon Dieu, c'était incroyable cette manière qu'il avait de la caresser partout avec la seule Force dans sa voix. Il lécha sa peau brûlante et murmura encore :

— Mais c'est ton nom humain, n'est-ce pas, ma belle ? Tu as quelque chose de wyr. Il faut que je sache ton vrai Nom.

Puis, comme s'il ne pouvait pas s'en empêcher, il enveloppa ses fesses dans sa main et la poussa avec une telle vigueur que ses hanches se décollèrent du lit.

Mais attends, attends. Lui donner son Nom, son vrai nom allait lui donner tout pouvoir sur elle.

La voix de sa mère toucha ses pensées rendues folles par le désir avec une lucidité tranquille :

— *Ne révèle jamais ton Nom à qui que ce soit.*

Sa mère lui avait répété ce message maintes fois. Elle l'avait dit avec sa Force personnelle dans la voix, afin que les mots s'impriment dans l'esprit de Pia.

— *Si tu confies ton Nom à quelqu'un, tu donnes à cette personne tout pouvoir sur toi, pour l'éternité. Ton Nom est ton trésor le plus précieux. Garde-le aussi sûrement que tu gardes ta vie, car ton Nom est la clef de ton âme.*

Le rêve ensorcelé se brisa.

— Non, murmura-t-elle.

À qui disait-elle non ? À lui ou à sa mère ? Elle essaya de s'agripper à lui, de ne pas le laisser partir, saisissant ses cheveux noirs de ses doigts fébriles.

Il rugit. Il semblait souffrir autant qu'elle. Il l'entoura de ses bras, tentant de l'étreindre, mais elle s'évanouissait déjà. La soie de sa chevelure fondit entre ses doigts.

Elle tendit les mains vers lui. Elle sentit ses doigts frôler fugacement les siens. Puis il s'évapora.

Elle se réveilla brutalement et s'assit. Son cœur battait à tout rompre. Ses vêtements sales étaient trempés de sueur, la couverture du motel en boule sous elle. La climatisation crachotait un air rance dans la chambre. Les dernières traces de magie, ainsi qu'un champagne qui a tourné, avaient cessé de pétiller.

Son corps affamé hurlait sa souffrance. Elle appuya la main contre son sexe, mais le geste ne fit qu'exacerber douloureusement son désir.

Elle n'avait jamais ressenti une telle frénésie, un tel déchaînement des sens. Elle se recroquevilla, avide de retrouver cet amant de rêve et terrifiée en même temps. Quelque chose d'enfoui au plus profond de son être se mit à chuchoter son nom. Puis la panique le fit taire. Elle ne devait pas y penser, ne devait pas se laisser déstabiliser par ce qui venait de se passer.

Elle sursauta soudain, prenant conscience du fait qu'elle luisait toujours. Le léger sort qui cachait la pellicule nacrée de sa peau se nourrissait de sa propre force de vie. Il était censé ne jamais cesser d'être actif, même lorsqu'elle dormait. Elle n'avait jamais perdu son contrôle auparavant.

Elle renouvela le sort et fit disparaître la luminescence pour reprendre une apparence totalement humaine.

Elle était dans un sacré pétrin.

Dragos bondit hors de son lit, les traits déformés, tenant d'une main son membre douloureusement tendu. Ses testicules le faisaient tellement souffrir qu'il dut s'agripper au rebord d'une commode. Il se plia en deux, saisi de frissons.

L'envoûtement qu'il avait envoyé était censé séduire sa voleuse en lui faisant imaginer son fantasme le plus enfoui, son désir le plus ardent. Il s'était attendu à tout, sauf à cela. Il avait pensé qu'elle aurait un rêve de richesses et de pouvoir, de succès, voire de célébrité, mais du sexe ? Toujours opportuniste, il s'était empressé de répondre à l'attente de la jeune femme en l'entraînant plus loin dans le piège qu'il avait préparé.

C'est alors qu'elle était entrée dans sa chambre et que le monde, tel qu'il le connaissait, avait cessé de tourner.

Qui était-elle ? Au cours des âges, il avait accumulé des connaissances quasiment encyclopédiques sur les Anciens. Il chercha un détail, quelque chose, sur ce type de créature. Tout ce qui lui vint à l'esprit était de nouveau ce lointain souvenir.

Il se le rappelait maintenant. Des siècles auparavant, il avait plongé dans les bois de l'Ombrie, avait pourchassé un parfum sauvage insaisissable, le rattrapant pour le perdre encore une fois, certain d'avoir entendu le bruissement du feuillage au moment où une mystérieuse créature s'était enfuie sous ses yeux.

Dans le rêve, il avait concentré son intelligence sur la femme, avide de comprendre ce qui se passait afin de le ranger à la bonne place dans son abyssale mémoire. Et il avait échoué de manière grandiose. La magie qui faisait partie d'elle était délicate, en filigrane, mâtinée de complexité et de beauté. Elle était sauvage et mystérieuse, fraîche comme le clair de lune qui courait sous sa peau. Il avait senti tout son corps se raidir de stupeur en la regardant marcher vers lui d'une gracieuse démarche légèrement chaloupée, ses lèvres entrouvertes et son regard lumineux de sensualité.

Lumineux de désir pour lui, la Bête. Cuelebre. Wyrm.

Il ne s'était pas reconnu lorsque le volcan qui couvait en lui avait fait éruption. La Bête avait bondi et l'avait prise avec violence.

Et elle avait été transportée.

Une soif aveugle l'avait alors envahi. Il avait cédé à cette soif. Et l'envoûteur avait été envoûté. L'ondulation de ces courbes féminines sous son poids lui avait fait l'effet d'une révélation. Le contact de sa bouche l'avait galvanisé. Il ne pouvait plus penser qu'à une chose : plonger son sexe en elle.

Il avait réussi à se contenir en se focalisant sur le sort qu'il avait jeté, reconnaissant dans un coin de son esprit que, aussi délicieux ce rêve soit-il, il était destiné à exacerber une faim, pas à l'assouvir. Et il avait réussi à utiliser les points faibles de sa proie de façon à l'assujettir. Le rêve n'allait satisfaire ni l'un ni l'autre, il n'allait qu'aiguiser leur faim.

Mais au moment où il avait condensé le sort et l'avait pressée pour la reddition ultime, elle s'était dérobée.

Sa voleuse lui avait dit *non*.

Il poussa un grondement et détruisit la commode en acajou. Puis il souleva le lit et le jeta à travers la pièce, avant de pivoter et de frapper le mur de ses poings. Il avait dû toucher une poutre, car quelque chose gronda et s'affaissa.

La porte de sa chambre s'ouvrit à la volée. Il se retourna, vif comme l'éclair, dénudant ses crocs. Rune et Aryal surgirent, leurs corps à moitié nus faisant penser à des armes vivantes. Son premier lieutenant brandissait une épée tandis qu'Aryal avait un semi-automatique entre les mains. Rune prit à gauche et la harpie de deux mètres plongea sur la droite, avant qu'ils ne se rendent compte tous les deux qu'il ne courait aucun danger. Ils s'immobilisèrent.

Il fallait donner un bon point à ses sentinelles, il devait le reconnaître, pour ne pas prendre leurs jambes à leur cou en se retrouvant face à leur seigneur enragé, tout nu de surcroît. Dragos réussit à s'accrocher à cette pensée pour se dominer et s'empêcher de leur arracher la tête.

— Cauchemar ? s'enquit Rune en se redressant et en laissant la pointe de son épée toucher le sol.

— J'ai son nom humain. Pia Giovanni. Renseignez-vous sur elle, vite. Trouvez tout ce que vous pouvez et amenez-moi la sorcière, j'ai besoin d'un sort de pistage.

Les sourcils impeccables de la harpie Aryal se levèrent comme elle jetait un coup d'œil sur la chambre dévastée.

— Bougez-vous, *bordel* !

Son rugissement fit trembler le sol du penthouse. Ils se précipitèrent vers la porte. Bon, ils étaient courageux et futés, c'était déjà ça.

Les dernières traces de l'envoûtement s'agrippaient à lui. Il enfila des vêtements et se précipita sur le balcon. Le penthouse était une prison. Même le vaste panorama sur la ville qui s'étendait à perte de vue lui donnait l'impression d'être dans une cage. Il voulait se lancer dans les airs. Il avait terriblement envie de tuer quelque chose, mais il était piégé et ne pouvait pas prendre son envol avant l'arrivée de la sorcière.

Le dragon se tint immobile sur le bord de la corniche, les poings serrés et les yeux plissés, observant la course des minuscules humains quatre-vingts étages plus bas.

Puis Rune lui adressa par télépathie un message.

— *Seigneur, la sorcière est là.*

— *Mon bureau*, répondit-il.

Il longea le balcon jusqu'à se retrouver juste au-dessus de la pièce, puis il sauta et atterrit sur la corniche située dessous.

Rune et la sorcière étaient déjà là. L'apparition soudaine de Dragos n'émut pas le griffon, mais la sorcière riva les yeux sur lui quand il se redressa de toute sa taille. Une femme hispanique de grande taille et à la beauté impérieuse, qui se hâta de baisser les yeux lorsqu'il ouvrit la porte-fenêtre et entra.

Cela faisait plusieurs années que Cuelebre Enterprises traitait avec la meilleure sorcière de la ville. Dragos ne s'était jamais soucié de connaître son nom, mais il la reconnut. Elle avait peur de lui, mais il n'y accorda aucune attention. Tous les humains avaient peur de lui. À juste titre.

— J'ai besoin d'un sort de pistage pour une femme, gronda-t-il.

Elle inclina la tête.

— Certainement, mon seigneur. Bien entendu, vous savez que plus je peux avoir d'informations sur une cible, plus puissant sera le sort.

— Elle s'appelle Pia Giovanni.

Il lui tendit la liasse de photos issues de la vidéo du 7-Eleven.

La sorcière se figea. Son expression resta impénétrable, mais un changement quasi imperceptible dans sa posture ou sa respiration interpella le prédateur qu'il était. D'un mouvement fluide, il se rapprocha d'elle. Il la balaya d'un faisceau de sens de la vérité.

— Vous connaissez cette femme ?

Le regard sombre de la sorcière plongea dans le sien.

— Je l'ai vue dans le Magic District. Elle ne m'a pas dit son nom.

Elle disait la vérité. Le prédateur en lui se détendit. Il indiqua les photos d'un geste.

— Est-ce que son nom et les photos vous suffisent ?

— Je peux jeter un sort avec ces éléments, mais il serait plus puissant et durerait plus longtemps si vous aviez quelque chose venant d'elle que je pourrais utiliser comme ancre. Un sort de pistage est plus compliqué qu'un sort de localisation. Il doit changer au fur et à mesure que le sujet se déplace.

Il mit la main à la poche de sa chemise et sortit le sachet fermé hermétiquement qui contenait le reçu froissé.

— Il se trouve que j'ai exactement ce qu'il vous faut.

# 4

Pia se leva et entra dans la salle de bains en chancelant afin de prendre une douche. Elle n'avait pas d'objets de toilette dans son sac à dos, mis à part de la crème pour les mains et un baume pour les lèvres, et elle dut se contenter du petit savon fourni par le motel. Laver ses longs cheveux s'avéra un exercice laborieux, mais au moins l'eau était chaude et la pression bonne. Elle nota en se frottant que la peau de son cou était sensible.

Elle marqua une pause et tâta la zone. Qu'est-ce que c'était ?

Elle se rinça rapidement, puis enveloppa ses cheveux dans une serviette, saisit une autre serviette pour se sécher, et enfin essuya le miroir couvert de condensation afin de voir pourquoi elle avait mal.

Une morsure. Elle portait la marque d'une morsure. Elle ne saignait pas, mais elle avait une nette impression de dents et un suçon se formait déjà.

— Le salaud m'a filé un suçon ? murmura-t-elle. Dans un rêve ?

Elle en eut la chair de poule. Elle se frotta les bras et évita de s'attarder sur son visage blême et ses cernes profonds.

Elle ne savait pas comment, mais cet horrible rêve n'en avait pas été un. La magie de Dragos l'avait trouvée. Il connaissait sa physionomie désormais. Elle lui avait confié son nom.

Pars. Sur-le-champ.

Heureusement qu'elle avait trois autres noms et les pièces d'identité qui allaient avec, parce qu'il fallait qu'elle renonce à celui qui avait été le sien toute sa vie. Adieu Pia Alessandra Giovanni. Son cœur se serra. Sa mère avait choisi ce nom en souvenir des moments heureux qu'elle avait passés dans la Florence médiévale...

Quand elle fit démarrer la Honda, le tableau de bord indiquait six heures et demie : elle avait dormi moins de deux heures.

Elle s'arrêta devant un restaurant drive-in et acheta un jus de fruits, du café et des tranches de pomme dont elle n'arriva à avaler que quelques bouchées. Elle continua vers le sud tandis que le ciel s'éclaircissait de plus en plus. Plus elle avançait, plus la température augmentait, et elle ouvrit les fenêtres et le toit.

Si elle avait fait le voyage pour d'autres raisons, elle aurait apprécié le trajet. Le ciel était sans nuages et le paysage de la Caroline du Sud, différent de ce qu'elle connaissait. Les arbres avaient plus de feuilles qu'à New York. Elle passa devant des propriétés à la végétation luxuriante où les camélias, les roses et les azalées abondaient. De la mousse argentée drapait les branches de vieux chênes à l'instar d'étoles gracieusement posées sur les épaules de jolies femmes. La grâce et la beauté de Charleston et ses environs contrastaient avec le cadre urbain nerveux qu'elle venait de quitter.

Elle n'avait pas pu s'empêcher de rire lorsque Quentin lui avait précisé la route jusqu'à sa villa située à Folie Plage. Folie. Voilà un nom de circonstance. C'était à une vingtaine de minutes de Charleston. La plupart des maisons étaient des locations de vacances, lui avait-il expliqué. Il possédait celle-ci depuis plus de trente ans, elle était meublée et elle y trouverait du linge de maison et une cuisine équipée.

Quand elle fut presque arrivée, elle s'arrêta dans un supermarché et acheta quelques vêtements, de l'aspirine, des affaires de toilette, un téléphone portable prépayé et de la nourriture. En passant près du rayon alcools, elle ne résista pas à la tentation et prit une bouteille de scotch. Si elle ne méritait pas un verre après la semaine cauchemardesque qu'elle venait d'endurer, elle ne savait pas qui en méritait...

Elle rangea ses achats dans le coffre de la voiture et, quelques minutes plus tard, elle roulait doucement le long d'une petite route côtière. Elle distinguait l'océan Atlantique entre les villas. L'odeur de la mer s'engouffra dans la Honda.

La lumière était différente ici, plus claire, plus fine, et elle perçut les vibrations d'un lieu proche baigné de magie. Il y avait un passage dimensionnel à proximité qui menait aux Autres Contrées. Cela ne l'étonna pas, étant donné que le siège de la cour des Elfes était situé dans Charleston ou ses environs.

La maison de Quentin se dressait au bout de la route, du côté de la plage. Elle était plus grande que les autres villas et avait sa propre allée et son garage. Elle se gara et entra dans la maison, les bras chargés de sacs. Le lieu donnait une impression de vide, même si le service de nettoyage qui passait chaque mois l'avait laissé frais et propre.

Il y avait trois chambres. Elle rangea les provisions, puis choisit la plus grande pièce avec sa propre salle de bains. Elle trouva des serviettes et des draps, et fit le lit en prenant son temps. Ensuite, elle retira son jean, s'allongea sous la couette et étreignit un oreiller.

Elle réfléchirait bientôt aux prochaines étapes. Même si Cuelebre ne pouvait pas s'introduire si loin dans le domaine des Elfes, il avait plus d'argent que Dieu lui-même et probablement plus d'employés. Elle ne devrait pas rester au même endroit trop longtemps.

Elle allait juste fermer les yeux un petit moment.

Elle se réveilla en sursaut quelques heures plus tard. Elle fut désorientée et confuse, se demandant où elle se trouvait. Puis la mémoire lui revint et elle s'affala contre les oreillers.

OK. La vie était pourrie. Mais, au moins, elle n'avait pas eu d'autre rêve sexuel flippant dans lequel elle se faisait mordre.

La chambre était moite, étouffante. Les rideaux étaient tirés, mais elle pouvait juger par la lueur diffuse que le soleil était beaucoup plus bas que lorsqu'elle s'était allongée. Elle se leva et enfila des vêtements neufs et propres, un pantalon corsaire taille basse, des sandales et un débardeur rouge. Elle avait des seins fermes, plutôt petits, et elle décida de ne pas mettre de soutien-gorge.

Elle jeta un œil dehors. L'après-midi touchait à sa fin, il devait être environ dix-sept heures. Elle alla s'asperger le visage d'eau froide. Après avoir tenté de dompter ses cheveux, elle les attacha en queue-de-cheval, puis elle se rendit dans la cuisine qui faisait salle à manger, les deux coins étant séparés par un comptoir et des tabourets de bar. Le coin salle à manger avait des portes vitrées coulissantes qui donnaient sur une vaste véranda dotée de quelques meubles de jardin. Une volée de marches menait à la plage.

Elle descendit les marches et s'attarda quelques minutes sur le sable chaud en inspirant profondément et en contemplant l'horizon. Elle écouta le murmure tranquille du ressac, puis elle retira ses sandales et s'approcha du bord de l'eau pour laisser l'écume baigner ses pieds. L'eau était très froide. La tension qui s'était installée dans ses épaules commença à lâcher prise. Elle observa une mouette planer au-dessus de la mer, puis elle marcha le long de la plage.

Le soir tombant, il y avait peu de promeneurs. Une femme et deux enfants ramassaient des coquillages et des galets à une cinquantaine de mètres devant elle, mais quelqu'un les héla d'une villa et ils rentrèrent.

Elle soupira et essaya de passer en revue le parcours d'obstacles qui encombrait sa tête. Elle rebondit d'idée en idée comme une bille dans un flipper. Au moins, sa sieste l'avait aidée à y voir plus clair.

Elle se demandait si Keith était encore en vie. Elle fut étonnée de ressentir de la tristesse à cette idée. Elle se posa des questions sur la Force indéfinie qui avait été en mesure de déjouer les sortilèges d'aversion de Cuelebre.

Puis elle pensa à Quentin et son désir féroce de la protéger, son entêtement pour l'aider et la manière dont il l'avait étreinte. Ses yeux se mouillèrent.

Bon. Ne pense pas à ça non plus. Elle n'avait plus Keith. Elle n'avait plus Quentin. Elle n'avait plus de vie.

Elle fit une grimace et se frotta les yeux. Que savait-elle en fait ? Cuelebre connaissait son nom. Elle avait paré au problème. Il connaissait son apparence. Il connaissait peut-être même son odeur et si elle pouvait se transformer, teindre ses cheveux, les couper court par exemple, elle devrait en revanche faire preuve de beaucoup de jugeote pour masquer la piste de son odeur.

Je ne peux pas rester ici et il faut que je me débarrasse de la Honda. Je dois me procurer un nouveau moyen de locomotion, peut-être changer rapidement de véhicule deux ou trois fois. Ça pourrait le ralentir. Il faut que je me déplace de manière aléatoire et me déconnecte totalement de Quentin et de mon passé. Et il faut que je trouve le moyen d'empêcher ce salaud de s'introduire dans mes rêves.

Pour ce faire, elle aurait besoin d'une expertise magique plus importante que la sienne. Sa mère aurait été en mesure de demeurer invisible, ou en tout cas de passer inaperçue, psychiquement aussi bien que physiquement, mais son sang ne coulait pas avec autant de puissance en Pia.

Le dernier cadeau de Quentin avait été un numéro de téléphone qu'il lui avait fait mémoriser.

— Je connais du monde à Charleston. Si tu as besoin d'aide, appelle-les.

Allait-elle oser le faire ? Qui étaient ces gens ? Elle fit demi-tour et repartit en direction de la maison.

Elle jeta un coup d'œil vers le ciel et s'immobilisa. Au loin, au-dessus de l'eau, un morceau d'azur ondulait. On aurait dit le miroitement liquide des ondes de chaleur sur l'asphalte d'une autoroute un jour d'été. Mais la soirée de mai fraîchissait, le ciel commençait à s'assombrir et il n'y avait aucune trace de bitume à proximité de cette ondulation.

Oh, oh. Cette tache d'air miroitante ne grossissait pas, elle se *rapprochait*.

Merde.

L'intellect de Pia se fragmenta et elle ne fut plus qu'instinct. Elle courut à perdre haleine. Elle n'avait peut-être pas hérité de toutes les aptitudes de sa mère, mais s'il y avait une chose qu'elle pouvait faire avec un talent tout à fait extraordinaire, c'était courir. Ses pieds nus foulèrent le sable et elle s'envola presque.

Mais s'envoler presque n'est pas voler. Elle eut beau donner tout ce qu'elle avait, elle savait qu'elle ne pourrait semer ce qui fonçait sur elle.

Une ombre l'avala par-derrière. Elle aperçut sur le sable juste devant elle une immense forme ailée dotée d'un cou de serpent et d'une longue et terrible tête. Puis l'ombre se ramassa sur elle-même et, une seconde plus tard, une montagne la frappait dans le dos.

Elle s'écroula dans le sable. Le choc avait été tellement fort qu'il lui coupa le souffle. La montagne se transforma en un mâle puissant et massif. Des bras musculeux se plaquèrent de chaque côté d'elle et d'énormes mains saisirent ses poignets tandis qu'une cuisse pesait sur ses jambes.

Elle hoqueta et essaya de dilater sa cage thoracique malmenée pour faire entrer de l'air dans ses poumons. Elle riva les yeux sur les mains qui l'emprisonnaient. Comme les bras, elles étaient puissantes et d'un bronze foncé qui contrastait violemment avec la pâleur de sa peau.

Elle gémit intérieurement. Elle était fichue.

Le mâle plongea le nez dans ses cheveux et inspira profondément. Un frisson la parcourut. Il la *reniflait*. Elle sentit son nez contre sa nuque. Il frotta son visage dans ses cheveux. Une plainte naquit et mourut au fond de sa gorge.

— Excellente chasse, gronda-t-il.

Elle toussa et fit voler le sable devant elle.

— Pas assez longue.

Le poids libéra son dos et il la retourna avec une vivacité invraisemblable. Elle se retrouva de nouveau plaquée sur le sable, les bras écartés tandis qu'il la maintenait encore une fois par les poignets.

Il dénuda ses crocs en souriant avec férocité.

— On peut toujours la refaire.

Elle l'imagina la laissant partir, puis lui sauter dessus, jouer avec elle comme un chat avec une souris, et elle frissonna.

— Vous n'êtes pas censé être ici, murmura-t-elle.

La force du choc qui l'avait terrassée lui avait rempli les yeux de larmes. Elle tenta de se concentrer sur le visage farouche penché sur elle.

Cuelebre était époustouflant. Il dégageait Énergie et Force de tous les pores de sa peau, il irradiait à l'instar d'un soleil noir. Il possédait une beauté brutale, des traits sculptés au biseau, ciselés. Sa peau était d'un brun foncé mâtiné de bronze, et ses étincelants yeux de dragon étaient de la couleur de l'or en fusion. Dans sa forme humaine, il faisait plus de deux mètres, cent trente-cinq kilos de mâle dominant de l'espèce dominante des dragons, et il était vautré sur elle. Elle se sentait très frêle à côté.

Ses cheveux étaient noirs. Exactement comme dans le rêve. Ils avaient glissé entre ses doigts comme de la soie.

Il faisait de nouveau peser sa cuisse sur elle pour l'immobiliser et il avait les yeux rivés sur son cou. Elle se rendit compte qu'il regardait la morsure qu'il lui avait infligée et que quelque chose de dur et de plus en plus long pressait sa hanche.

— C'est votre longue queue de reptilien couverte d'écailles, ou est-ce que vous êtes tout simplement content de me voir ?

Non, elle ne venait pas de dire une chose pareille !

Si ? Elle fit une grimace, ferma les yeux et attendit de se faire dépecer.

Rien ne se produisit. Rien pour le moment. Peut-être que si elle n'ouvrait pas les yeux, rien n'arriverait.

— Je ne voulais pas dire ça, balbutia-t-elle en tremblant.

Le silence se prolongea, et elle ouvrit prudemment un œil. Il l'étudiait, son regard de lave curieux et intéressé.

— Est-ce que vous êtes possédée ? demanda-t-il.

Elle dut se racler deux fois la gorge avant d'être en mesure de répondre.

— On pourrait le croire, n'est-ce pas, vu les âneries que je fais depuis quelque temps. Cette étrangère semble avoir pris possession de ma bouche. Désolée. Je parie que vous voulez récupérer votre penny, c'est ça ?

Il se déplaça légèrement avec fluidité, lâchant ses mains pour s'agenouiller au-dessus d'elle. Son regard de prédateur s'étrécit.

— À votre avis ?

Elle leva les mains et, d'un geste nerveux, arrangea le col de sa chemise de ses doigts tremblants. Contre la colonne massive de son cou, les doigts de Pia faisaient penser à de délicates brindilles.

Dragos riva les yeux sur ses mains. Elle les laissa retomber sur sa poitrine.

— Je pense, fit-elle à mi-voix, que vous seriez prêt à tout pour récupérer votre bien. Peu importent sa valeur, sa nature, les efforts que cela demanderait.

— Personne ne prend ce qui m'appartient.

Son grondement se répercuta dans le sol. Il dénuda ses crocs et se pencha jusqu'à ce que leurs nez se touchent.

— *Personne*.

Mon Dieu, il était terrifiant et magnifique. Elle opina.

— Je sais. Je... Je suppose que cela n'a pas beaucoup d'importance pour vous et je ne m'attends pas à ce que ça change quelque chose, mais je suis désolée.

Dragos pencha la tête sur le côté, son intérêt piqué.

— C'est en effet ce que disait votre message.

Des voix se rapprochèrent. Elle se tordit le cou et vit un couple avancer vers eux main dans la main. Dragos plaqua une main sur sa bouche. En observant le couple passer à moins de deux mètres d'eux, elle se rendit compte qu'il devait la cacher. C'était la seule chose à faire. Quelqu'un risquait sinon d'appeler les flics en voyant un homme attaquer une femme sur la plage. Et alors, il y aurait un massacre.

Quand le couple se fut éloigné, Dragos fit courir un doigt le long de sa joue, suivit la ligne de sa mâchoire et s'attarda sur son cou. Il observa le chemin que dessinait son doigt tandis qu'il traçait la courbe délicate de son épaule et arrivait à la couture de son débardeur.

Son doigt était chaud et abrasif contre la douceur de sa peau. Elle étouffa un gémissement. Waouh, elle n'avait encore jamais pris conscience du déséquilibre de sa sexualité. Elle était clouée au sol et menacée par *le* Prédateur avec un P majuscule. Il était le seul authentique dragon connu – une légende vivante en somme. Dans certaines cultures anciennes, il avait été un dieu.

Il allait lui en faire voir des vertes et des pas mûres avant de l'expédier de l'autre côté, et tout ce qu'elle avait en tête, c'était l'incandescence de son baiser dans le rêve et la délicatesse de son doigt traçant les contours de son corps. Elle baissa les yeux sur cette main qui la caressait. Sa respiration se fit plus courte et son cœur s'emballa.

Dragos saisit une mèche de ses cheveux et la frotta entre ses doigts, puis il la leva afin de l'examiner à contre-jour. Il la tourna et retourna, examinant les fibres. Il ne fit rien pour la maintenir immobile. La possibilité qu'elle puisse s'enfuir était à ce point inconcevable à ses yeux. L'intensité de son regard était telle qu'elle trembla de tous ses membres. Un afflux de chaleur consuma toute pensée cohérente. Elle sentit son miel sourdre de son sexe.

Elle ne s'était jamais sentie aussi gênée, honteuse ou nue. Doté d'un sens olfactif ultrasensible, comme tous les Wyrs, il était bien entendu en mesure de humer le plus infime changement physiologique. Il ne pouvait que se rendre compte de la montée de son désir, de la dose de phéromones qu'elle dégageait. Son regard était tellement impénétrable, son expression tellement sévère, elle n'avait aucune idée de ce qu'il pouvait penser – si ce n'est…

Pia baissa les yeux et regarda ce corps stupéfiant : le long torse, les épaules larges, les hanches minces. Il était habillé simplement, un jean et une chemise Armani en soie blanche dont il avait remonté les manches.

Elle mordit sa lèvre inférieure, les yeux rivés sur le renflement indiscutable à la hauteur de sa braguette. Eh bien. Pour ce qui était des dimensions, les détails de son rêve n'avaient pas relevé du fantasme.

Elle se demanda s'il continuerait à être excité lorsqu'il lui arracherait la tête. Il était un dragon, un monstre wyr, l'un des plus anciens représentants des Anciens, et il avait la réputation d'être cruel, fourbe et impitoyable.

— C'est vraiment ma chance, marmonna-t-elle.

— Chut, fit Dragos.

Elle rougit, et attendit pendant qu'il examinait les mèches de ses cheveux.

Elle avait toujours trouvé que ses cheveux manquaient de raffinement ; ils étaient tellement épais et d'un blond pâle presque blanc. Les extrémités prenaient des reflets d'or au soleil. Quand elle les détachait, ils lui arrivaient au milieu du dos.

Dragos en prit une poignée et l'approcha de son nez pour les humer. Oui, songea-t-il, c'était bien là, le mystère qu'il ne savait pas élucider. L'odeur lui avait fait penser à un soleil sauvage, mais c'était lorsqu'il n'en avait qu'une insignifiante trace sur un bout de papier.

Sans qu'il puisse l'expliquer, l'odeur féminine et délicate qu'elle exsudait ne capturait pas seulement l'essence des rayons du soleil. Non, elle le transportait plus loin qu'il ne pouvait aller, jusqu'au matin de tout alors qu'il baignait dans la lumière et la magie transcendantes. Ce temps ancien, tellement intense, jeune et pur.

Il revint au présent et examina encore une fois ses cheveux tout en les faisant glisser entre ses doigts. On aurait dit de la soie de Chine, et les reflets avaient la même couleur que des dépôts alluviaux d'or qu'il avait admirés un jour. Il possédait une statuette péruvienne datant du XIIIe siècle qui était de cette couleur. Il lâcha les cheveux et se mit à observer le reste de cette femelle mystérieuse et imprévisible.

— Je ne pensais pas que vous seriez si jeune, remarqua-t-il. Vous avez du sang wyr. Et du sang humain.

Il examina les muscles gracieux de son cou tandis qu'elle déglutissait.

— J'ai vingt-cinq ans, dit-elle d'une voix rauque.

Le prédateur en lui remarqua qu'elle ne mentionnait pas son sang wyr. Mais elle rayonnait d'une Force contenue, et il se souvint que dans le rêve elle avait eu la luminescence de la lune. Quel Wyr ou quelle Fae pouvait bien luire ainsi ? Les Elfes portaient une lumière en eux, mais ce n'était pas celle qu'il avait vue.

Il s'assit sur ses talons et se leva tout en la tirant pour la mettre debout.

— Nous allons nous rendre à l'endroit où tu séjournes.

Elle chancela, puis reprit son équilibre et le regarda avec la méfiance d'une créature sauvage prête à fuir.

— Pourquoi ? fit-elle, ses yeux bleu foncé lançant des éclairs. Vous allez me tuer de toute façon. Alors pourquoi faire traîner les choses ?

— Tu ne sais absolument pas ce que je vais faire, rétorqua-t-il.

Il ne le savait pas lui-même. Il était envahi d'émotions et d'impulsions contradictoires.

— Dis-moi ce que je veux savoir et je te laisserai partir.

— Vraiment ? s'enquit-elle en le dévisageant.

— Non, répliqua-t-il en laissant échapper un petit rire.

La fureur assombrit le visage de Pia, avant de s'estomper rapidement.

— Très bien, dit-elle d'un ton neutre.

Elle fit volte-face et se dirigea d'un pas rapide vers la maison.

Dragos la suivit en fronçant les sourcils. Il n'aimait pas cette voix sans timbre et cette expression fermée qui éteignait les tons chauds de sa peau. La peur et le stress amenuisaient les effluves de son désir, l'impétuosité juvénile du parfum qu'elle dégageait normalement.

Ce sursaut de colère avait été bien plus intéressant. La colère et la fureur exhalaient elles aussi une odeur, évoquant le crépitement d'un incendie.

Elle ramassa une paire de sandales d'un geste vif, et il admira son joli petit derrière et ses cuisses fuselées pendant qu'elle montait un escalier de bois qui menait à un balcon et qu'elle entrait dans une villa par la porte-fenêtre. Elle laissa tomber ses sandales à l'entrée. Il lui emboîta le pas, puis referma et verrouilla la porte derrière lui.

Elle se dirigea vers l'évier de la cuisine et se concentra sur les paumes de ses mains, déterminée à retirer le sable qui collait à la peau éraflée. La maison était fraîche, les dalles du sol étaient froides sous ses pieds.

Elle finit par demander de la même voix éteinte :

— Vous avez faim ?

Il hésita, pris au dépourvu. Il s'appuya contre un mur.

— Et si c'était le cas ?

Elle lui jeta un coup d'œil, le visage tendu.

— Si c'est le cas, je vais devoir passer une commande au téléphone. Je suis végétarienne et vous ne l'êtes pas exactement, d'après ce qu'on prétend. En supposant que je ne suis pas sur le menu, je n'ai rien à vous offrir susceptible de vous plaire.

Elle avait l'intention de lui servir à dîner ?

Il se posait une foule de questions sur cette femelle. Il avait un désir de vengeance à satisfaire, mais il devait d'abord établir les grandes lignes de ce territoire inconnu sur lequel il s'était aventuré.

Il prit conscience de quelque chose. Pour la première fois depuis très longtemps, peut-être même depuis des siècles, il ne s'ennuyait pas. Depuis qu'il avait trouvé le bout de papier laissé par sa voleuse, elle n'avait cessé de le surprendre.

Dragos se frotta la mâchoire.

— Commande quelque chose, dit-il.

Elle ouvrit un annuaire de téléphone posé sur le comptoir de la cuisine et se mit à le feuilleter, cherchant la section des commerces tenus par des Anciens. Elle marmonna quelque chose, la tête baissée.

Il se pencha.

— Quoi ?

Elle leva les yeux, surprise.

— Quoi, quoi ?

— Tu as murmuré. Commande quelque chose, s'il te plaît.

Le doigt de la jeune femme descendit le long de la page. Elle composa un numéro d'une main tremblante.

Une voix juvénile et musicale répondit. Elfique, certainement.

Consciente du regard doré rivé sur elle, elle s'adressa à son interlocuteur :

— J'appelle d'une villa sur Folie Plage. Est-ce que vous livrez jusqu'ici ?

— Bien entendu, fit la voix.

— Nous voudrions une dizaine de faux-filets. (Elle tourna les yeux vers son ravisseur.) Dragos, vous les voulez crus ou cuits ?

— Juste saisis, répliqua-t-il.

L'interlocuteur de Pia eut un hoquet.

— Nous vous livrerons dès que possible. Il nous faudra peut-être une heure environ.

— Dès que possible, très bien.

Elle éteignit le téléphone et le posa sur le comptoir. Elle avait l'impression que Dragos ne l'avait pas quittée des yeux depuis qu'ils étaient entrés dans la maison.

Une heure, se dit-elle. Une éternité. Elle poussa un soupir.

— En attendant, qu'est-ce qu'on fait ?

Il se détacha du mur auquel il était appuyé.

— En attendant, tu vas me dire pourquoi tu m'as dérobé quelque chose. Et comment. Nous allons surtout discuter du comment.

## 5

Pia garda les yeux baissés. Elle toucha une de ses paumes meurtries du doigt.

— Mon ex-petit ami m'a fait du chantage pour que je le fasse.

— Keith Hollins.

Elle releva brusquement la tête.

— Vous connaissez son nom ?

Il leva ses sourcils noirs.

— Je connais beaucoup de choses.

Ses sentinelles n'avaient pas traîné avant son départ de New York. Tandis que la sorcière jetait le sort de pistage, Aryal et quelques autres avaient fait des recherches sur le passé de Pia Giovanni. Ils avaient procédé par élimination jusqu'à ce qu'ils trouvent la personne qui les intéressait. Une fois le sort en place, Dragos s'était envolé et s'était dirigé vers le sud en quête de sa proie.

— Ton petit ami est mort, annonça-t-il.

Ce fut la goutte qui fit déborder le vase. La vision de Pia s'obscurcit et le monde bascula.

Il bondit, ses bras musclés l'enveloppèrent avant qu'elle ne s'effondre. Il l'assit sur un tabouret de bar et poussa sa tête vers le bas. Sa queue-de-cheval était à moitié défaite et tout emmêlée, nota-t-il. Il garda une main sur la nuque de Pia et, de l'autre, retira le chouchou qui retenait ses cheveux afin de les libérer. Il glissa l'accessoire dans sa poche.

— Vous l'avez tué ? demanda-t-elle d'une voix assourdie.

— Non. Mes gens l'ont découvert ce matin. Sale mort.

Elle enfouit son visage dans ses mains.

— Maudit soit cet enfoiré. J'ai essayé de le prévenir.

La jalousie le piqua. Elle était sa voleuse à lui et à personne d'autre.

— Tu l'aimais ?

— Non, répliqua-t-elle d'un ton affligé. Oui. Je ne sais pas. J'ai cru l'aimer, mais il n'était pas celui que je pensais. Après notre rupture, le salaud m'a fait du chantage. Je savais pertinemment qu'il allait y laisser sa peau. J'ai essayé de le prévenir, en vain. Il a eu ce qu'il méritait, mais c'est quand même dur d'apprendre une telle nouvelle. (Elle serra les poings.) Laissez-moi me lever, je ne vais pas tourner de l'œil.

Il relâcha la pression qu'il exerçait sur sa nuque. Elle se redressa. Son teint était crayeux. Il pouvait voir sur ses bras et ses épaules nus qu'elle avait la chair de poule.

— Tu as froid, dit-il. C'est un signe de choc. On va y remédier.

Il avisa la bouteille de scotch sur le comptoir, s'en empara et sortit un mug du placard. Il versa le liquide ambré et lui fourra la tasse dans les mains.

— Bois ça pendant que je cherche une couverture.

Elle le regarda d'un air soupçonneux en serrant le mug.

— Oui, je sais ! s'exclama-t-il avec impatience. Je vais te déchiqueter et te dépecer. Un de ces jours. Quand ça me bottera. Pour l'instant, tu vas te réchauffer et tu vas cesser de stresser. (Ses narines se pincèrent.) Je n'aime pas l'odeur de ton angoisse.

Sa jolie bouche s'ouvrit de stupeur.

— Vous n'aimez... pas...

Un gloussement se forma au fond de sa gorge et se transforma en un rire sonore et franc. Elle oscilla sur le tabouret, son mug penchant dangereusement.

Il pressa un doigt sur ses lèvres.

— Arrête.

— Sûr. (Elle hoqueta de rire.) À vos ordres.

Il était loin, très loin d'être un expert en émotions, encore moins en émotions féminines. Il tapota les lèvres de Pia d'un air réprobateur.

— Je vais être joyeuse jusqu'à ce que vous décidiez de me dépecer vivante. Ça vous ira, Votre Majesté ?

— J'étais sarcastique, laissa-t-il tomber.

— Ce qui est tout à fait rassurant venant d'un dragon en pétard. C'est un peu l'histoire de « dis-moi ce que je veux savoir et je te laisserai partir ». Ça a son charme, indiscutablement. Je parie que tous vos autres prisonniers ont adoré entendre ces remarques.

Pia continuait à trembler, elle n'avait plus le moindre self-control. Il ne tirerait rien d'elle tant qu'elle serait dans cet état de nervosité. Dragos prit son menton en coupe dans sa paume et plongea son regard dans le sien. Il avait l'intention de l'envoûter et de lui instiller un sentiment de calme. Mais il se heurta à une barrière mentale. Intrigué, il l'inspecta et en examina les limites.

La barrière semblait être naturelle et voulue à la fois. L'écho d'une autre Force féminine, une présence subtile, très similaire à celle de la jeune femme tout en en étant distincte, s'y mêlait. Cela donnait une magnifique construction, une citadelle élégante qui protégeait l'essence même de la femelle.

Cela expliquait qu'elle ait été en mesure de rompre l'envoûtement dans le rêve. Il pouvait abattre le mur s'il le voulait, mais cela reviendrait à briser une opale à l'aide d'une masse. Il ne resterait ensuite rien de cohérent chez elle.

— Arrêtez, murmura-t-elle. (Elle s'était raidie et cabrée, tentant d'échapper à la pression de sa main.) Sortez de ma tête.

Il ne bougea pas.

— Tais-toi, femelle, souffla-t-il. Tais-toi.

Sa voix grave était un murmure. Des volutes sonores se déployèrent et s'enroulèrent autour d'elle. C'était doux et rassurant.

Elle était fascinée par les yeux dorés de Dragos. Ces flaques étincelantes avaient des profondeurs insondables. Elle aurait pu basculer dans son regard et ne jamais en ressortir.

— Le Valium peut s'aligner, marmonna-t-elle. Faites des comprimés avec ça et vous décuplerez votre fortune.

— Tu es plus calme, désormais, remarqua-t-il.

— Oui. Merci, ajouta-t-elle en se forçant quelque peu, fixant son mug.

Il lâcha son menton et recula.

— Bois.

Elle leva les yeux alors qu'il sortait de la pièce. Puis elle porta le mug à ses lèvres et but le liquide d'un trait. Le scotch embrasa ses veines, la frappant avec d'autant plus de force qu'elle avait peu mangé la semaine précédente.

Elle reposa la tasse sur le comptoir et inspecta ses mains, palpa sa mâchoire. Elle avait pris une dérouillée quand il l'avait plaquée à terre, mais il la traitait avec ménagement depuis. Curieux, vraiment. Qu'est-ce que cela voulait dire ?

Il revint dans la cuisine, le sweat-shirt bleu qu'elle avait acheté quelques heures plus tôt roulé en boule dans une main. Il laissa tomber le vêtement sur ses genoux. Perchée sur le tabouret comme elle l'était, il la dominait encore davantage que si elle avait été debout.

— On va reprendre au commencement, annonça-t-il.

Elle garda les yeux rivés sur ses bras croisés. L'écart entre ses pectoraux était spectaculaire. Sur un autre homme, l'effet n'aurait pas été heureux. Sur lui, les muscles puissants s'harmonisaient et lui permettaient de se mouvoir avec grâce.

— Keith m'a fait du chantage pour que je vous vole quelque chose, reprit-elle. Peu importait l'objet. Il devait beaucoup d'argent.

— Des dettes de jeu, acquiesça-t-il.

Elle leva la tête.

— Vous savez déjà tout ça ?

— On a retrouvé son bookmaker. Mort lui aussi.

Des doigts glacés glissèrent le long de l'échine de Pia. Elle serra le sweat contre elle.

— J'ai eu une liaison avec Keith, quelques mois. Pendant un bref laps de temps, j'ai cru... Peu importe ce que j'ai cru.

— Tu as cru quoi ? s'enquit-il en penchant la tête.

— Ce n'est pas ça qui vous intéresse.

Le rouge lui monta aux joues.

— N'émets pas d'hypothèses sur ce qui est susceptible de m'intéresser ou non, sur ce que je pense ou ce que je vais faire. Tu n'en sais absolument rien. C'est clair ?

Elle opina en rougissant de plus belle.

— Nous avons déjà établi que j'étais une imbécile, persifla-t-elle. Keith est entré dans ma vie à une époque où j'étais déprimée et j'ai succombé à son charme. J'ai été... imprudente. J'aurais dû faire preuve de davantage de jugement et j'ai merdé.

Sa gorge se noua.

— Tu as dit que vous aviez rompu, intervint-il, l'incitant à continuer son récit.

— Oui, je l'avais fait, il y a un moment déjà. Et puis la semaine dernière, il est venu me voir. Il était tout excité à propos d'un plan qui allait lui permettre de rembourser ses dettes et de faire fortune. Bien sûr, je ne voulais pas en entendre parler. Et puis, il... m'a forcée.

— Du chantage, finit-il, à propos de ton imprudence.

Il s'exprimait d'un ton neutre. Il avait levé le pied sur l'agressivité. Elle se couvrit la gorge d'une main tandis qu'il disséquait littéralement son expression.

— Est-ce qu'on pourrait ne pas parler de ça ? (Elle essaya d'affermir sa voix.) S'il vous plaît ?

Il baissa les paupières, dissimulant son regard.

— Continue ton récit.

— Keith n'arrêtait pas de parler de ses « associés ». Des gens qu'il avait rencontrés par le biais de son bookmaker. Je pense qu'il se sentait acculé, qu'il se vantait aussi et surtout qu'il était totalement manipulé. Il s'était mis à promettre à ces gens tout ce qui lui passait par la tête. Il fallait qu'il rembourse ce qu'il devait. (Elle déglutit.) Et ils ont lancé : « Et si tu volais quelque chose venant de Cuelebre ? » Ils lui ont donné un charme pour localiser votre trésor, et Keith est ensuite venu me voir.

— Tiens, tiens, ils ont fait ça.

Il s'était raidi, et ce qui émanait de lui l'affolait et lui faisait battre le cœur.

Elle passa la langue sur ses lèvres parcheminées.

— Je crois que Keith leur a dit quelque chose sur moi, mais sans entrer dans les détails. Il voulait jouer au caïd et il pensait qu'il pouvait exercer un contrôle sur moi. Il espérait impressionner ses soi-disant associés. Mais je pense que quelqu'un de très maléfique et de très puissant le manipulait et maintenant, à cause de moi, ils ont en leur possession quelque chose qui vous appartient.

— En effet. (Il eut son sourire féroce.) Il faudra que je te remercie plus tard pour ça.

— Le charme m'a terrorisée, chuchota-t-elle. Si je ne faisais pas ce qu'il voulait, je savais que Keith allait se mettre à table et tout dire. Il m'aurait trahie sans hésiter, s'il s'agissait de sauver sa peau. Et ils s'en prendraient alors à moi.

— Où est le charme ?

Ses prunelles étaient de l'or liquide.

— Il s'est désintégré tout de suite après.

Dragos étrécit les yeux.

— J'aurais senti mes sorts échouer s'il les avait neutralisés, mais ils étaient encore en place quand je me suis rendu dans mon repaire.

Elle se frotta le cou, un geste de défense et de stress entraîné par le souvenir de la douleur ressentie au moment où elle avait utilisé le charme. Il se rapprocha tandis que son regard de dragon scrutait ses traits.

— Le charme n'a rien annulé, murmura-t-elle. Entre lui et vos sorts, j'avais l'impression d'être écartelée.

— Tu les as pourtant traversés.

Elle ne se donna pas la peine de répondre, se contentant de le regarder avec intensité.

— Un charme aussi puissant est en mesure de trouver absolument n'importe quoi, n'est-ce pas ?

— Cela dépend de l'utilisateur, mais en principe oui.

N'importe quelle chose cachée. Il existait des choses dans le monde qu'il ne fallait jamais trouver, des choses dangereuses ou fragiles, et des créatures précieuses, rares, dont la vie dépendait précisément du secret. Un charme de localisation comme celui que Pia avait utilisé était en mesure de trancher toutes les défenses levées par quelqu'un. Elle frissonna. En dépit de ses craintes et du souci qu'elle avait pour sa propre sécurité, ce n'était pas elle qui importait dans toute cette histoire.

Dragos fronça les sourcils en réfléchissant au terrain miné qu'elle avait dû franchir pour parvenir jusqu'à son trésor, le charme inconnu agissant contre ses sorts. Le conflit des magies opposées aurait tué quelqu'un d'autre. C'était certainement l'élégante citadelle qui se dressait dans son esprit qui lui avait sauvé la vie. Elle était désemparée, angoissée, mais il n'était pas certain qu'elle mesure la gravité du danger qu'elle avait encouru.

Il se demanda si c'était sa conscience qui la mettait dans un tel état. Le concept même de conscience le fascinait. Il laissa tomber une lourde main sur son épaule. Pia bougea de manière imperceptible, esquivant son étreinte.

Il ramena la conversation au début.

— Hollins t'a peut-être trahie avant qu'ils le tuent.

— Non, soupira-t-elle. Il n'a rien dit, c'est peut-être d'ailleurs pour ça qu'ils l'ont tué.

— Qu'en sais-tu ?

— Il m'a fait du chantage et je lui en ai fait à mon tour, expliqua-t-elle. Je lui donnais ce que j'avais volé à la condition qu'il lise à haute voix le sort d'engagement que j'avais acheté. S'il avait essayé de communiquer des trucs sur moi, il serait devenu muet.

En imaginant ce qu'ils avaient dû faire à Keith, l'estomac de Pia se noua. Une sale mort, avait déclaré Dragos, et celui-ci n'était pas exactement une petite nature. Était-elle responsable de la mort de Keith, dans la mesure où c'était lui qui avait mis en branle la machine infernale ? Ou avait-elle mis en branle ladite machine en parlant trop ?

— Comment as-tu fait pour passer outre mes verrous et mes sorts de protection ?

Elle ferma les yeux et se couvrit le visage des mains. Quelle importance cela avait-il, désormais ?

— Je suis une hybride. Je n'ai pas beaucoup de sang wyr ni de nombreuses aptitudes. Je ne peux pas me transformer en Wyr et j'ai peu de Force. Je n'ai rien d'intéressant.

Elle baissa les mains et le regarda. Il ne la quittait pas des yeux.

— Quoi, j'ai une seconde tête qui a poussé ?

— Tu penses que tu n'as rien d'intéressant ? répéta-t-il. Ou que tu détiens peu de Force ?

Elle le regarda d'un air absent et haussa les épaules.

— À l'exception, je suppose, d'un truc que je peux faire et que j'ai été suffisamment idiote de divulguer. J'en ai fait la démonstration à Keith un soir où on avait trop bu.

— Qu'est-ce que c'était ?

— C'est plus facile à montrer qu'à expliquer.

Elle se dirigea vers la porte-fenêtre, la déverrouilla et sortit sur la terrasse, puis elle referma la porte. Dehors, le crépuscule pointait. Les yeux rivés sur elle, il se précipita et posa un poing contre le verre comme s'il allait le briser.

— Allez, verrouillez-la de nouveau, lui dit-elle.

Ses traits s'assombrirent.

— Oh, allez, vous savez bien que vous me rattraperiez si j'essayais de m'enfuir.

Sans la quitter des yeux, il fit ce qu'elle lui demandait.

Elle ouvrit la porte et rentra dans la maison.

— Voyez ?

Il regarda la porte.

— Refais-le.

Elle s'exécuta.

— Je n'ai pas senti que tu jetais un sort.

— C'est parce que je n'en ai pas jeté. Ça fait partie de moi.

Les verrous, les sorts de protection n'avaient aucun effet sur elle. Rien ne pouvait l'emprisonner, la retenir. Rien, si ce n'était un truc qui dégringolait du ciel et s'asseyait sur elle. Elle pressa une paume contre sa tempe. Un mal de tête commençait à la torturer et elle poussa un soupir.

— C'est tout ce que je sais. Et je suis désolée, je le répète. Je suppose que vous allez vouloir passer au dépeçage de ma personne, maintenant.

Elle était tellement proche de lui qu'elle sentait la chaleur de son corps sur sa peau. Elle se sentait petite, froide, pâle à côté. En dépit du danger colossal que cette créature représentait, elle ressentait un irrésistible désir de se lover dans sa chaleur.

Il lui prit la tête entre ses mains. Ses larges paumes et ses longs doigts enveloppèrent son crâne. Elle n'avait curieusement pas peur et elle ne résista pas quand il lui fit relever la tête.

— Tu as commis un crime. Et tu dois me payer. Dis-le, fit-il en se penchant sur elle.

Qu'est-ce que ça signifiait exactement ? Elle n'arrivait pas à lire son expression. Elle esquissa une petite moue.

— Et si je ne veux pas le dire ?

— Tu vas me rembourser, déclara le seigneur des Wyrs. Tu vas me servir jusqu'à ce que je juge que la dette est effacée. C'est clair ?

— Pas de déchiquetage ?

Elle soutint son regard. Est-ce qu'elle pouvait le croire ou s'agissait-il d'une plaisanterie cruelle ?

Il secoua la tête et lissa ses cheveux.

— Pas de déchiquetage. Tu m'as dit la vérité. J'ai pu le sentir. Tu as commis un crime, mais tu es aussi une victime.

Il pencha la tête jusqu'à ce que son nez touche à peine le sien. Sa voix était plus douce lorsqu'il ajouta :

— Mais quand je m'occuperai de ceux qui ont orchestré ce vol, j'exercerai ma vengeance.

Elle frissonna, et le soulagement la fit presque chanceler. Elle effleura sa poitrine musclée. Elle se sentait englobée en quelque sorte par lui et, à l'encontre de toute logique, en sécurité.

— Je n'aime pas ce verbe, « servir ». Qu'est-ce que vous voulez que je fasse ?

— Je te trouverai une utilité.

— Et si je refuse de le faire ? Je ne volerai pas de nouveau, avertit-elle. Alors si c'est ce que vous voulez, vous pouvez aussi bien me dépecer tout de suite.

Qu'est-ce qu'elle racontait ?

— Tu ne peux rien voler que je ne puisse obtenir de mille façons. Je ne t'exposerai à aucun danger.

Il passa un bras autour de ses épaules et murmura :

— Je n'expose pas mes trésors au danger.

Qu'est-ce qu'il voulait dire par là ? Elle était fascinée par la manière dont il la tenait, et cela n'avait rien à voir avec un sentiment d'envoûtement.

— Il va falloir que j'y réfléchisse, marmonna-t-elle.

Mais ça ne semblait pas trop catastrophique. Mieux que d'être mise en pièces, de toute façon. Et elle lui avait volé quelque chose. Elle lui en avait aussi dit beaucoup trop sur elle. Elle se mordit la lèvre. Et s'il décidait de lui faire du chantage, lui aussi ?

— J'ignorais que je t'avais laissé le moindre choix, fit-il remarquer. (Percevait-elle une note d'amusement dans son ton ?) Tu vis sur mon domaine, tu obéis à mes lois. Réfléchis à tout ça pendant le trajet jusqu'à New York.

Un Klaxon retentit. Elle sursauta et se dégagea.

— Mon Dieu, c'est... c'est la livraison. Je vais la chercher. Je reviens.

Elle se rua vers la porte d'entrée, mais il la retint par le poignet.

— J'y vais.

— Mais non, voyons. (Son cœur battait la chamade.) Je vous ai dit que je vous invitais à dîner. C'est le moins que je puisse faire.

— Non.

Il se dirigea à grandes enjambées vers la porte.

Mince. Elle réussit à le saisir par le bras juste avant qu'il n'ouvre.

— Je vous en prie, Dragos. Laissez-moi y aller.

Il posa les mains sur ses épaules et la repoussa doucement.

— Il y a quelque chose qui cloche, je le sens. Ne sors pas.

Il s'était transformé en un tueur implacable. Sa Force vrombissait littéralement.

Comment les choses avaient-elles pu tourner ainsi ? Elle se tordit les mains. Il franchit le seuil en flottant plus qu'en marchant, son corps magnifique devenant une véritable arme de combat.

Un bruit déchira l'air. Il voltigea en arrière, ses jambes se dérobant sous lui. Elle se précipita. Il s'était écroulé sur l'allée. Une dizaine d'Elfes de haute taille émergèrent de diverses cachettes, de l'arrière de sa Honda, de la Ford garée le long du trottoir, des broussailles. Ils braquaient des armes sur la figure étendue. De grands arcs.

Elle se rua vers Dragos qui gisait sur le dos. Une tache sombre apparut sur son épaule, contrastant avec le blanc de sa chemise, et commença à s'étendre. Elle tomba à genoux à son côté.

— Vous l'avez touché ! s'écria-t-elle, regardant les Elfes qui les encerclaient. Vous savez qui c'est ?

L'un d'eux fit un pas en avant. C'était un mâle aux cheveux d'argent, beau comme tous les Elfes peuvent l'être. Malgré sa silhouette fine, il n'avait pas seulement l'air puissant : il dégageait une Force plus importante que celle de tous les autres êtres rassemblés devant la maison, Dragos mis à part.

— Nous savons de qui il s'agit, fit l'Elfe qui fixa Dragos, son beau visage glacial. Wyrm.

Elle baissa de nouveau les yeux sur Dragos. Il avait beau être blessé, il ne manifestait aucun signe de peur, son regard de rapace se détachant des Elfes pour se poser sur elle. Elle déchira sa chemise et examina le trou sanglant juste au-dessus du pectoral gauche.

— Je ne comprends pas. Aucun de vous n'a d'arme à feu. Où est la flèche ?

Elle retira son sweat-shirt et le pressa contre la blessure.

— Magie elfique, répondit Dragos en serrant les dents.

— Aucune flèche ne pourrait le marquer, reprit l'Elfe. Mais celle-ci a déjà fondu dans son corps. Elle va continuer à libérer du poison dans son sang pendant plusieurs jours.

— Qu'est-ce que vous avez fait ? s'écria-t-elle, le visage tordu par l'angoisse.

Elle serra les poings et voulut se relever. Dragos la saisit par le poignet.

— Pia. Il en faut bien plus pour me tuer.

— Nous l'avons neutralisé, précisa l'Elfe.

— Vous ne comprenez pas, dit-elle à Dragos. Je les ai appelés. C'est de ma faute…

— Tu es entré sur notre territoire sans autorisation, déclara l'Elfe. Des traités ont été violés. Il y aura des conséquences. Pour l'heure, le poison va t'empêcher de prendre la forme de la Bête. Étant donné que nous avons rogné tes ailes, nous t'octroyons douze heures pour franchir notre frontière. Si tu ne l'as pas fait d'ici là, nous reviendrons, et nous ne serons pas seulement dix.

— J'ai enfreint ses lois, intervint Pia. Il venait me demander des comptes.

— Ses lois ne sont pas nos lois, répliqua l'Elfe. Et il a enfreint les nôtres. Wyrm, abandonne l'emprise que tu as sur cette femelle.

— Elle est à moi.

Dragos dénuda ses crocs et ses yeux d'or se firent lave en fusion. Elle sentit son grondement ébranler la terre et ses longs doigts se crispèrent sur son poignet. Il tenta de se relever.

Les autres Elfes braquèrent leurs arcs sur lui.

— Tu vas la libérer sur-le-champ ou perdre la grâce de douze heures, annonça leur chef.

Pia tendit la main vers les Elfes.

— Arrêtez !

Elle se pencha sur Dragos, ce qui était peut-être l'acte le plus courageux de sa vie. Un instinct qu'elle n'aurait su expliquer avec des mots lui fit adopter un ton empreint de douceur.

— Dragos, murmura-t-elle comme elle aurait parlé à un animal blessé, et se mettant à le tutoyer comme si c'était la chose la plus naturelle du monde. Est-ce que tu peux me regarder, s'il te plaît ? Écoute-moi, moi, pas eux.

Le regard de lave se posa sur elle, brûlant, étranger. S'il ne pouvait pas se métamorphoser physiquement, c'était toutefois le dragon qui était bien là.

— Merci, souffla-t-elle.

Elle se mit à caresser ses cheveux noirs. Dragos suivit son geste des yeux, puis regarda son visage.

— Je sais que tu es très en colère, mais je t'assure que cela ne vaut pas la peine de te battre, chuchota-t-elle. Tu m'as promis il y a quelques minutes que tu ne m'exposerais à aucun danger. Tu t'en souviens ?

— Tu es à moi, répéta-t-il, son expression féroce se crispant.

Pendant un moment terrifiant, elle ne sut quoi répondre. Puis elle se reprit.

— Lâcher mon poignet n'y changera rien, dit-elle, passant un doigt le long de son visage avant de poser une main sur sa joue. S'il te plaît.

Il desserra les doigts.

Elle se releva tant bien que mal, les jambes flageolantes, puis se tourna afin de faire face au chef des Elfes qui s'inclina légèrement devant elle.

— Est-ce que je vous connais ? s'enquit-il.

Des alarmes internes se mirent à retentir, mais elle avait retrouvé son sang-froid et elle répondit en secouant la tête :

— Non, nous ne nous connaissons pas.

— Je suis sûr de vous avoir déjà vue. Vous ressemblez à... (Les iris azur de l'Elfe s'écarquillèrent.) Vous êtes le portrait de...

Dragos enveloppa la cheville de Pia d'une main.

— Oui, oui, c'est ça, je suis le portrait craché de Greta Garbo, interrompit-elle d'une voix forte.

L'angoisse l'envahit et son front se couvrit de sueur. Tais-toi, Elfe, implora-t-elle silencieusement.

— Demoiselle, je suis honoré de faire votre connaissance, poursuivit le chef, son visage resplendissant de bonheur. Vous ne pouvez pas savoir à quel point nous avons prié pour qu'une trace de votre mère demeure dans ce monde.

Les autres Elfes la dévisagèrent avec curiosité. Elle regarda leur chef d'un air courroucé.

— Je ne sais absolument pas de quoi vous parlez.

Il tressaillit, puis retrouva son aplomb. Sa joie ne se montra pas autant, mais elle la sentait palpiter en lui. Il lui sourit.

— Bien sûr, pardonnez-moi. Je me suis trompé.

Puis sa voix télépathique résonna dans la tête de Pia, évoquant un carillon que le vent aurait fait chanter.

— *Je m'appelle Ferion. J'ai connu une femme qui vous ressemblait beaucoup. Sa rencontre a été l'un des plus beaux cadeaux que la vie m'ait faits.*

— *Je suis honorée que vous partagiez ceci avec moi*, fit-elle. *Mais en parler me fait courir un danger et je ne suis pas cette femme. En fait, je n'arrive pas à la cheville de cette femme.*

— *Pas à mes yeux*, continua-t-il. *Permettez-moi de vous offrir asile et protection. Je sais que notre Seigneur et notre Dame vous accueilleraient avec la même joie que moi. Nous chéririons votre présence parmi nous.*

Elle hésita et, pendant un instant, elle fut tentée. La pensée d'un tel accueil tordit son cœur solitaire. Mais la déférence de Ferion la gênait. Elle ne pensait pas pouvoir vivre entourée d'un tel respect. Pas alors qu'elle était si peu de chose. Elle luisait, les verrous n'existaient pas pour elle et elle parlait trop – un point c'est tout. Vivre en compagnie des Elfes serait vivre une existence fausse, vieillir pour mourir au bout du compte alors qu'eux ne changeraient pas. Ce serait tout simplement une autre variante de la solitude et de l'isolement.

La main qui lui tenait la cheville resserra sa prise. Elle baissa les yeux sur Dragos qui l'observait en plissant les yeux.

— *Je vous remercie de votre offre. Peut-être qu'un jour je reviendrai vers vous pour l'accepter*, dit-elle à Ferion. *Entre-temps, j'ai une dette à payer.*

Ferion reprit la parole, à haute voix cette fois-ci.

— Demoiselle, je vous en conjure, venez avec nous. Ne restez pas avec la Bête.

Elle s'accroupit à côté de Dragos et, se faisant violence, souleva le sweat-shirt qui recouvrait la plaie. Celle-ci ne saignait plus. Elle nettoya les traces de sang qui maculaient son épaule aussi doucement qu'elle put, essuya ses mains sur le vêtement et replia la partie trempée de sang.

— Ce désastre est complètement de ma faute. Je dois faire ce que je peux pour arranger les choses.

La prise sur sa jambe se relâcha, et elle sentit les doigts de Dragos glisser légèrement le long de son mollet. Le geste l'agaça tellement qu'elle adopta un ton sec :

— Mais quelles que soient les âneries que tu puisses débiter, je ne t'appartiens pas. Tu ne serais pas là si je n'y étais pas, alors je t'accompagnerai jusqu'à la frontière elfique. Je sais que tu avais perdu la boule et que me retrouver était devenu une idée fixe, que tu étais fou de rage et tout ça, mais bon, tout ce que j'ai pris c'était un misérable penny. Et en plus je t'en ai donné un autre.

Un coin de sa bouche cruelle et sexy se souleva pour former un petit sourire.

Les Elfes refusèrent de le toucher, et elle dut l'aider de son mieux. Quand il réussit à se mettre debout et qu'elle fut parvenue à passer son bras valide par-dessus son épaule, les Elfes avaient disparu. Elle savait pertinemment qu'ils ne devaient pas être loin.

— Tu as volé un penny frappé en 1962, grommela Dragos en serrant les dents. Tu m'as laissé à la place un penny de 1975. Ce n'est pas la même chose.

Elle le toisa.

— Mon Dieu, c'est effrayant que tu aies remarqué ça.

— Je sais exactement ce que j'ai et où tout se trouve. Jusqu'à l'objet le plus minuscule.

— Tu devrais peut-être consulter un médecin, voir si tu ne souffres pas d'un trouble obsessionnel.

La poitrine de Dragos se souleva en un rire muet.

Elle se concentra sur le fait de mettre un pied devant l'autre. Il s'appuyait sur elle aussi peu que possible – ils se seraient tous deux écroulés, sinon –

mais elle avait quand même l'impression de soutenir une Volkswagen.

Ils rentrèrent dans la maison. Il s'effondra sur le canapé, posa un bras sur ses yeux et étendit une jambe. Sa chemise était fichue. Elle contempla son torse puissant et son ventre plat.

M'enfin. Le type était blessé et elle le matait comme un obsédé dans une boutique porno !

— Je ne suis pas bien dans ma tête, grommela-t-elle.

— Je me rappellerai cette remarque plus tard, dit-il.

— Je vais te chercher de l'eau.

— Du scotch.

— D'accord. Et de l'eau.

Elle revint de la cuisine avec la bouteille de scotch, une carafe d'eau et un torchon. Il lui arracha la bouteille des mains et en avala la moitié d'une traite. Elle attendit qu'il reprenne son souffle. Puis elle s'assit sur la table basse et se servit du torchon pour nettoyer le sang sur sa poitrine. Le point d'entrée de la flèche n'était déjà plus qu'une cicatrice blanche.

— Est-ce que ça fait mal ? demanda-t-elle.

— Oui.

— Je suis navrée.

— Tu parles trop fort. Tais-toi, ordonna-t-il.

Elle se mordit les lèvres en finissant de le nettoyer. Il soupira et se déplaça légèrement. S'il n'avait rien perdu de sa grâce animale, il était clair qu'il souffrait.

— Continue à faire ça avec le linge. Ça fait du bien. (Il marqua une pause.) S'il te plaît.

— Je vais en chercher un propre, finit-elle par dire, la surprise passée.

Elle laissa tomber le torchon ensanglanté dans l'évier, en sortit un autre et se hâta de retourner à son chevet. Il n'avait pas bougé. Elle passa le linge sur sa poitrine et ses épaules. S'il était chaud auparavant, il était désormais brûlant. Elle souleva le bras qu'il avait posé sur son ventre, releva la manche et le mouilla, puis elle le reposa et prit le bras qui couvrait ses yeux. Il la laissa faire, les yeux brillants sous ses paupières mi-baissées.

— C'est le coup de fil, avoua-t-elle. Pour commander les steaks. Je n'ai pas appelé un numéro trouvé dans l'annuaire. J'avais mémorisé le numéro d'une ligne d'aide que quelqu'un m'avait communiqué.

— J'ai compris, dit-il sèchement.

Elle fit un signe de tête, puis trempa le torchon chaud dans l'eau de la carafe pour le refroidir, et reprit ses soins. Elle ne pouvait pas endiguer le flot de mots.

— J'avais peur quand je les ai appelés. Je pensais que tu allais me tuer.

— J'ai compris ça aussi.

— Je suis désolée ! s'écria-t-elle.

Elle lui arracha la bouteille de scotch des mains et en avala une rasade. En reposant la bouteille, elle constata qu'il souriait.

— Tant mieux, fit-il. Tu devrais être profondément désolée. En deux jours, tu m'as coûté une main-d'œuvre invraisemblable, des dizaines de millions de dollars de dégâts…

— Ho, hé, remettons les pendules à l'heure. Ce n'est pas moi qui ai piqué une crise et poussé des hurlements à réveiller les morts, interjeta-t-elle en se redressant et en le fusillant du regard.

Le sourire de Dragos s'élargit.

— Tu m'as poussé à violer je ne sais combien de traités passés avec la communauté elfique, et je suis malade comme un chien.

— *Tu* as violé ces traités, rétorqua-t-elle en le montrant du doigt. Tu n'étais pas censé venir ici. Si ce n'est pas cinglé, ça ! (Une pause. Elle le regarda d'un air penaud.) Tu es vraiment malade comme un chien ?

— Plus ou moins. Mon organisme lutte contre le poison. Je me sens un peu moins mal. Je pourrai bientôt me déplacer tout seul.

Elle s'assit par terre en laissant échapper un petit grognement. Elle s'adossa contre le canapé en lui tournant le dos, replia les jambes, posa les coudes dessus et appuya les paumes de ses mains contre ses yeux. Son mal de tête s'intensifiait.

— Je ne sais pas où finit exactement le territoire des Elfes, mais cela ne nous prendra pas tellement longtemps pour le traverser. Deux ou trois heures. On a un peu de temps.

Il enfouit ses doigts dans sa chevelure et souleva des mèches.

— Je veux que tu me donnes des cheveux.

— Quoi ?

— Donne-moi une boucle et je te pardonnerai d'être entrée dans mon repaire par effraction.

— Bon, d'accord. (Elle le regarda.) Alors je te donne une mèche de mes cheveux, te conduis au-delà de la frontière elfique et bye-bye ?

— Je n'ai jamais dit que je te laisserai partir, précisa-t-il en riant, juste que je te pardonnerai.

— Je savais que c'était trop facile, marmonna-t-elle.

Il passait et repassait les doigts dans ses cheveux.

— Est-ce que tu en as donné à ton petit ami ?

Les yeux de Pia se fermaient.
— Ex, corrigea-t-elle.
— Ex.
— Non.
Elle lutta contre le plaisir que lui procurait cet assoupissement et tenta de repousser sa main sans beaucoup de conviction.
— Arrête. Je n'arrive pas à garder les yeux ouverts quand tu fais ça.
— Eh bien, ferme-les.
Il lissa son cuir chevelu avec sa paume. Il aimait la douceur de sa voix prise par le sommeil. Il aimait qu'elle ne sente plus la peur, que son odeur dégage un vague désir.
— Dors, murmura-t-il.
— On ne peut pas dépasser l'heure. Il faut mettre une alarme.
Elle essaya de se relever. Comme elle dépliait les genoux, il la saisit par la taille et la fit basculer sur lui. Elle poussa une exclamation et tenta de s'écarter, mais il l'enveloppa de ses bras.
— Allonge-toi, ordonna-t-il. Je veillerai à ce qu'on parte à l'heure. Dors.
Elle s'effondra sur lui comme un château de cartes. Il cala sa tête au creux de son épaule valide.
— Arrête de me donner des ordres, dit-elle en bâillant. (Sous le prétexte d'ajuster sa position, elle frotta sa joue contre sa poitrine, savourant la sensation de chaleur et de puissance émanant de lui.) Tu n'es pas mon patron.
— Dors, répéta-t-il.
Et elle sombra instantanément dans le sommeil.
Personne n'était là pour l'observer lorsqu'il fit l'expérience de presser ses lèvres contre son front.
Il décida que cela lui plaisait.

# 6

Le lit se déplaça sous elle. Pia bâilla et se frotta le nez. Pourquoi le matelas était-il tellement creusé et chaud ? Elle ouvrit les yeux. La pièce était plongée dans l'obscurité. Elle ne distinguait que des ombres.

Elle était vautrée sur Dragos, leurs jambes entremêlées. Elle se raidit et voulut se redresser, mais les bras puissants qui l'enserraient refusèrent de la lâcher. Et sa tête était immobilisée. Elle tira un peu. Il avait enroulé ses cheveux autour de son poignet.

Elle avait l'impression d'avoir du gravier dans la gorge.

— Tu croyais que j'essaierais de m'échapper pendant que tu dormais ? dit-elle d'une voix enrouée. Je ne t'abandonnerais pas alors que tu es blessé.

Il déroula ses cheveux et les laissa glisser en les lissant.

— Je n'ai pas dormi.

Cette fois, lorsqu'elle s'appuya sur les coudes, il la laissa faire, acceptant qu'un seul de ses bras l'enveloppât autour de la taille. Ne pas penser à cette sieste. Ne pas penser au fait d'avoir dormi dans ses bras, ni que ce soit si incroyablement agréable. Oh, oh, elle venait d'y penser.

— Comment as-tu fait pour ne pas dormir ? demanda-t-elle. Tu avais trop mal ?

— Je peux rester plusieurs jours sans dormir ni manger, si nécessaire. Je n'ai nullement l'intention de dormir sur le territoire elfique. Et puis, j'avais juste besoin de me reposer.

— Comment tu te sens, maintenant ?

Trop engourdie pour garder la tête levée, elle la reposa sur ses pectoraux. Mmm. Du satin sur de l'acier.

— Mieux. J'ai l'impression que mon épaule est prise dans la glace, mais je n'ai plus aussi mal. Je vais pouvoir me lever, mais je ne pense pas que je serai en mesure de me transformer avant plusieurs heures. La magie de leur poison a été bien élaborée.

Elle effleura son épaule blessée. La zone était brûlante, bien plus chaude que le reste de son corps, pas glacée.

— Ça ne fait pas mal ?

— Non.

Il s'empara de sa main et la porta à ses lèvres. Elle se raidit quand il glissa son index dans sa bouche et se mit à le sucer.

Le désir intense qui l'avait enflammée dans le rêve l'assaillit. Il se déplaça légèrement de sorte que leurs bassins se touchent. La manifestation de son désir à lui tendait la toile de son jean et se pressait contre le ventre de Pia telle une corde épaisse. Elle grogna et essaya de se dégager en se tortillant. Elle ne réussit qu'à frotter leurs corps.

— Arrête, s'étrangla-t-elle.

Il prit son temps pour sucer son doigt. Sa voix mystérieuse la caressa.

— Pourquoi ? Tu me voulais, dans le rêve. Je te voulais. Je sens ton désir depuis. Quelques heures seulement se sont écoulées. Nous avons du temps avant de devoir partir.

Il lécha sa paume et la sensation l'électrisa.

— Ce qui s'est passé était en rêve ! réussit-elle à articuler.

— Et alors ?

Ses lèvres remontèrent jusqu'à la peau délicate de son poignet. Contre sa bouche, le pouls de Pia battait follement. Il traça la veine de sa langue. Elle n'était pas juste choquée, mais perplexe. Il était un mâle tellement brutal, mais cette sensualité révélait une douceur qu'elle ne savait comment interpréter. Elle dut faire un effort pour retrouver son ton indigné.

— Le rêve était un sortilège ! Ce n'était pas la réalité.

— C'était la vérité, répliqua-t-il. L'envoûtement t'a apporté ce que tu désirais le plus.

Ses longs doigts s'aventurèrent sous sa chemise afin d'effleurer le bas de son dos, une zone particulièrement sensible.

Elle eut le sentiment qu'elle étouffait, sa peau la picota. Elle lutta pour se libérer, et cette fois-ci avec détermination. Dragos resserra un moment ses bras autour d'elle comme s'il allait refuser de la laisser partir. Puis il relâcha sa prise.

Elle se mit debout en hâte, se heurta à la table basse et renversa quelque chose. La moquette sous ses pieds nus fut soudain trempée. Elle avait fait tomber la carafe d'eau.

Elle tendit le bras et avança jusqu'à ce qu'elle atteigne le mur. Ses doigts glissèrent le long du plâtre lisse, puis rencontrèrent un interrupteur. Elle alluma et resta les mains appuyées sur le mur, les yeux fermés, éblouie par la lumière.

Elle avait l'impression que son visage était en feu. Keith et les terribles erreurs commises. Ne pas avoir écouté les conseils de sa mère, se confier, partager, tout cela parce qu'elle voulait un amant et un compagnon, un véritable foyer, un sentiment de sécurité et peut-être même un enfant.

Elle frotta sa joue mouillée contre son épaule.

Les ressorts du canapé protestèrent. Elle le sentit plus qu'elle ne l'entendit se dresser derrière elle. Une énergie incandescente bouillonnait le long de ses nerfs hypersensibles.

Dragos se pressa contre son dos. Il posa ses mains puissantes contre les siennes, si féminines, si petites. Il inclina la tête pour placer sa joue contre elle.

Par moments, sa cour pouvait être tumultueuse. Certains étaient unis. D'autres vivaient seuls. Tous les Wyrs vivaient une sexualité très directe et les passions se transformaient trop facilement en violence.

Il prenait une femelle de temps à autre, mais ses accouplements étaient toujours simples. Des étreintes rapides, sans complications. Il avait été le témoin toutefois d'autres liaisons plus complexes. Il avait vu les vexations, les malentendus, les jalousies, les cœurs brisés, les infidélités.

Cette femelle était complexe. Il n'avait pas affaire ici à du sexe que l'on monnaye. Il réfléchit à ce qu'il pouvait faire, à des situations qu'il avait observées.

— Je ne comprends pas. Est-ce que tu peux m'expliquer, s'il te plaît ? finit-il par demander à voix basse.

Elle secoua la tête.

Il soupira.

— Je vis depuis très longtemps, je peux souvent être cruel et calculateur, et il est dangereux de rester dans mon voisinage lorsque je suis en rage. Je ne cherche pas à excuser ce que je suis. Je suis un prédateur et je dirige d'autres prédateurs. Mais je ne voulais pas te mettre dans un tel état.

Elle se calma en l'écoutant. Il l'entourait de son corps et son énergie l'engloutissait.

Il ne comprenait pas. Il croyait que le rêve n'était que sexuel, un déchaînement des sens. Si seulement les choses pouvaient être aussi simples ! Elle appuya la tête contre lui, à l'endroit où son cou rencontrait son épaule.

— Le rêve était manipulateur, expliqua-t-elle. Il n'appartenait pas à la réalité. On peut choisir de faire en rêve des choses que l'on ne choisirait pas de faire éveillé.

— Mais c'était vrai ?

C'était déroutant, cette incertitude qui l'habitait. Lui qui portait l'arrogance avec une telle aisance. Pourquoi n'arrivait-elle pas à s'empêcher de trouver ce paradoxe charmant ? Elle était vraiment tordue.

— Il y avait une part de vérité dans le rêve, reconnut-elle. Mais ce n'était pas seulement une histoire de sexe.

— Il y avait autre chose, c'est vrai.

Elle entendait le sourire dans sa voix. Il avait l'air… content.

— Ça te plaît ? releva-t-elle, incapable de retenir un sourire à son tour.

— Tu es compliquée et je ne m'ennuie pas.

— Je suis heureuse de pouvoir te divertir, Majesté.

Il l'enveloppa de ses bras.

— Bon, quelle est cette réalité qui n'est pas aussi simple, d'après toi, que l'étreinte que nous avons vécue en rêve ? Dans quelle mesure est-elle liée au désir que j'ai senti venant de toi ?

Elle savoura la sensation d'être dans des bras aussi puissants.

— Tu es compliqué toi aussi, et j'ai eu plusieurs fois terriblement peur de toi aujourd'hui. Et pour moi, l'attirance physique est une chose, mais faire l'... (Elle inspira profondément.) Mais le sexe, corrigea-t-elle, c'en est une autre. Je dois développer un certain niveau de confiance avant de pouvoir m'abandonner à ce point.

— Tu avais confiance en Keith, fit-il remarquer.

Elle ne put s'empêcher de tressaillir.

— Oui, c'est vrai. Et il m'a trahie. Ça fait encore mal.

— L'envoûtement du rêve s'est estompé, ajouta-t-il. Ce que tu ressens est vrai, et ce que tu décides de faire est ta décision et t'appartient totalement.

Il écarta ses cheveux afin de découvrir la marque de sa morsure et posa les lèvres dessus. Son cœur s'emballa, elle se mit à respirer plus vite. Il la serra davantage, puis la lâcha et fit un pas en arrière. Elle se retourna, le regard hésitant. Ses gracieux pieds nus brillaient presque contre la moquette beige, les ongles de ses orteils étaient couverts d'un vernis rouge vif. Il sentit son sexe se raidir.

Il n'y prêta pas attention.

— Il faut y aller.

Elle opina en tentant de se recoiffer vaguement avec ses doigts.

— Oui, bien sûr. Nous nous sommes reposés combien de temps ?

— Deux heures environ, répondit-il en se détournant afin de masquer son érection.

— J'ai le temps de me changer, alors. Si ça ne te dérange pas, je vais prendre une douche. Ce ne sera pas long.

Dragos la regarda s'éloigner.

Un jour, tu me feras confiance, songea-t-il. Et tu me diras alors ce qu'il y avait d'autre avec le rêve et pourquoi tu étais tellement secouée. Tu n'auras pas peur de moi et tu me confieras tous tes secrets. Et ensuite, tu seras mienne.

Il sourit. Elle ne se rendait pas compte qu'il avait encore l'instinct du chasseur. Tant mieux.

Dans la chambre, Pia sortit la deuxième tenue qu'elle avait achetée ainsi que des sous-vêtements, un pantalon corsaire en jean et un tee-shirt jaune citron moulant avec des manches courtes et une encolure à festons. Il ne lui restait plus qu'une tenue propre. À ce rythme, elle allait devoir laver du linge ou s'acheter d'autres trucs.

Elle ferma la porte de la salle de bains, se sentant un peu gourde en la verrouillant. Comme si cela pouvait l'empêcher d'entrer s'il le voulait. Elle se dévêtit et entra dans la baignoire.

L'eau chaude jaillit, détendant toutes les zones meurtries et fourbues. Elle poussa un feulement de douleur quand le jet frappa ses genoux à vif. Elle se lava les cheveux avec un shampooing et un démêlant enfin digne de ce nom, et poussa un soupir d'aise en sentant la masse épaisse de ses cheveux commencer à reprendre son soyeux. Elle se savonna ensuite, puis se rinça, se sécha et s'habilla. Elle brossa ses cheveux, les ramena en arrière, glissa un chouchou jaune afin de former une queue-de-cheval et sortit de la salle de bains.

Dragos était étendu sur le lit défait. Du coup, la chambre paraissait plus petite, le grand lit semblait étroit. Il était allongé sur le dos, les yeux fermés, une main derrière la tête, l'autre sur son ventre plat.

Il avait retiré sa chemise souillée de sang et ne portait plus que son jean et ses bottes. La marque de sa blessure était toujours aussi blanche contre sa peau bronze. Sa cage thoracique ondulait sous ses pectoraux et l'air frais avait fait saillir ses mamelons bruns. Il s'était lavé lui aussi et ses cheveux noirs étaient encore humides.

Elle frissonna et fouilla dans ses affaires en quête de sa dernière chemise propre à manches longues. Elle arracha les étiquettes et l'enfila, décidant de s'en servir de veste, puisque son sweat-shirt était hors d'usage.

La présence de Dragos était écrasante. Elle n'arrivait pas à se décider à s'asseoir au bord du lit. Elle s'accroupit donc pour enfiler des socquettes et ses tennis. Elle contempla son sac à dos qui contenait les documents pour trois nouvelles identités ainsi que cent mille dollars ou presque. Puis elle posa de nouveau le regard sur le mâle allongé.

— Tu es prêt ? s'enquit-elle.

On aurait dit qu'elle venait de courir un marathon. Elle arpenta la chambre et ramassa ses affaires, les fourrant dans un sac en plastique.

— Oui, dit-il.

Il inspira profondément et soupira. C'était un spectacle fabuleux. Elle s'humecta les lèvres et essaya de penser à autre chose.

— Tu n'as pas besoin de ces autres identités, souligna-t-il. J'aime le nom de Pia Alessandra Giovanni. Il te va bien.

Merde. Trois identités hors de prix et magnifiquement forgées qui passaient à la trappe.

— Ce sont mes affaires ! explosa-t-elle. Tu n'as pas le droit de les fouiller.

— Bien sûr que si, rétorqua-t-il.

Comment faisait-il pour sortir une telle énormité ? Elle jeta le sac dans sa direction. Il devait l'observer à travers ses yeux mi-clos car, dans un geste nonchalant et pourtant vif, il l'attrapa d'une main.

— Je parie que tu as compté l'argent ! s'exclama-t-elle.

Il afficha un large sourire.

— Bien sûr. Les femmes mettent vraiment longtemps à se préparer. J'ai également regardé dans le frigo, me suis servi de ton téléphone portable pour appeler New York et j'ai empoché tes clés de voiture. Il est impossible que tu aies un iota de prédateur wyr en toi, vu que tu n'es pas végétarienne, mais végétalienne. Pas étonnant que tu sois si maigrichonne.

Il n'y avait que lui pour qualifier de maigrichonne une femme d'un mètre soixante-quinze qui pesait soixante-cinq kilos. Elle lui jeta un autre sac à la tête. Il l'attrapa au vol, mais ne put empêcher les bouteilles de shampooing et de démêlant de se répandre sur lui.

— Rends-moi mes clés de voiture !

— Pas question.

Elle se rua sur lui et le frappa sur la poitrine.

— Espèce de salaud ! Tu n'avais pas le droit de fouiller dans mes affaires ou de... de voler ma voiture !

Il se mit à rire – non, il éclata littéralement de rire. Puis, dans un mouvement qui rappela terriblement le rêve, il lui saisit les bras, la fit rouler par-dessus son corps et la plaqua contre le matelas. Elle émit un petit bruit étranglé. Il se dressa au-dessus d'elle, voilant la lumière. Ses yeux dorés étincelaient.

— Il n'existe pas une seule entité au monde qui oserait agir de cette manière avec moi.

Elle s'immobilisa et devint blême.

L'expression de Dragos changea.

— Non. Ce n'était pas une menace.

— Qu'est-ce que tu veux dire, alors ? balbutia-t-elle d'une voix chevrotante.

Il posa une main sur sa joue.

— Tu m'appartiens, tu es à moi. Tu peux le nier, protester, trépigner, essayer de t'enfuir. Mais. Tu. Es. À. Moi. Ça. Ne. Changera. Rien.

— C'est insensé. Je ne sais pas du tout ce que cela signifie. Je n'appartiens pas plus à toi qu'à quelqu'un d'autre.

— Si, insista-t-il, passant son pouce sur les lèvres de la jeune femme. Tu es à moi et je vais te garder. Je ne te ferai pas de mal, je te protégerai.

— Je ne suis pas un objet, bordel !

— Mais tu m'appartiens.

— Je crois que tu es cinglé.

— Vu que tu l'es aussi, ce n'est pas tellement un problème.

Il esquissa un sourire, puis baissa lentement la tête en l'observant. Elle se raidit et il murmura :

— Tu ne cours aucun danger. Je veux simplement te goûter. Rien de plus.

Il attendit, frôlant ses lèvres.

Tout cela était tellement tordu. Elle s'absorba dans la contemplation de sa bouche. Et son corps, succombant à la lâcheté, se laissa aller.

Dragos sentit la résistance de Pia s'évanouir. Il couvrit sa bouche de la sienne. Ses lèvres touchèrent les siennes, légères comme une plume, découvrant leur grain, leur forme. Ils étaient à cent lieues de la violence du rêve. Ce baiser était lent, sûr de lui, tranquille, sensuel.

Le plaisir envahit la jeune femme. Elle murmura quelque chose et effleura sa mâchoire.

Il lécha et mordilla ses lèvres, son souffle se faisant plus court. Comme ses doigts quittaient sa mâchoire pour s'enfouir dans sa chevelure, il ouvrit la bouche et enfonça sa langue. Le plaisir s'intensifia.

Il insinua sa cuisse entre ses jambes et exerça une poussée. Elle émit un autre son étouffé et lui retourna son baiser avec fougue. Il gronda et poussa davantage avec sa cuisse, enfonçant sa langue plus profondément. Il toucha l'endroit sensible. Elle hoqueta, se cambra. Elle avait maintenant les bras autour de son cou. Il enveloppa ses fesses dans sa paume, passa un bras sous sa nuque afin de la tenir pressée contre lui. Il adopta un rythme étourdissant avec sa bouche et sa cuisse qui ôta à Pia toute capacité de raisonnement, si bien que chauffée à blanc, elle se mit à l'embrasser avec la même frénésie que dans le rêve.

Il la dévorait goulûment. Le torse de Dragos la recouvrait et son membre épais et dur pressait sur sa cuisse. Elle voulait qu'il n'ait plus de vêtements. Elle le voulait en elle.

Oh, mon Dieu. Elle décolla sa bouche de la sienne et haleta :

— Arrête. C'est trop.

Il rejeta la tête en arrière et émit un feulement, le corps tendu comme un arc.

On aurait dit que ses iris charriaient de la lave en fusion, ses yeux dorés brûlaient. Elle tourna la tête et enfouit son visage contre son biceps d'acier, puis murmura :

— Je ne suis pas encore prête.

— Le petit ami, commenta-t-il d'un ton hargneux.

— *Ex*-petit ami. Et je ne pense absolument plus à lui.

Elle lui jeta un regard prudent. Il avait les yeux rivés sur elle.

— Tu as dit que tu avais encore mal.

Elle posa les doigts sur sa bouche et en traça les contours, fascinée par sa forme et sa texture.

— J'ai mal parce que j'ai choisi de faire confiance à quelqu'un et que j'ai été trahie. Je n'ai plus mal à cause de *lui*, et je ne voudrais nullement le voir ou lui parler même s'il était toujours en vie. Je pourrais juste être tentée de lui flanquer de nouveau une dérouillée.

Dragos commença à se détendre. Elle sentit sa bouche s'incurver en un sourire sous ses doigts.

— Tu l'as tabassé ?

Elle lui retourna son sourire, les yeux pétillants.

— Euh, non, reconnut-elle. Mais j'ai éprouvé une certaine satisfaction à le pousser au point de lui faire percuter le mur.

Il l'étudia. Ses yeux qui évoquaient la couleur du crépuscule étincelaient en le regardant. Elle pouvait dire ce qu'elle voulait, son corps était détendu et confiant, lové contre le sien. L'odeur de son désir sexuel était délicieuse. Tous les tons nacrés de sa peau chatoyaient.

— Tu es absolument splendide, souffla-t-il.

Elle détourna le regard en rougissant. Elle ne savait pas quoi dire. Impulsivement, elle le serra fort contre elle. Le geste le surprit lui aussi car il se figea, puis la serra fort à son tour, l'écrasant contre lui avant de la lâcher et de glisser prestement hors du lit.

— Il faut qu'on parte.

Elle se leva avec beaucoup moins de grâce, car ses jambes étaient en coton. Il l'aida à ramasser ses affaires et insista pour les porter ainsi que son sac à dos. Ayant le sentiment d'avoir perdu le contrôle de son existence, elle lui emboîta le pas.

Avant de sortir, elle alla dans la cuisine chercher son téléphone et quelque chose à manger. Elle laissa de côté les crudités et jeta dans un sac un sachet d'amandes, un yaourt au soja et une cuillère qu'elle chipa dans un tiroir ; elle attrapa enfin les bouteilles d'eau qu'elle avait achetées.

Le séchoir marchait dans la petite buanderie. Dragos l'arrêta et sortit sa chemise déchirée. Il avait rincé le sang comme il l'avait pu, mais elle avait perdu sa blancheur éclatante. Il l'enfila sans se soucier de boutonner les rares boutons qui restaient. Elle fut contente qu'il se couvre un minimum. La vue de sa poitrine nue lui faisait perdre tous ses moyens.

Ils sortirent enfin. Comme Dragos fermait la porte d'entrée, elle nota mentalement d'appeler Quentin pour le prévenir qu'ils n'avaient pas laissé la maison aussi propre et bien rangée qu'elle l'aurait souhaité.

Il l'escorta jusqu'à la portière du passager en regardant autour d'eux. Le tueur implacable était de retour. Il ouvrit la porte, la referma quand elle fut installée. Il mit les sacs à l'arrière, puis s'installa au volant.

— Tu t'attends à des problèmes ? demanda-t-elle.

Un peu plus loin, quelqu'un avait organisé une fête et toutes les lumières étaient allumées dans la villa.

— Pas si les Elfes tiennent parole, répondit-il.

Il trouva le levier servant à régler le siège et le recula au maximum.

— Pourquoi ne la tiendraient-ils pas ? Je n'ai jamais rien entendu de négatif quant à leur intégrité.

— Tu es beaucoup plus jeune que moi, lui rappela-t-il. Chaque espèce n'a pas connu que des moments de gloire. Oh, bon sang, cette bagnole va me tuer !

— Quoi ? Pourquoi ?
— J'attends toujours qu'elle prenne de la vitesse, répliqua-t-il. Et pas dans trois plombes. Qu'est-ce que c'est ?
— C'est une Honda Civic, et c'est une bonne voiture. Elle consomme peu.
— On sait pourquoi, c'est sûr !
En dépit de sa remarque, il ne roula pas très vite tant qu'ils n'eurent pas quitté le bord de mer et rejoint l'autoroute. Et lorsqu'il accéléra, il respecta la limitation de vitesse.
— Qu'est-ce que tu as comme voiture ?
Elle sortit son yaourt. Elle mourait de faim.
— Ma préférée est la Bugatti.
Ben voyons. Elle aurait dû se douter qu'il avait une voiture qui valait plus d'un million de dollars. Elle entama le yaourt.
— Combien de voitures tu as, à part la Bugatti ?
— Une trentaine peut-être en tout. Je ne sais pas exactement. Je conduis la Bugatti ou le Hummer. Parfois la Rolls. Mes gens conduisent les autres.
Ses gens. Elle secoua la tête. Une richesse aussi extravagante était inimaginable.
Il lui jeta un coup d'œil de côté, la lèvre retroussée.
— Qu'est-ce que tu manges ?
— Du yaourt au soja, dit-elle en s'essuyant le coin de la bouche.
— C'est de la nourriture, ça ? J'ai goûté à ce que tu avais acheté l'autre jour, la réglisse et le Coca. J'ai recraché le tout illico.
Elle éclata de rire.
— Oh, n'exagère pas, ça ne pouvait pas être si terrible.
— Si, je t'assure, fit-il avec le plus grand sérieux. C'était terrible.

— Comment as-tu su… (Elle comprit soudain.) Oh, la note que je t'ai laissée. Je l'ai écrite au dos d'un reçu. C'est comme ça que tu as pu me retrouver.

— On a obtenu les films de sécurité pour la date du reçu. Entre ça et ton nom humain que tu m'as confié dans le rêve, on te tenait.

Elle poussa un soupir, finit son yaourt et ouvrit le sachet d'amandes.

Des phares surgirent derrière eux et restèrent à une distance respectable. Elle remarqua qu'il avait les yeux sur le rétroviseur et elle se tordit sur son siège pour regarder derrière eux.

— Qu'est-ce que c'est ?

— Nous avons une escorte jusqu'à la frontière elfique. Quelle politesse. Tu veux parier qu'ils nous offriront de l'aide si on crève un pneu ?

— Oh, tu peux te mettre à leur place, souligna-t-elle. Tu as enfreint leurs lois.

— Toi, tu m'as volé quelque chose. Et regarde comme nous nous entendons bien.

La remarque la décontenança. Elle se remémora la journée chargée qu'ils avaient eue. Ils s'entendaient extraordinairement bien. Elle soupçonnait qu'elle aurait dû trouver tout ça flippant. À vrai dire, quelque part, oui, elle trouvait ça flippant…

— Maintenant que tu le mentionnes, murmura-t-elle, tu sembles en effet ne pas répondre à la norme.

Il leva un doigt.

— Primo, tu es la seule personne qui ait jamais réussi à me voler quelque chose. (Il leva un deuxième doigt.) Secundo, je ne suis pas une créature qui pardonne aisément. (Un troisième doigt.) Tertio, j'aime la vengeance. J'ai hâte de mettre en pièces la personne qui t'a donné ce charme et qui est désormais en possession de mon penny.

— Évidemment, expliqué comme ça, je devrais prendre mes jambes à mon cou en hurlant.

— Tu te souviens que j'ai dit que je ne m'ennuyais pas ?

Elle opina en tripotant un coin de sa chemise.

— Rétrospectivement, je pense que cela fait maintenant des siècles que je m'ennuie. Ça fait long. Les gens se précipitent pour me donner tout ce que je veux. Et sinon, je peux toujours l'acheter. Mais tu es différente. Depuis le commencement, tu n'as cessé de me surprendre. Je n'avais jamais été aussi furieux, et puis ta note m'a fait rire aux éclats. Le rêve ? Grosse surprise. Les âneries que tu as débitées, ton odeur, les rayons du soleil dans tes cheveux au clair de lune.

Il lui lança un long regard appuyé :

— Je ne m'ennuie vraiment pas. Et je me rends compte que cela me plaît et me donne l'occasion d'apprendre à faire d'autres choses.

Elle se tourna vers la fenêtre. Formidable, elle pouvait se détendre du moment qu'elle le divertissait ? Et qu'allait-il se passer quand il en aurait assez d'elle ? Est-ce qu'il oublierait qu'il lui avait « pardonné » ? Elle se mordit la lèvre.

Heureusement qu'il y avait encore trois caches à New York, avec trois autres identités et de l'argent. Il faudrait juste qu'elle joue le jeu en attendant de trouver un moyen de lui fausser compagnie.

Il posa une main sur son genou. Elle sursauta et se retourna vers lui.

— Pia. Je veux que tu m'écoutes. N'essaie pas de t'enfuir une fois que nous serons de retour à New York.

— Qu'est-ce que tu racontes ? fit-elle en écarquillant les yeux.

— Oh, il ne faut pas être grand clerc, répliqua-t-il sèchement. Tu te souviens que je t'ai dit que j'avais téléphoné ? J'ai parlé avec mon premier lieutenant, un griffon du nom de Rune. Nous pensons savoir qui pourrait avoir orchestré tous ces événements, la manipulation et le meurtre de Keith et de son bookmaker.

— J'ai comme l'impression que je ne vais pas aimer ce que tu es sur le point de me dire.

L'amande qu'elle venait d'avaler semblait coincée dans sa gorge. Elle referma le sachet et le rangea, puis avala une grande gorgée d'eau.

— J'ai comme l'impression que tu as raison. Mais il faut que tu le saches. Si Keith a dit quelque chose sur toi, n'importe quoi, tu n'es pas en sécurité. Est-ce que tu peux garantir qu'il ne l'a pas fait avant que tu l'obliges à prêter serment ?

Elle se tortilla sur son siège, la peur l'étreignant de nouveau.

— Il a reconnu qu'il leur en avait touché un mot ou deux, mais n'avait pas dit grand-chose. Et ce serait logique qu'il ne l'ait pas fait. Il aura voulu essayer au maximum de contrôler le déroulement des choses.

— Certes, mais réfléchis un peu à ça. Il aura également dû faire preuve d'un sacré pouvoir de persuasion pour arriver à convaincre quelqu'un de lui donner ce charme. Tu sais combien de personnes sont en mesure de créer un truc pareil, quelque chose ayant la force de neutraliser mes sorts les plus puissants ?

— Je présume qu'elles ne sont pas très nombreuses, marmonna Pia.

— Sans réfléchir, j'en vois trois.

Il resserra sa prise sur sa jambe et frotta sa cuisse. Instinctivement, elle saisit sa main. Il la laissa la poser sur ses genoux.

— Qui ?

— Une très vieille sorcière en Russie. La reine vampire à San Francisco est une sorcière. Et le roi des Faes noires.

— Merde.

— J'ai ordonné des recherches pour voir s'il existait une autre créature susceptible de créer un charme suffisamment puissant pour localiser mes biens. Pour le moment, il n'y a personne d'autre. La sorcière est plutôt indifférente à tout ce qui se passe en dehors de son voisinage. Et la reine vampire est plus ou moins une amie, en tout cas une alliée, mais le roi des Faes noires… (Dragos secoua la tête en esquissant un sourire sans joie.) Urien me hait de tout son être. Il se trouve que j'ai en ma possession, depuis deux cents ans, quelque chose qu'il veut absolument. Il n'hésiterait pas à détruire le continent s'il pensait pouvoir m'éliminer par la même occasion. Tu ne serais qu'un petit caillou sur sa route.

D'après ce qu'elle savait des Faes, il y avait deux cours, celle des Faes noires et celle des Faes lumineuses, et la plupart du temps, elles s'affrontaient à propos d'un différend quelconque. Les Faes lumineuses étaient gouvernées par une reine. Urien régnait sur les Faes noires.

Elle se concentra sur la main qu'elle tenait sur ses genoux. C'était une main tellement grande, tellement forte. Elle se rendit compte qu'elle s'était mise à la caresser.

— Les personnes à mon service sont excellentes. Si tu parvenais à me fausser compagnie, je te retrouverais. Mais tu serais en danger entre-temps… Alors, cette promesse ? Tu me la fais ?

— OK, céda-t-elle.

— Bon, on y arrive, tu vois.

Il pressa sa main, puis la retira.

Ils restèrent silencieux. Un peu plus tard, alors que l'aube pointait, la voiture qui les suivait fit un appel de phares, puis disparut. Elle se dit qu'ils devaient être sortis du territoire des Elfes.

Ses paupières se firent lourdes. Elle ne pensait pas arriver à s'endormir, mais grappiller deux heures de sommeil par-ci et une petite sieste par-là ne représentait pas suffisamment de repos.

Elle se frotta les tempes.

— Un de ces jours, je vais manger un vrai repas et dormir une vraie nuit.

— J'ai demandé à Rune de trouver quelqu'un qui sache préparer le type d'aliments que tu manges.

Elle ne put s'empêcher de sourire. Le végétalisme semblait tellement étranger quand il en parlait, un peu comme s'il parlait de cuisiner de la nourriture pour chiens.

— Merci, c'est gentil.

Elle lutta fugacement entre l'amour-propre et le désir, et c'est le désir qui l'emporta. Elle posa la tête contre son bras.

C'était une erreur. Elle ne devrait pas tirer un tel confort de cette chaleur. Et surtout, elle ne devait pas commencer à compter dessus.

Il enveloppa sa tête d'une main, puis se concentra sur la route. Elle somnola.

Plus tard, elle fut saisie d'une espèce d'angoisse. Le sentiment s'intensifia alors qu'elle se redressait et regardait autour d'elle. L'aurore s'était installée, même si le soleil n'avait pas encore fait son apparition. Elle jeta un coup d'œil au compteur. Ils roulaient à près de 160 kilomètres l'heure.

Elle regarda Dragos. Il avait une attitude détendue et il conduisait avec sûreté et assurance, mais son visage brun était farouche.

— Qu'est-ce qui se passe ?

— On nous piste. Je ne sais pas si on peut les semer, mais je tente le coup.

Consciente de l'inutilité du geste, elle regarda autour d'eux. Elle déploya également tous ses sens, s'efforçant de saisir ce qu'elle percevait. Sans succès.

— Qu'est-ce qui ne va pas ? s'enquit-il.

— Je ne comprends pas ce que je ressens.

— Essaie de le décrire.

— C'est justement le problème. Je ne sais pas. Ce… Ce n'est pas un sentiment agréable. Une espèce d'angoisse, l'impression que quelque chose de maléfique est tout près. Tu ne le sens pas ?

— Non.

— Où sommes-nous ?

— La prochaine ville importante est Fayetteville. Si nous y arrivons, nous allons prendre un itinéraire différent.

Si nous y arrivons. Elle s'agrippa à sa ceinture de sécurité.

Ce qui se passa ensuite fut rapide comme l'éclair. En arrivant dans un virage dépourvu de toute visibilité, un gros véhicule vrombissant se précipita vers eux. Dragos donna un violent coup de volant, maîtrisant la voiture. C'est alors qu'un second véhicule apparut devant eux sur la droite.

Dragos tenta de l'éviter. Les pneus hurlèrent tandis que la voiture partait en vrille. Tout tournoya. Puis le véhicule qui fonçait sur eux fut sur le point de percuter le côté conducteur. Il se jeta sur elle, la recouvrant de son torse puissant.

# 7

C'est la douleur qui la réveilla. Son corps était tordu selon un angle douloureux. Elle était enveloppée de métal et coincée sous une charge lourde.

Elle grogna.

— Chut, murmura Dragos. Ça va aller. Ça va aller.

Elle essaya d'inspirer profondément. Sans succès.

— Je ne peux pas respirer, gémit-elle. Je ne peux plus bouger les jambes.

— On a eu un accident de voiture, Pia. Tu es coincée, mais je vais te dégager. Pour l'instant, il faut que tu m'écoutes. Ne bouge pas. Est-ce que tu peux ne pas bouger, juste un petit moment ?

Sa voix se glissa en elle et balaya la panique. Il l'ensorcelait pour la calmer. Un de ces jours, elle lui dirait deux mots sur cette façon qu'il avait de s'introduire dans sa tête. Mais ça n'était pas le moment. Elle acquiesça.

— C'est bien, c'est bien, fit-il d'une voix lénifiante.

Le poids sur sa poitrine se retira. Le métal geignit. C'était un bruit horrible. Une douleur saisit ses jambes et son dos. Elle poussa un cri, et tout devint noir.

Dragos poussa une série de jurons comme Pia s'évanouissait de nouveau. Le choc avait été tellement violent que la voiture n'était plus qu'un amas de métal tordu. Aucune créature n'aurait normalement pu survivre à un accident pareil. S'il n'avait pas été ce qu'il était et n'avait pas suffisamment récupéré après l'empoisonnement des Elfes, s'il ne s'était pas jeté sur Pia et n'avait pas littéralement repoussé le choc de l'accident avec sa Force afin de les protéger tous les deux, elle aurait été broyée.

Des ombres entouraient la carcasse de la voiture. Il déchira l'airbag qui s'était déployé, puis défit la ceinture de sécurité de Pia. Il lança un regard hargneux aux créatures qui s'approchaient. Il dénuda ses crocs et gronda un avertissement, et les silhouettes s'arrêtèrent. Par-dessus l'odeur de caoutchouc brûlé et d'essence, la puanteur des orques fit frémir ses narines. Les créatures immondes ne tardèrent pas à reprendre leur progression vers le véhicule, leurs traits grossiers commençant à se détacher dans la pâle lueur de l'aube.

Ils pensaient qu'il était bloqué. Et ils avaient malheureusement raison.

Il avait été blessé lui aussi, mais rien de très grave, coupures, contusions. Seul, il se serait extirpé du véhicule en deux temps trois mouvements et aurait réglé leur compte aux misérables créatures. Mais s'il le faisait, il risquait de causer de terribles blessures à Pia, la tuer même. Il lui faudrait prendre de grandes précautions pour l'extraire de l'épave. Elle était tellement fragile.

Les orques s'enhardirent. C'étaient des êtres difformes à la peau grise, d'une grande brutalité et dotés d'une force surhumaine. Parmi les Anciens, ils faisaient partie des rares créatures qui n'étaient pas capables de prendre une forme un tant soit peu attrayante pour leur permettre de cohabiter avec les humains. Aussi, ils passaient l'essentiel de leur temps dans les Autres Contrées où la magie était plus puissante, les humains extrêmement rares et où certaines technologies, telles que les appareils électriques et les armes modernes, ne fonctionnaient pas.

Il déploya ses sens et découvrit un passage peu éloigné qui menait à la poche d'une Autre Contrée. Quelle surprise, tiens.

Il se concentra de nouveau sur Pia. Il était tordu au niveau de la taille et la recouvrait de son torse. Le siège de Pia s'était cassé et elle était partiellement étendue sur ce qui avait été la banquette arrière, tandis que l'avant de la voiture s'était effondré sur ses jambes.

Il réussit à dégager son bras gauche et passa une main derrière lui afin de saisir la manette de commande qui était pressée contre son rein gauche. Prenant appui avec son bras droit, il poussa.

Doucement. Le métal grogna et la manette se déplaça de quelques centimètres. Il ne perçut pas de risque d'affaissement supplémentaire. Bon. Il fit les mêmes gestes avec le métal froissé du toit qui pesait sur son dos et gagna un petit peu plus de place pour manœuvrer.

Les orques se mirent à s'interpeller dans leur langue gutturale. L'un d'eux introduisit une épée avec des dents de scie à travers le trou dans la fenêtre en souriant de manière ignoble.

Dragos saisit l'arme et lança son autre bras hors du trou. Il attrapa le monstre à la gorge et serra de toutes ses forces pendant que la créature s'étouffait et tressautait. Il la lâcha. L'orque s'écroula, battant l'air de ses griffes, avant d'expirer. Les autres le regardèrent agoniser sans esquisser le moindre geste pour lui venir en aide.

Charmant, vraiment. Ne prêtant pas attention à ses doigts en sang, il tira l'épée dans la voiture. Les autres orques grondèrent, mais restèrent hors de portée.

Il cala l'épée près de sa main et se pencha sur Pia sans prêter attention au mouvement soudain et brusque du véhicule. Les orques soulevèrent la voiture et la déposèrent sur le plateau d'un camion.

Au moins, songea Dragos, elle respirait mieux. Son visage était couvert de bleus et de coupures. La chemise qu'elle avait portée en guise de veste était déchirée et humide de sang par endroits. Sous la peau fine de sa tempe, il pouvait voir un entrelacs de fines veines bleues.

Le camion se mit en route et traversa la campagne. Des orques couverts d'armures couraient à côté et derrière le véhicule, les encerclant. Ils se dirigèrent vers le passage qui menait à l'Autre Contrée.

Dragos balaya le corps de Pia avec sa Force en accordant une attention particulière à sa colonne vertébrale et à ses jambes. Il poussa un soupir de soulagement en constatant qu'elles étaient indemnes. Il vérifia ensuite où elle saignait. Il trouva un morceau de métal planté dans son mollet droit. Pas étonnant qu'elle se soit évanouie. Il baissa la tête et se servit de ses épaules pour pousser contre le toit en accordéon de la voiture, gagnant quelques centimètres de plus.

II examina la manière dont les jambes de Pia étaient coincées, jusqu'à ce qu'il ait trouvé le moyen d'élargir la zone sans la blesser davantage. Il agrippa les deux endroits les plus appropriés et les écarta. Le métal protesta, mais céda jusqu'à ce qu'il ait pu libérer ses jambes. Le sang jaillit au moment où le morceau de métal tordu sortit de son mollet. Il plaqua sa main sur la plaie.

Il envoya une impulsion très douce de Force pour fermer la blessure et endiguer les saignements. Il fit planer l'impulsion au-dessus du corps de la jeune femme, refermant d'autres petites plaies. Elle aurait mal et ne se sentirait pas bien en se réveillant, mais elle vivrait. C'était tout ce qui importait.

Il se redressa autant que possible et plaça une paume sous le menton de la blessée.

— Pia, dit-il d'une voix douce. Le moment est venu de te réveiller. Je veux que tu ouvres les yeux.

Elle repoussa ses doigts.

— Tu peux parler moins fort ? marmonna-t-elle.

— Pia, regarde-moi.

— Je veux dormir, rétorqua-t-elle d'un ton irrité.

Pourquoi fallait-il que cette voix soit aussi mélodieuse ?

— Je sais, mais tu ne le peux pas. Allez, un effort, mon chou.

Elle soupira, mais leva les yeux vers lui. Il lui souriait, son expression grave éclairée par autre chose. Chez quelqu'un d'autre, elle aurait dit que c'était du soulagement. Il s'appuya sur un coude en se penchant au-dessus d'elle. Tout un côté de son visage n'était plus qu'un hématome violet foncé.

Elle ne comprenait pas ce qui avait pu lui causer un bleu pareil, mais elle ne s'attarda pas sur cette énigme et tenta de comprendre les autres bizarreries qui l'environnaient, tout ce métal tordu et ce mouvement cahotant de la chose dans laquelle ils se trouvaient et qu'elle ne reconnaissait pas. Elle leva la tête pour regarder dehors et le regretta tout de suite. Des monstres couraient à côté d'eux. L'angoisse qui l'avait saisie plus tôt la frappa de plein fouet. Le paysage luisait de magie qui augmentait en puissance.

— On nous kidnappe, expliqua-t-il avec calme. Accident de voiture. Tu te souviens ? Je suis à peu près sûr qu'ils nous transportent dans une Autre Contrée. (Il lui caressa les cheveux.) Tu vas bien. Tu es blessée, mais pas grièvement.

Elle baissa les yeux sur son corps meurtri.

— Mon Dieu, je saigne, balbutia-t-elle.

Elle se mit à se frotter les bras et le visage.

— Hé, hé ! s'exclama-t-il, saisissant ses mains. Arrête de paniquer. J'ai dit que tu allais bien.

— Stoppe le sang. Il ne faut pas que je saigne.

Elle se débattit.

— Ne parle pas si fort. L'un d'entre eux comprend peut-être l'anglais. Merde, je viens de refermer tes plaies. Si tu ne fais pas attention, elles vont se rouvrir.

— Dragos, il ne faut pas que je saigne, fit-elle d'une voix étouffée. Tu comprends ce que je dis ? *Il ne faut pas que je saigne !* (Elle le regarda avec affolement.) Est-ce que tu peux le brûler ?

Il la dévisagea, son regard doré immuable.

— Pia. Tu as été coupée partout.

— Ça n'a pas d'importance, haleta-t-elle. Il faut se débarrasser du sang.

Après avoir jeté un regard meurtrier aux orques à l'extérieur, il dit entre les dents :

— Merde. Bon, ne bouge pas.

Elle se figea, repoussant la panique. Sans perdre de temps, il déchira son pantalon au-dessus des genoux et arracha le tissu ensanglanté. Il s'en servit pour essuyer ses jambes et la pointe de métal qui l'avait blessée, puis il en fit une boule. Elle se tortilla pour retirer sa chemise, mais l'espace était très exigu. Il l'aida. Le morceau de tissu rejoignit ensuite celui qu'il tenait déjà en boule dans un poing.

Il y eut un éclair, créé par une salve de magie. Le camion toussa et cala. Des orques se précipitèrent pour détacher le plateau sur lequel ils se trouvaient. Ils s'interpellèrent les uns les autres en glissant des chaînes dessous. Une dizaine d'entre eux le saisirent et se mirent à le traîner.

— On est passés de l'autre côté, nota Dragos.

Elle n'avait jamais été dans une Autre Contrée. Sa mère refusait de l'y emmener, soutenant que pour ne pas être découvertes, leur plus grande chance était de vivre parmi les humains.

Malgré la gravité de la situation, le paysage la stupéfia et l'émerveilla.

De majestueux arbres centenaires drapés de lierre les dominaient. La symétrie qui caractérisait le paysage rechargeait son esprit fatigué. Elle suivit des yeux le tronc d'un arbre qui évoquait une tresse épaisse jusqu'à ce que les branches, très haut, se déploient avec la grâce de la voûte d'une cathédrale. Tout semblait vénérable et ancien et baignait dans la magie, tout était plus riche, plus vert, et la lumière matinale plus dorée et plus chatoyante.

La douleur la força à se rallonger.

— C'est beau, murmura-t-elle.

— Je pense que ça ne sera pas la même chose où ils nous conduisent.

Ils regardèrent tous les deux le tee-shirt à manches courtes jaune citron qu'elle portait sous la chemise. L'épaule droite était rouge, trempée de sang, ainsi qu'une zone au niveau du ventre.

— Arrache-le, ordonna-t-elle.

Elle repoussa un sentiment de vulnérabilité. Elle espérait que son soutien-gorge était impeccable.

Il tourna son regard, qui se fit lave en fusion, vers les orques qui les encerclaient.

— Certainement pas, lança-t-il avec hargne.

Elle jeta un coup d'œil sous le tee-shirt et soupira de soulagement. Il n'y avait pas de sang sur son soutien-gorge.

Il arracha seulement les morceaux du tee-shirt souillés, ôta sa propre chemise qui était constellée de taches de sang, et fit un paquet des vêtements qu'il leva à hauteur de la fenêtre démolie. Ses yeux s'étrécirent. La lave qui fusionnait au fond de ses iris rougit. Le tissu s'enflamma.

— Merci, souffla-t-elle.

— Nous parlerons de tout ça quand on sera rentrés, je te le promets.

Elle se lova contre sa poitrine, les yeux rivés sur la boule de feu qu'il tenait dans son poing. Elle sentit la chaleur sur sa peau, mais il ne fut pas affecté par les flammes.

Il jeta un coup d'œil dehors, puis il lança le morceau de tissu en flammes avec suffisamment de force pour qu'il frappe un orque en pleine tête.

— D'une pierre, deux coups.

L'orque se mit à tourner sur lui-même avec affolement en frappant son visage en flammes et en hurlant. Le feu ne s'éteignit pas. Nourri par sa Force, la magie de l'Autre Contrée et le sang de Pia, il se propagea à l'armure de cuir. Elle détourna les yeux de l'horrible spectacle, se boucha les oreilles et enfouit son visage dans sa poitrine. Il enveloppa sa tête de sa main et regarda l'orque s'écrouler et mourir.

La vengeance était l'une de ses très bonnes amies, et ils avaient encore fort à faire tous les deux.

Il restait une vingtaine d'orques, et ils furent bientôt rejoints par une dizaine d'autres. Les nouveaux venus prirent la place de ceux qui traînaient le plateau du camion.

Après que Dragos eut redressé comme il le pouvait la voiture disloquée à différents endroits, ils eurent un peu plus de place. Il se concentra alors sur ce qui se passait dehors.

Elle l'avait observé bouche bée pendant qu'il tordait les morceaux de métal. Il avait une force absolument hallucinante. Elle tâtonna autour de ses pieds à la recherche du contenu de son sac et trouva une bouteille d'eau qui n'avait pas été percée dans l'accident. Ils en partagèrent la moitié, puis elle mit le reste de côté.

Elle savait avec une certitude absolue que Dragos lui avait sauvé la vie de multiples manières. Elle était heureuse qu'il ait pu stopper l'hémorragie en refermant ses plaies. Il lui avait dit que c'était une forme de cautérisation, sauf qu'il était en mesure d'atténuer la douleur. Heureusement, car elle avait mal partout.

Elle regarda le paysage défiler avec émerveillement. Il rappelait la planète Terre tout en s'en distinguant. Elle était fascinée par la douceur de la ligne des vallons, les feuillages d'un bleu-vert tendre, les giclées étincelantes que provoquaient les rayons du soleil en frappant les veines de cristal qui couraient dans les roches de granit. Ce décor recelait une vérité tellement profonde et palpable qu'elle aurait juré pouvoir presque y plonger les mains. Un vaste pan de son âme longtemps refoulé se déploya, exprimant son besoin de se désaltérer à cette source.

Était-ce la magie de l'Autre Contrée qui l'appelait ? Était-ce l'ancienne sauvagerie de la forêt qui lui rappelait l'essence même de son être, la créature sauvage qui vivait enfermée, emprisonnée dans la cage trop petite de sa chair d'hybride ?

Toutes les émotions contradictoires et complexes qui l'habitaient étaient composées elles-mêmes de différentes strates. Le choc de l'accident, la peur qui la tenait au ventre, et l'appréhension de ce qui allait se passer se mêlaient à l'excitation d'être dans une Autre Contrée.

Et Dragos occupait le centre de tout cela. Il était son point d'amarre.

Le teint bronze de sa peau semblait plus intense, sa chevelure noire plus brillante et l'or de ses yeux plus scintillant qu'auparavant. Elle étudia son visage farouche tandis qu'il observait ce qui se passait dehors. Il avait un regard calculateur et il pressait contre lui l'épée soustraite à l'orque.

Elle évalua leurs chances. D'un côté, environ trente ou quarante orques armés. De l'autre, un dragon vraiment furieux. Elle repensa à sa force herculéenne lorsqu'il avait tordu le métal. Elle n'était peut-être pas très objective, mais selon elle ces orques étaient cuits.

L'inconnue de l'équation était la manière dont il comptait les « cuire », à quelle sauce, et surtout le moment où il pourrait le faire.

— Le problème, c'est moi, dit-elle à voix basse.

— Qu'est-ce que tu racontes ? fit-il doucement.

— Exactement comme lorsque les Elfes t'ont encerclé. Tu ne les as pas combattus parce que j'étais là. Je suis sûre que tu aurais pu te dégager de la voiture bien avant que nous soyons passés de l'autre côté.

— Ce type de spéculations est inutile, répliqua-t-il en fronçant les sourcils.

— Tu aurais pu sortir de la voiture avant que les orques la mettent sur le plateau du camion, non ? insista-t-elle. Mais tu ne l'as pas fait, à cause de moi. Je te gêne, je suis un fardeau.

— Soyons clairs, gronda-t-il. Je ne sais pas ce que tu es. Ajoutons ce fait à la liste de plus en plus longue des sujets dont nous devrons discuter quand nous sortirons d'ici. Mais une chose est sûre : tu n'es pas un problème. Disons que tu es un facteur tactique.

— Facteur tactique, répéta-t-elle d'un ton vaguement agacé. Qu'est-ce que ça veut dire ?

— Cela veut dire que tu joues un rôle quant aux décisions que je dois prendre. On dirait qu'on arrive à destination.

Elle s'appuya sur les coudes et regarda dehors. Le trajet avait duré longtemps. Elle ne savait pas exactement combien de temps, car elle avait entendu dire que le temps n'était pas le même dans les Autres Contrées. Le soleil avait décliné et on aurait pu être en fin d'après-midi ou en début de soirée, mais elle avait le sentiment d'être restée piégée dans cet horrible espace confiné pendant une journée entière.

Le paysage était devenu plus sauvage et plus rocailleux. Devant eux, adossée à une falaise, se dressait une structure sévère en pierre... Une forteresse ? Wouah, elle n'avait jamais vu de forteresse auparavant. Deux ou trois orques prirent les devants en courant.

Dragos posa une main sur son épaule.

— Écoute-moi bien, murmura-t-il. Tu vas faire tout ce que je te dis, tu m'entends ? Ce n'est pas le moment de discuter ou de me désobéir. Je suis l'expert ici. Compris ?

Elle opina.

— Voilà ce que tu ne vas pas faire, pour commencer, chuchota-t-il en plongeant son regard dans le sien. Fais-toi remarquer le moins possible. Ne leur donne pas une raison de croire que tu as une quelconque importance. Ne les regarde pas dans les yeux. C'est un signe d'agression pour un orque. Ne leur adresse pas la parole. Ne te débats pas. Est-ce que tu comprends ?

— Je crois, oui.

Son cœur battait de nouveau la chamade. Au rythme où allaient les choses depuis une semaine, le stress lui avait coûté au moins dix ans de sa vie.

— Voilà ce qui va se passer, à mon avis. Ils vont nous séparer. Il est possible que tu passes un mauvais quart d'heure. (Il resserra sa prise.) Ils ne te tueront pas. Ils ont vu que je m'occupais de toi et ils vont donc vouloir se servir de toi pour faire pression sur moi. Les femmes humaines n'intéressent pas du tout les orques. Ils ne te violeront pas.

Elle fut saisie de tremblements, puis ils cessèrent et elle retrouva son calme.

— Ça va, dit-elle. Ça va. Je te suis reconnaissante de m'avertir.

— Voilà la fille que je connais et qui a du cran.

Il lâcha son épaule et lui caressa la joue.

— Et voilà un ton condescendant, rétorqua-t-elle, refusant de s'avouer que son idiot de cœur s'était dilaté en entendant ces mots.

— Oui, et alors ? fit-il d'un ton impatient.

Elle soupira.

— C'est encore à cause du penny, c'est ça ?

— Oui, c'est encore à cause de ce foutu penny. Je crois qu'il a été utilisé pour jeter un sort de pistage sur moi. Je ne perçois pas la présence d'une Force réelle ici, mais je parie que celui qui a orchestré ces événements est en route. Et c'est une des raisons pour lesquelles il est *essentiel* que tu n'attires pas l'attention sur toi.

— D'accord.

— S'ils pensent ce que j'espère qu'ils pensent, ils ne savent pas que j'aurais pu m'extirper de cette voiture. Ils croient certainement que tout ce que j'essayais de faire, c'était de me libérer. J'espère qu'ils m'ont bel et bien sous-estimé à ce point.

Une autre vague d'adrénaline la frappa. Elle avait les nerfs tellement à vif qu'elle planait presque.

— Je viendrai te chercher, conclut-il.

Ils ralentirent. Elle ne put se résoudre à regarder dehors.

— Quand est-ce que tu crois que tu auras totalement éliminé le poison de ton système ?

Elle s'était forcée à énoncer la question, les muscles de sa gorge étant noués.

— Un jour, peut-être deux. Le fait que nous soyons passés de l'autre côté est un avantage, car la contrée baigne dans la magie.

Un jour ou deux. Pas très longtemps d'un côté. D'un autre, une éternité.

Tout cela était de sa faute. Elle avait volé le penny, il l'avait pourchassée et c'était à cause d'elle qu'il avait reçu une flèche empoisonnée. Il était resté dans la voiture accidentée afin de l'aider.

L'émotion qui l'envahit à ces pensées était indescriptible.

— Je crois que tu es mon héros, fit-elle, ne plaisantant qu'à moitié.

Il la dévisagea d'un air sidéré.

— La plupart des gens pensent que je suis un homme très maléfique.

Elle le scruta pour essayer de voir si cela l'affectait particulièrement. Mais il ne semblait pas troublé. Il semblait surtout interloqué.

— Euh, dit-elle enfin, peut-être que tu es un très bon dragon.

Ils s'arrêtèrent. Elle se fit aussi petite que possible tout en jetant un coup d'œil dehors. Un orque émergea d'une porte en métal noir. Elle avait déjà vu des dessins représentant des orques, mais les croquis n'avaient pas réussi à rendre leur robustesse. En chair et en os, ils étaient non seulement d'une laideur repoussante, mais extrêmement vigoureux. Leur langue était hachée, gutturale. Comme ils s'approchaient, elle se rendit compte de leur puanteur épouvantable.

L'orque qui venait de sortir, toutefois, était différent, il dégageait une certaine autorité. Il tenait des chaînes noires dotées de fers. Il s'approcha d'eux, mais s'arrêta à une distance prudente. Il empestait lui aussi.

Ils étaient réellement répugnants et elle était censée les laisser poser les mains sur elle ? Un frisson de dégoût la parcourut. Sans que les orques puissent voir le geste, Dragos posa une main sur son genou. Elle la recouvrit de la sienne.

— Un peu de cran, murmura-t-elle. Ne fais pas la mauviette.

La main de Dragos se crispa et ses épaules tremblèrent. Elle espérait qu'elle le ferait rire de nouveau un jour.

L'orque qui s'était approché s'adressa à eux. *Tac, tac, tac.* Dragos lui répondit dans la même langue affreuse. *Tac, tac, tac.*

Ils discutèrent un moment. Puis l'orque jeta les fers à leurs pieds. Dragos s'en saisit et les tira à l'intérieur de la voiture.

L'angoisse qu'elle ressentait était désormais tellement forte qu'elle en avait mal au cœur. Les chaînes n'aidaient pas : il émanait d'elles une horrible magie.

Dragos se pencha et referma l'un des fers sur une de ses chevilles.

— Arrête, qu'est-ce que tu fais ? Ne mets pas ces trucs ! siffla-t-elle.

— Tais-toi, la coupa-t-il.

Et il referma un autre fer sur l'autre cheville.

Elle le saisit par le bras.

— Dragos, il y a une espèce de magie là-dedans !

Il se retourna vivement vers elle et gronda. Ses yeux lançaient des éclairs.

Elle sursauta et recula.

Il fixa les autres fers à ses poignets et les montra à l'orque. Ce dernier fit un signe de tête, puis cria quelque chose à ses congénères qui se précipitèrent vers l'épave de la voiture.

Quand ils se mirent à arracher les portières disloquées, elle se recroquevilla et ferma les yeux.

# 8

Ce qui suivit fut très moche.

Ils la tirèrent de l'épave en premier. Elle garda les yeux rivés sur le sol, mais l'un des orques lui donna un coup de poing dans le ventre. Quand elle resta étendue, recroquevillée sur elle-même en essayant de reprendre son souffle, ils lui donnèrent des coups de pied ou plutôt des coups de leurs bottes aux bouts renforcés, impitoyablement, tout en riant aux éclats et en narguant Dragos.

Elle aperçut celui-ci, debout entre deux orques aussi gigantesques que lui, son visage dur et farouche absolument impénétrable, ses yeux d'or dénués d'émotion.

Une éternité plus tard, plusieurs orques, épées au poing, firent entrer Dragos dans la forteresse. Un autre la saisit par les cheveux et leur emboîta le pas. L'arrière-garde était constituée d'un dernier orque qui continua à lui donner des coups de pied, mais sans grande conviction.

Le premier groupe emmena Dragos dans une geôle. Ses orques à elle passèrent devant la cellule et, lorsque le corridor se scinda en deux, prirent à droite. Une fois qu'ils ne furent plus dans la ligne de mire de Dragos, leurs manières devinrent neutres et désintéressées.

Ils la traînèrent dans une autre cellule, puis la jetèrent sur un tas de paille moisie.

L'un des orques dit quelque chose. *Tac, tac.* L'autre rit. Ils sortirent et elle entendit le grincement d'une clef, puis les bruits s'estompèrent.

Elle resta étendue sur la paille répugnante pendant un long moment. Puis elle rampa sur quelques mètres avant de s'écrouler sur les dalles froides et sales. Quand elle retrouva vaguement ses esprits, la première chose qu'elle vit fut un scarabée bleu-noir qui se déplaçait sur le sol.

Elle le suivit du regard. Le coléoptère tomba dans une fissure et se retrouva bloqué. Elle se traîna jusqu'à lui et l'observa. Il réussit à se retourner, si bien que sa petite tête émergea. Ses antennes frémirent et ses pattes avant s'agitèrent, mais il n'arrivait pas à trouver suffisamment de prise pour se dégager.

Elle tendit la main à la recherche d'un peu de paille. Elle en saisit une poignée et introduisit les brins dans la fissure, puis elle les souleva. Le scarabée, agrippé, sortit et reprit sa route.

Quand il eut disparu de sa vue, elle soupira et roula sur le dos. Son cerveau se remit en marche.

Fais une chose à la fois. Étape par étape.

Elle rampa jusqu'au mur. Première étape.

Elle ramena un pied, puis l'autre. Deuxième étape.

Elle releva la tête. Quand elle fut sûre d'avoir retrouvé l'équilibre, elle ouvrit la porte qui avait été verrouillée et sortit.

Le dragon était étendu, bras et jambes écartés, où ils l'avaient attaché. Il était immobilisé par deux séries de chaînes ; celles avec les fers noirs imprégnés de magie, auxquelles s'ajoutaient des chaînes fixées au sol sur quatre points. Il contemplait le plafond, ses pensées vagabondant. Il tirait sur ses chaînes à intervalles réguliers, ne se souciant pas de ses chevilles ni de ses poignets ensanglantés. Il sentait une faiblesse poindre dans la chaîne qui lui tenait le bras gauche et se concentrait dessus.

La porte de la cellule s'ouvrit. Il tourna la tête, le cheminement sinueux de ses pensées devenant meurtrier.

Une Pia meurtrie et crasseuse eut un mouvement de retrait, et Dragos retrouva ses esprits.

Il l'observa faire le guet à la porte entrouverte pendant un moment, puis elle la referma et se tourna vers lui. En le voyant, ses épaules s'affaissèrent.

— Oh, quand même ! s'exclama-t-elle en levant les yeux au ciel. *Deux* jeux de fers ? Je suppose qu'il va nous falloir deux jeux de clefs. C'est le bouquet, tiens.

— Viens ici, ordonna-t-il.

Elle traversa la cellule en boitant et s'écroula à genoux à côté de lui.

— Ils t'ont battu, toi aussi.

Elle effleura ses côtes d'une main légère.

Dragos se mit à trembler. Il avait été facile de lui parler avant que les orques ne les emmènent. Il lui avait expliqué avec sa dureté habituelle et sa logique implacable ce qui allait se passer. Elle avait semblé prendre les choses aussi bien que possible.

Puis un orque lui avait donné un coup de poing dans le ventre et il avait perdu la raison. Chaque coup qu'elle avait reçu lui avait fait l'effet d'un acide dans les veines. Il avait voulu hurler de rage. Le dragon en lui avait voulu leur arracher le cœur.

Il avait réussi à se dominer de justesse en prenant conscience que le sort de Pia serait pire encore s'il réagissait, puisque le faire réagir était le but recherché par les monstres.

Ils lui avaient fait mal. Ils lui avaient fait mal et il avait eu mal à l'intérieur de lui, quelque part où il n'avait jamais eu mal auparavant. Il avait souffert physiquement de nombreuses fois. Cela n'avait jamais eu d'importance. Mais cette souffrance nouvelle le choquait.

Il l'étudia avec avidité. La saleté avait terni la lumière de ses cheveux. Son tee-shirt en lambeaux était devenu gris, et le pantalon corsaire avait perdu sa couleur. Sa peau pâle était couverte d'hématomes violacés.

— Viens ici, murmura-t-il.

Elle se pencha et posa sa joue contre la sienne. Il tourna la tête vers elle et ses longs cheveux tombèrent sur lui.

Elle chuchotait à son oreille tout en lui caressant la joue. Il se concentra sur les mots :

— Je suis désolée. Tout est de ma faute. Je ne sais pas comment exprimer à quel point je suis navrée.

— Quoi ? fit-il. Qu'est-ce que tu dis ? Arrête de parler ainsi.

Il effleura sa peau de ses lèvres, respirant sa présence. Sous la saleté, il retrouva son parfum délicat. Et quelque chose dans son âme flétrie se déploya de nouveau.

— Je t'ai montré les dents et j'ai grondé. Je ne le voulais pas.

Elle caressa ses cheveux et l'embrassa sur la joue.

— Ne sois pas ridicule.

— Tu as eu un mouvement de recul. N'aie plus jamais de mouvement de recul ainsi.

— Dragos, dit-elle comme si elle s'adressait à un enfant. Si tu me montres les dents en grondant comme un animal sauvage alors que je ne m'y attends pas, il y a des chances que j'aie de nouveau un mouvement de recul.

— Je ne le referai pas, murmura-t-il.

Il se concentra sur ses doigts qui parcouraient son visage, légers comme une plume.

Elle poussa un soupir.

— Les trucs verrouillés ne peuvent pas m'emprisonner, mais cela ne veut pas dire que je peux ouvrir ces fichus fers. Comment vais-je pouvoir me procurer deux trousseaux de clefs avec des orques qui traînent partout ?

— Tu ne vas pas en avoir besoin.

Elle leva la tête et le regarda d'un air courroucé.

— Qu'est-ce qu'on va faire alors ? demanda-t-elle. On ne va pas attendre l'arrivée du roi des Faes noires, du Joker ou de je ne sais qui, nom d'une pipe !

— Voici ce qui se passe, reprit-il. J'ai un sens de l'ouïe extrêmement développé. La plupart des orques sont allés manger leur repas du soir. Il reste quelques gardes postés à des endroits stratégiques. J'entends où ils sont.

— C'est pratique, ça, fit-elle remarquer avec soulagement.

— Et voici ce que nous allons faire. Tu te souviens que le corridor bifurque et qu'ils t'ont fait prendre sur la droite, n'est-ce pas ?

Elle opina.

— Si tu continues tout droit au lieu de bifurquer à droite, tu trouveras une espèce de salle qu'ils utilisent tout le temps. Je crois que c'est la salle des gardes. Il y avait des bruits de métal, des cliquetis, c'est donc un lieu où ils se réunissent. Il n'y a personne maintenant. Je veux que tu ailles y chercher des clefs susceptibles d'ouvrir ces chaînes, ou au moins un morceau de métal fin et pointu qui pourrait servir de crochet pour les ouvrir. Si tu ne trouves ni l'un ni l'autre, essaie de dénicher une hache. Fais vite.

— Dragos, intervint-elle en le regardant d'un air dubitatif. Je ne sais pas crocheter une serrure. Je n'ai jamais eu besoin d'apprendre, pour les raisons évidentes que tu connais.

— Tu n'auras pas besoin de le faire.

Il avait appris à crocheter serrures et verrous dès qu'ils avaient été inventés. Les gens aimaient mettre sous clef toutes sortes de jolis objets qu'il voulait souvent. Il fit s'entrechoquer les fers qui enserraient son poignet gauche.

— L'un des maillons de cette chaîne montre des signes de faiblesse, je vais le rompre.

Elle regarda son bras et son front se plissa.

— Ton poignet est salement amoché, dit-elle d'un ton soucieux.

— Oh, ne fais donc pas tant de chichis. Allez, tu ferais bien de te dépêcher. On ne sait pas combien de temps on a.

Un écho de la douleur et de la rage qu'il avait ressenties plus tôt se manifesta quand il la vit se remettre debout avec peine. Il avait photographié dans sa tête les orques qui l'avaient maltraitée. Il allait y avoir beaucoup de cadavres quand il en aurait fini avec ce lieu.

Pour l'heure, il concentra toute son attention sur la chaîne qui présentait des signes de faiblesse et tira violemment.

Pia ressortit dans le corridor, rassurée de ne pas courir le danger imminent de tomber sur un orque. Elle trouva sans problème la pièce dont il avait parlé, vu que la porte était ouverte. Elle jeta un coup d'œil à l'intérieur et eut un mouvement de recul.

— Beurk, marmonna-t-elle. Immondes créatures.

Elle sursauta en entendant Dragos murmurer à son oreille :

— Ça va ?

— Ah oui, c'est vrai, tu peux m'entendre, dit-elle. Oui, ça va. C'est juste qu'il y a des reliefs moisis de nourriture sur la table et que ça empeste. Ils sont répugnants.

— Ils n'ont pas bon goût non plus, ajouta-t-il.

— Tu as mangé des orques ! s'exclama-t-elle.

— Non. J'en ai *mordu*.

Sa voix était un peu crispée. Elle se mordit la lèvre. Elle espérait qu'il n'abîmait pas trop son bras.

Concentre-toi, Pia. Concentre-toi. Elle se secoua et inspecta la pièce aussi vite que possible. Est-ce que c'était de l'urine, là dans le coin ? Pouah ! Elle essaya le plus possible d'éviter de toucher quoi que ce soit.

Elle fut déçue de ne pas trouver de clefs, mais elle dénicha un couteau à cran d'arrêt qui tenait dans sa poche et une dague à la lame particulièrement fine et pointue.

Elle attrapa le manche d'une hache de combat rangée sur un râtelier. Elle était trop lourde pour elle, et elle dut la traîner jusqu'à la cellule. Le bruit du métal raclant le sol du corridor l'inquiéta. C'est en sueur et percluse de douleurs qu'elle ouvrit enfin la porte de la cellule en la poussant avec la hanche. Elle ravala un grognement en tirant la hache à l'intérieur.

Dragos regarda la hache, puis la regarda tandis qu'elle s'appuyait contre le chambranle de la porte en haletant. Il leva le bras gauche auquel pendait ce qui restait de la chaîne brisée. Elle montra la dague.

Il sourit. Que la fête commence.

Après lui avoir tendu la lame effilée, elle s'adossa à une paroi et se laissa glisser à terre afin de s'asseoir.

Il recourba la pointe de la dague en la glissant entre deux dalles et en tirant sur la poignée. Il dut se tordre au niveau de la taille et faire un réel effort pour atteindre le fer de la chaîne fixée au sol qui retenait son poignet droit.

Elle admira la force et la grâce de son corps tandis qu'il s'activait. Pour tenir sa position, il devait crisper ses extraordinaires abdominaux qui ondulaient et se tendaient tandis qu'il respirait calmement par à-coups. Son jean était aussi crasseux que le sien, mais la fesse et la jambe qu'il gainait étaient exquises à regarder.

En fait, enchaîné ainsi au sol, il était vraiment sexy. Surtout si la scène avait pris place dans un château. Son château à elle. Elle enverrait alors ses serviteurs le baigner, puis descendrait le trouver et le titillerait en l'enfourchant et en se frottant contre son torse brûlant...

Sauf qu'il n'y avait pas de château. Elle n'avait pas de serviteurs. Pour couronner le tout, le lieu empestait. Oh, un détail encore : leurs vies étaient en danger.

— Je ne suis pas bien dans ma tête, marmonna-t-elle.

Il lui décocha un sourire par-dessus son épaule.

— Tu m'expliqueras ce que tu veux dire quand tu dis ça, et très bientôt.

Elle sentit le rouge lui monter aux joues.

— Ça m'étonnerait.

Il retira le fer, s'assit et s'étira, puis il se glissa en avant et s'attaqua aux fers qui enserraient ses chevilles. Elle se redressa et applaudit avec entrain. Le sourire de Dragos s'élargit. Il eut bientôt libéré ses chevilles, puis il passa un peu de temps à crocheter la serrure du fer fixé à son bras gauche avant de le jeter dans un coin.

Ils se penchèrent ensuite sur les autres chaînes en métal noir imprégnées de l'immonde magie. Il s'agissait en fait d'entraves toutes bêtes, l'une reliant ses bras, l'autre ses chevilles.

— Je crois que ça ne va pas être aussi simple avec celles-ci.

Il avait raison. Il eut beau essayer, il n'arrivait pas à venir à bout des quatre serrures.

— Je crois que ces fers ne s'ouvriront pas sans la clef correspondante. Je parie que cela fait partie de leur magie.

L'excitation de Pia retomba comme un soufflé.

— Qu'est-ce que tu crois qu'ils font, à part avoir une apparence immonde ?

— Il semblerait que ces trucs aient les mêmes effets que le poison des Elfes, à savoir entraver ma force et m'empêcher de me transformer. Sinon, les chaînes que je viens de retirer n'auraient jamais pu me retenir prisonnier.

— Qu'est-ce qu'on fait alors ?

Elle eut un geste de découragement. Elle sentait une fissure à l'intérieur d'elle qui s'élargissait et dans laquelle, à l'instar du scarabée piégé, elle allait tomber, sauf qu'elle n'était pas sûre de pouvoir ressortir du gouffre.

— Tu vas retourner dans ta cellule. (Il plaqua une main sur sa bouche quand elle l'ouvrit pour protester.) Tu as promis de ne pas argumenter.

— Va te faire foutre. Tu ne me commandes pas, marmonna-t-elle contre sa paume.

— Voyons si j'ai bien compris, fit-il, ses yeux d'or étincelant. Tu as promis de ne pas discuter quand tu ne veux pas discuter, c'est ça ?

Était-il amusé ? En colère ? Elle n'arrivait pas à le savoir.

— Bien entendu, répliqua-t-elle.

Il eut un petit rire bref, la prit sous les bras et la releva. Il la tint jusqu'à ce qu'elle ait repris son équilibre.

— Bien, chichiteuse. Tu vas dans la cellule et je vais refermer à clef la porte derrière toi. C'est l'endroit le plus sûr pour toi. Si pour une raison ou une autre, ils sont de retour avant moi, ils ne penseront jamais que tu es sortie. Ils croiront que c'est moi qui aie fait tout ça, ajouta-t-il en montrant sa cellule.

— Je ne veux pas qu'on se sépare.

— Tant pis. Je pars à la chasse et je ne veux pas que tu assistes au carnage.

Il souleva la hache d'une main comme si elle était aussi légère qu'une plume et posa l'autre contre le dos de Pia. En dépit de son ton quelque peu brutal, c'est avec délicatesse qu'il la guida dans le corridor. Entre les blessures de la jeune femme et les fers qui l'entravaient, leur progression fut lente.

Elle rentra enfin dans sa cellule et se retourna, s'absorbant dans la contemplation du sol, les lèvres tremblantes.

— Et s'ils reviennent ?

Un silence pesant s'installa.

Puis il passa ses longs doigts sous son menton et la força gentiment à relever la tête. Elle se mordit les lèvres en plongeant son regard dans le sien qui était devenu grave.

— Je ne vais pas te laisser longtemps. Je serai de retour le plus vite possible.

Une grosse larme s'écrasa sur sa main, et il la regarda comme s'il venait d'être brûlé. Il jura *in petto*. Puis il pencha la tête et effleura sa bouche de la sienne.

— Je te jure, Pia, qu'ils ne te feront plus jamais de mal. Il faut que tu me croies.

Elle hocha la tête et se détourna avec brusquerie en s'essuyant le visage du revers de la main.

— Pars.

Il la contempla encore un moment, puis s'éclipsa.

Toute la vitalité qui l'avait entourée et soutenue s'effrita dès qu'il ne fut plus là. Elle balaya du regard l'épouvantable cellule et se sentit tellement seule qu'elle aurait pu s'étendre par terre et se laisser mourir.

Elle s'assit, se faisant aussi petite que possible. Comment avait-elle fait lorsqu'elle avait réussi à ne plus penser à rien quand les orques s'étaient emparés d'elle ? Elle n'avait même pas essayé. Cela avait dû être un mécanisme de défense, se dissocier ainsi, mais elle ne savait pas comment retrouver cet état. Elle dut faire un énorme effort de volonté pour ne pas succomber à la panique et sortir de la cellule.

Elle se souvenait du trajet suivi, de chaque bifurcation. Elle savait qu'elle pourrait retrouver la porte donnant sur l'extérieur. Qui était sans le moindre doute gardée par une poignée de ces abominations à face de chauve-souris. Elle étouffa un grognement et se recroquevilla encore un peu plus.

Comment je me suis retrouvée ici, déjà ? C'est comme si j'avais une liste de toutes les choses que je ne devrais pas faire et que j'avais coché tout ce qui y était inscrit.

— Vis sans te faire remarquer, lui avait dit sa mère. Laisse tout derrière toi sur-le-champ. Ne t'attache pas trop aux gens. Et ne dévoile rien sur ta véritable nature à quiconque.

Une clef s'introduisit dans la serrure.

Son corps protesta quand elle se leva péniblement et se plaqua contre le mur. Elle sortit le couteau à cran d'arrêt de sa poche et fit jaillir la lame. Elle la dissimula le long de sa cuisse, les yeux rivés sur la porte qui s'ouvrait, la bouche sèche.

Dragos se glissa dans la cellule, son corps immense se déplaçant avec une grâce fluide et une démarche de velours. Il avait un sac de cuir à l'épaule. Les fers en métal noir avaient disparu. Des courroies de cuir étaient croisées sur sa poitrine à la manière d'un harnais. La hache et ce qui ressemblait à une épée étaient fixés sur son dos. Des couteaux fichés dans des gaines ornaient ses bras et le fourreau d'une épée courte était glissé à sa ceinture et attaché à sa cuisse. Ses traits ciselés affichaient un grand calme. Nom d'un petit bonhomme, à côté de lui, Conan le Barbare faisait figure de femmelette !

Le soulagement la fit presque tomber à genoux. Elle vit des étoiles danser devant ses yeux. Instantanément, il fut devant elle, les bras sur ses épaules.

— On dirait que tu es sur le point de tomber dans les pommes.

— Euh, je ne savais pas que c'était toi, imagine-toi.

Elle montra le couteau qu'elle avait dissimulé contre sa cuisse.

Son visage grave s'éclaira d'un sourire.

— Surprise numéro 104 et des poussières.

Elle poussa la lame contre sa cuisse et elle se referma d'un coup sec, puis elle remit le couteau dans sa poche.

— Tu sais te servir de ça ? demanda-t-il.

— Suffisamment. Je ne sais pas vraiment me battre, cependant.

— Non, tu es d'une nature trop tendre pour ça, dit-il en lui caressant les cheveux et en l'attirant vers lui avec douceur.

Elle s'appuya contre lui, retrouvant un semblant d'équilibre mental. La chaleur du corps de Dragos la réchauffa instantanément. Elle mit les bras autour de sa taille et le serra fort.

Elle inspira profondément jusqu'à ce que son vertige passe complètement.

— Donne-moi juste l'occasion de crever l'un de ces cafards sur deux jambes et ne t'en fais pas, je répondrai à l'appel.

Il l'étreignit fugacement, puis recula.

— Il faudra d'abord qu'il se frotte à moi.

— Tu as été plus rapide que je ne l'espérais. (Elle examina son nouvel arsenal.) On dirait que la chasse a été bonne.

— J'ai trouvé la clef des fers, mais je n'ai pas trouvé le capitaine des orques. En revanche, j'ai trouvé ses quartiers. Le salaud avait un butin incroyable. Et il n'en utilisait pas la moitié.

Il se rapprocha de la porte, prêta l'oreille, puis l'ouvrit.

— Il faut qu'on se dépêche. J'entends davantage de va-et-vient. Ils ont dû finir de dîner.

Il ouvrit la marche et, cette fois-ci, marcha beaucoup plus rapidement. Elle s'efforça de suivre le rythme mais fut légèrement distancée. Il ralentit en arrivant au dernier coude que faisait le corridor et qui menait à la sortie. Il s'avança avec précaution, puis saisit la hache et dégaina l'épée courte en un geste fluide.

Le souffle lui manqua en voyant la vivacité et l'efficacité de ses gestes. Il était un guerrier magnifique, splendide et terrifiant. Ajoutez à cela sa puissance magique et il devenait à lui seul une armée.

Elle se rapprocha un peu tout en veillant à laisser suffisamment de place entre eux. Il lui jeta un coup d'œil alors qu'elle s'appuyait contre le mur, et fit un signe de tête pour lui indiquer qu'elle faisait bien. Il pointa l'épée vers elle et articula en silence :

— *Ne bouge pas*.

Elle acquiesça. Elle n'avait aucune envie de lui désobéir, pour le coup.

Il s'avança et se tordit en positionnant son pied de façon à pouvoir tourner le coin en lançant sa hache comme un Frisbee. Puis, continuant sur sa lancée, il jeta l'épée de toutes ses forces avec autant de facilité que s'il s'était agi d'une dague. Sans s'arrêter, il dégaina la longue épée et l'un des couteaux, puis se jeta en avant et disparut de la vue de Pia.

Elle croisa les bras, tressaillant en entendant les bruits du combat.

Enfin, « combat » était un grand mot, car l'échauffourée dura quelques secondes seulement. Puis Dragos réapparut et lui fit signe d'avancer.

— Aucun de ces andouilles n'avait de clef, dit-il. C'est à ton tour d'intervenir et de faire ton truc. C'est pas beau, l'avertit-il.

— Je m'en doute.

Elle tourna le coin. Elle ne comprit d'abord pas ce qu'elle voyait. Puis elle souhaita ne pas l'avoir compris. Il y avait quatre orques morts au bout du corridor. En tout cas, elle compta quatre têtes qui n'étaient pas toutes attachées à leurs corps. Et les corps n'avaient pas tous leurs membres. Du sang noir avait giclé sur les murs de pierre et le sol était constellé de flaques de sang.

Elle eut un haut-le-cœur, son estomac vide se tordit. Dragos s'approcha.

— Si tu es sur le point de vomir, fais vite, lui dit-il tranquillement.

Il arracha la hache plantée dans l'un des cadavres. L'arme l'avait quasiment fendu en deux et il l'essuya sur le pantalon de l'orque. Il ramassa ensuite les autres armes prestement, nettoyant les lames au fur et à mesure et les rangeant dans leurs fourreaux.

Elle se concentra sur la massive porte en métal. Elle évita les flaques de sang, mais dut s'arrêter devant une flaque particulièrement large. On aurait dit que de l'huile s'était répandue entre deux corps gisant à terre. Si elle n'avait pas été blessée, elle aurait sauté l'obstacle sans problème. Son dilemme fut résolu quand Dragos la prit par les coudes et la porta doucement de l'autre côté.

La porte avait été barricadée, mais il avait déjà déplacé l'épaisse poutre de bois. Elle agrippa un gros levier des deux mains et le tira vers le bas. La lourde porte s'ouvrit silencieusement.

Ils sortirent alors que la nuit tombait. L'air semblait parfumé, après la puanteur de la forteresse des orques. Le plateau du camion avec la Honda dessus était au même endroit. Elle secoua la tête en voyant l'amas de ferraille. Qu'elle ait survécu à l'accident relevait du miracle.

— Maintenant, il faut se remuer le train, fit Dragos.

Elle regarda autour d'elle. Le paysage était étranger, sauvage, et tout à coup, elle se sentit basculer dans un gouffre.

— Ça y est, dit-elle d'une voix à peine audible. J'abandonne.

Il tourna vivement la tête.

— *Quoi ?*

— J'ai dit que j'abandonne. (Elle chancela et cligna des yeux.) Je... Je n'ai pas bien mangé ni bien dormi depuis plus d'une semaine. Et il y a eu l'accident, les orques. Je suis vidée. Je n'ai plus de forces. Il va falloir que tu partes sans moi.

— Tu es une femme stupide, marmonna-t-il, puis le monde bascula alors qu'il la soulevait dans ses bras. *Je* ne suis pas vidé.

La serrant fort contre lui, il se mit à courir.

Elle coinça la tête sous son menton et glissa dans une espèce de semi-inconscience. Elle ne devait pas se rappeler grand-chose de cette course ensuite. Elle se souvint qu'elle avait duré des heures. Dragos ne faiblit pas une seule fois, ne ralentit pas. Son corps se couvrit d'une pellicule de sueur, mais son souffle demeura profond et régulier.

Elle lui murmura une question quand elle se rendit compte qu'ils n'empruntaient pas le chemin que les orques avaient pris pour les conduire à la forteresse.

— Chut, dit-il. Je t'expliquerai plus tard. Pour l'instant, fais-moi confiance.

Cette notion de confiance semblait avoir beaucoup d'importance à ses yeux. Elle enfouit son visage dans son cou.

— OK.

Enfin, il commença à ralentir. Elle sortit de sa somnolence et releva la tête pour regarder autour d'eux. Ils avaient quitté le paysage aride et rocailleux, et se trouvaient dans une clairière.

La lune brillait plus intensément que jamais. Elle semblait suspendue au-dessus d'arbres chuchoteurs dans toute sa rondeur épanouie et son mystère. Les abords argentés de la clairière se mirent à trembler sous l'impulsion d'une brise changeante et les contours semblèrent s'animer, comme s'ils étaient observés par des êtres dissimulés dans la verdure.

On entendait le murmure de l'eau et Dragos s'agenouilla pour la déposer à côté de l'onde. C'était un petit ruisseau. Il la soutint pendant qu'elle s'asseyait tant bien que mal.

— L'eau est sans danger. Bois autant que tu veux. Tu dois être déshydratée.

Il s'approcha lui-même du bord, un peu plus bas, se mit sur le ventre et plongea la tête dans le courant frais.

Pia tomba en avant, assoiffée. Elle but avidement, recueillant l'eau froide dans ses mains en coupe. Quand elle eut apaisé sa soif, elle s'aspergea les bras et le visage, impatiente de faire disparaître la puanteur des orques.

Dragos releva enfin la tête pour respirer, rejetant la tête en arrière dans un envol de gouttes d'eau qui étincelèrent sous le clair de lune.

— Je crois que je n'ai jamais savouré quelque chose d'aussi bon, fit Pia.

L'eau était pure et presque vivante, plus riche et désaltérante que tout ce qu'elle avait jamais bu. Elle sentait son âme meurtrie inondée d'un sentiment de paix.

Il sourit.

— C'est le fait d'être ici, dans l'Autre Contrée. Tout est imprégné de magie et donc plus intense. Si tu apprécies cette eau fraîche, attends de voir ce que j'ai d'autre pour toi.

Elle s'appuya sur ses genoux et s'assit.

— Qu'est-ce que c'est ?

— J'ai trouvé de la nourriture que tu peux manger. J'ai d'autres choses aussi, mais l'alimentation vient en premier.

Il ouvrit le sac de cuir et sortit un paquet plat enveloppé dans des feuilles. Elle le prit avec une réticence manifeste.

— Dragos, je ne pense pas être en mesure d'avaler quelque chose que tu aurais trouvé dans ce cul-de-basse-fosse.

— Ne tire pas si vite des conclusions. Allez, vas-y, ouvre.

Elle écarta les feuilles, et un arôme extraordinaire s'échappa. Il cassa un morceau de l'espèce de pain qu'elle tenait à la main et l'introduisit entre ses lèvres. Quand le morceau toucha sa langue, il se mit à fondre. Elle le mâcha et l'avala avec un soupir de contentement. C'était absolument divin.

— Le pain des Elfes pour les voyageurs, souffla-t-elle. (Végétarien, nourrissant aussi bien l'âme que le corps, l'aliment était imprégné de vertus curatives.) J'en avais entendu parler, bien entendu. C'est légendaire. Mais je n'ai jamais eu l'occasion de le goûter.

Il rompit un autre morceau et le lui mit dans la bouche, l'observant fermer les yeux.

— Mange tout le pain. Cela te fera du bien. J'en ai trouvé une dizaine. On a des réserves.

Elle le dévisagea. Une dizaine de ces pains représentait une fortune sur le marché noir. La plupart des gens ne pouvaient pas en obtenir.

— Tu l'as trouvé dans les quartiers du capitaine des orques ?

— Parmi d'autres choses, oui. (Il fronça les sourcils.) Pourquoi tu ne manges plus ?

— Oh, je vais le faire, le rassura-t-elle. C'est trop précieux pour le gaspiller et j'en ai besoin. C'est juste que c'est dur de savourer le malheur de quelqu'un d'autre.

Il sourit et toucha le coin de sa bouche.

— Si ça se trouve, on a volé le sac d'un Elfe, ce qui lui a causé un petit désagrément mais il a déjà oublié l'histoire. Mange et savoure chaque bouchée.

C'était vrai. L'Elfe inconnu n'avait pas été nécessairement tué ni même blessé.

— Tu n'en manges pas ?

— C'est pas mon truc. J'irai chasser si j'en ressens le besoin.

Évidemment. Carnivore. Elle prit un autre morceau.

Il s'étendit sur le côté en appuyant la tête sur une main et l'observa se régaler. Il attendit qu'elle ait terminé, puis il se mit à sortir d'autres choses du sac et à les déposer sur ses genoux. Une légère couverture en laine faite par des Elfes, une tunique et des leggings, un savon – du savon ! – et une brosse à cheveux.

— Je sais à quel point c'était pénible pour toi là-bas.

— Oh, mon Dieu. Je crois que c'est une des choses les plus merveilleuses qu'on ait jamais faites pour moi. Mis à part le fait que tu m'aies sauvé la vie je ne sais combien de fois.

— Tu m'as sauvé, toi aussi.

Son ton était pensif.

— Il faut que je me lave.

— Pia, tu ne peux même pas encore te mettre debout. Attends d'avoir dormi un peu. On va se reposer ici, je vais monter la garde.

— Tu ne comprends pas. Je ne peux pas supporter une minute de plus de sentir mauvais. Ça me révulse, dit-elle, les mains tremblantes.

— Bon, bon. L'eau va être froide. Je vais chercher du petit bois pendant que tu te baignes pour faire un feu.

— Le feu ne risque-t-il pas de trahir notre présence ?

Il secoua la tête et se leva.

— J'entendrai quelqu'un arriver bien avant qu'il soit suffisamment proche pour nous poser problème.

Elle lui tourna le dos et s'agenouilla au bord du ruisseau. Un sentiment de pudeur vint l'importuner quand elle retira son tee-shirt en loques et son soutien-gorge crasseux, mais elle l'écarta. Au moins, il ne faisait pas plein jour. Il avait probablement vu des milliers de femmes nues.

Le savon était lui aussi un produit des Elfes. Divin. Il moussa très bien, n'irrita pas ses coupures et son parfum délicat la fit soupirer de plaisir.

Elle lava et rinça son torse, puis enfila la tunique propre. Elle retira ensuite son pantalon, ses socquettes et ses tennis. Les socquettes étaient particulièrement peu ragoûtantes car elle avait saigné dans une des chaussures. Le sang séché avait raidi le tissu.

Elle mit la couverture sur ses épaules afin de s'en servir pour se dissimuler pendant qu'elle lavait les autres parties de son corps. Elle tremblait de froid quand elle enfila enfin les leggings, mais rien n'aurait pu la dissuader de plonger la tête dans l'eau et de laver ses cheveux poisseux.

L'eau glacée lui coupa le souffle. Elle était penchée, essayant de faire mousser le savon de ses mains tremblantes, quand Dragos posa les mains sur les siennes.

— Laisse-moi faire, murmura-t-il.

Elle s'appuya sur les mains et s'abandonna à lui. Ses longs doigts massèrent son cuir chevelu et firent patiemment mousser le savon. Elle claquait des dents lorsqu'il finit de rincer la masse de ses cheveux.

Enfin, il l'aida à se relever. Elle ramassa ses vêtements sales.

— Ici, dit-il.

Il avait entassé des branches qui attendaient d'être allumées. Dès qu'il eut jeté les vêtements de Pia sur la pile, il claqua des doigts en direction de l'amas et le feu s'alluma.

— Pas mal, comme tour de passe-passe.

— C'est pratique, parfois.

Il l'enveloppa dans la couverture, la fit asseoir dos contre lui et commença à lui brosser les cheveux.

Avec le feu devant elle, lovée dans la couverture et bénéficiant de la chaleur de Dragos, elle se réchauffa rapidement.

— Je suis en train de m'écrouler, l'avertit-elle.

— Je suis étonné que tu aies tenu aussi longtemps, répliqua-t-il en reposant la brosse.

Il l'attira sur ses genoux, l'entoura de ses bras et guida sa tête sur son épaule.

Elle sentit ses paupières s'alourdir. Elle n'arrivait pas à les garder ouvertes. Une myriade de questions, de doutes et de pensées s'étaient accumulés, mais étaient tenus à distance par le sommeil qui déferlait sur elle.

Au prix d'un énorme effort, elle ouvrit les yeux une dernière fois pour le regarder. À ce moment précis, devant ce feu, il avait l'air plus serein.

Il était redoutable, la créature la plus terrifiante qu'elle ait jamais rencontrée, mais entre ses bras, elle se sentait en sécurité. Son corps était puissant et solide comme la terre. Elle ferma les yeux.

— Tu as raison, je suis une idiote, marmonna-t-elle. Je ne te comprends pas.

— Peut-être que tu me comprendras un jour, dit-il alors qu'il sentait qu'elle avait déjà sombré dans les bras de Morphée.

Il traça du doigt la ligne élégante de son front, suivit l'arc délicat de son oreille. Ses cheveux humides tombaient sur son bras, cascade extravagante de clair de lune doré.

— Peut-être que tu me comprendras un jour, au même moment que je me comprendrai moi-même.

Le dragon serra un peu plus la belle endormie. Il posa la joue contre sa tête et regarda autour de lui avec stupéfaction, comme si la scène paisible pouvait lui révéler qui il était.

# 9

Pia courait par pur plaisir.

Le vent jouait dans ses cheveux. La lune l'observait depuis son trône dans le ciel violet. La nuit était merveilleusement chatoyante ; une cape de velours constellée d'étoiles aussi étincelantes que l'éclat des diamants, d'où parvenait une mélopée chantant les voyages et l'enchantement des autres royaumes. La magie de la contrée ranimait des parties d'elle mutilées et moribondes. Elle se sentait plus forte, plus libre et plus sauvage que jamais. Elle s'élança et bondit afin de chatouiller la lune qui répondit en riant de joie.

Elle se trouvait dans un champ immense et elle avait toute la place qu'elle souhaitait pour courir tout son soûl. Au loin, des arbres indiquaient la lisière d'une forêt. Un homme brun de grande taille aux cheveux noirs et aux yeux d'or se dressait parmi les arbres et l'observait.

Peu lui importait. Il ne pouvait pas l'attraper. Rien ne le pouvait, pas même le vent.

— *Pia.*

Elle connaissait cette voix. Elle se retourna et vit sa mère courir vers elle. Dans sa vraie forme, elle était d'une beauté incomparable et il émanait d'elle une lumière plus radieuse encore que celle de la lune.

— Maman ?

Elles se rejoignirent. Elle se jeta au cou de sa mère.

— *Ma douce petite fille.*

— Tu me manques tellement, lui dit Pia. Reviens, je t'en prie.

Sa mère fit un pas en arrière et la regarda de ses grands yeux liquides.

— *Je ne peux pas. Je me suis effacée de ton monde. Je ne lui appartiens plus.*

— Alors laisse-moi venir avec toi. Emmène-moi.

Un rugissement secoua les arbres et se répercuta à la terre qui trembla sous leurs pieds. Pia regarda l'homme qui avait grondé son refus, même si sa mère ne sembla pas remarquer la silhouette qui se découpait contre les arbres.

— *Tu ne peux pas me rejoindre, ma chérie. Ta place est avec les vivants. Pardonne-moi d'être partie. Je ne voulais pas t'abandonner.*

Le chagrin l'étranglait.

— Je sais que tu n'avais pas le choix.

— *Je suis venue t'avertir*, reprit sa mère. *Pia, tu ne dois pas rester dans ce lieu. Il y a trop de magie. C'est pourquoi je n'ai jamais osé t'emmener dans une Autre Contrée.*

Pia regarda autour d'elle.

— Mais j'aime cet endroit. Je m'y sens si bien.

— *Tu seras vulnérable ici et l'on te traquera. Pars.*

La lueur des étoiles commença à briller à travers la silhouette de sa mère.

— *Pars, mêle-toi aux humains.*

— Non, ne t'en va pas tout de suite !

Mais sa mère s'était déjà estompée, laissant un dernier message sur le vent :

— *Sois prudente. Sache que tu es aimée.*

Elle tendit la main vers sa mère. Elle pouvait presque voir où elle avait disparu, pouvait presque la suivre, sauf que la brise murmurante s'enroulait autour d'elle et l'ancrait à la terre.

Le chuchotement tournoyait autour d'elle, l'exhortant :

— *Reste, Pia.*

Ce n'était pas son vrai Nom, mais la Force qui régissait le murmure la fit hésiter. Le vent se transforma en un dragon tournant autour d'elle, frôlant sa peau tel un chat.

— *Reste. Vis.*

Elle effleura la peau brûlante de la magnifique créature sauvage. D'immenses yeux de lave en fusion, au pouvoir hypnotique, plongèrent dans les siens.

Elle s'éveilla.

Elle était étendue sur le sol, enveloppée dans la couverture, à côté des tisons rouges du feu de camp mourant. Dragos était penché au-dessus d'elle, ses mains sur sa tête. Il murmurait dans une langue qu'elle ne connaissait pas, mais qui exerçait un réel magnétisme sur elle.

— Qu'est-ce qu'il y a ? fit-elle d'une voix ensommeillée.

Elle baissa les yeux. Elle luisait d'une légère luminescence nacrée. Elle se réveilla pour de bon.

— Nom d'un petit bonhomme, j'ai perdu ma prise sur le sort qui me permet de masquer ma luminescence dans ce rêve que nous avons eu. Je n'ai jamais perdu le contrôle ainsi par le passé. Il ne faut pas que ça continue !

Il inspira profondément. Son corps était crispé. Un léger tremblement parcourait ses muscles. Elle ne l'avait jamais vu aussi pâle et ses yeux étaient dilatés.

— Qu'est-ce qui se passe ? insista-t-elle, posant une main d'ivoire lumineuse sur sa joue. Qu'est-il arrivé ?

— Je t'ai déposée sur le sol. Je suis allé me laver dans le ruisseau. Je ne suis pas parti longtemps... J'étais tout près.

— Ne t'inquiète pas. Tout va bien maintenant.

Il était bouleversé, elle ne l'avait jamais vu dans un tel état. C'était une véritable épreuve de voir un être si formidable secoué à ce point. Elle lui caressa le visage.

Il plongea les poings dans ses cheveux comme s'il voulait s'assurer qu'elle ne s'éloignerait pas.

— Je me suis retourné, dit-il les dents serrées, et je pouvais voir le feu à travers ton corps. Tu étais transparente, Pia, et tu t'estompais.

— C'est impossible, répliqua-t-elle.

L'était-ce, en fait ? Elle repensa à son rêve. Si elle avait commencé à s'estomper... Était-il possible que sa mère lui ait réellement rendu visite ? Ses lèvres formèrent un sourire un peu triste.

— Ah non, ce n'est vraiment pas le moment de sourire, lança-t-il en serrant les poings. Tu t'es presque volatilisée. Je t'ai traversée avec les mains. Si je ne m'étais pas mis à t'appeler, tu aurais disparu pour de bon.

— Peut-être, mais je ne pense pas, répondit-elle d'un ton absent en passant distraitement les doigts dans ses cheveux. Je ne crois pas que j'aurais pu aller où je voulais la suivre. Elle m'a dit que ce n'était pas un endroit pour moi.

— Qu'est-ce que tu racontes ?

Il étrécit les yeux, mais se détendit légèrement.

— J'ai rêvé de ma mère. Quand elle est partie, j'ai essayé de la suivre.

— Tu ne dois jamais refaire une chose pareille, gronda-t-il. Tu comprends ?

— Dragos, dit-elle doucement parce qu'il était encore très énervé. Il faut que tu arrêtes de me donner des ordres.

— Va te faire foutre ! s'exclama-t-il d'un ton coupant. (Il approcha son visage du sien dans un mouvement brusque.) Tu es *à moi*. Et tu. Ne peux pas. M'échapper.

— Holà, holà. Je ne sais plus quoi te dire. On dirait une espèce de brute qui aurait avalé des stéroïdes. Tu es au courant, n'est-ce pas, que tu ne peux plus avoir d'esclaves ? L'abolition de l'esclavage, ça te dit quelque chose ?

— L'histoire humaine, des mots humains, rétorqua-t-il d'un ton hargneux. Ils n'ont aucun sens pour moi.

Elle savait déjà qu'il ne fallait pas lui attribuer d'émotions humaines. C'était une piqûre de rappel. Le dragon affleurait à la surface. Toutes les légendes qu'elle avait pu entendre sur la nature possessive des dragons lui revinrent en mémoire.

Elle déglutit, mais ce n'était pas de peur.

— OK, fit-elle doucement. Qu'est-ce que tu voulais dire, alors ?

— Je ne sais pas. (Une expression de surprise se lisait sur le visage farouche et fier.) Tout ce que je sais, c'est que tu es mienne et que je dois te garder et te protéger. Tu ne peux pas disparaître et tu ne peux pas mourir. Je ne le permettrai pas.

Elle songea que ce n'était pas le moment de souligner qu'elle allait mourir un jour. Elle avait trop de sang humain en elle.

— Bon, alors je suis à toi. Pour combien de temps ? demanda-t-elle, curieuse maintenant qu'elle avait décidé de s'aventurer sur ce terrain. Jusqu'à ce que tu te lasses de moi ou que tu commences de nouveau à t'ennuyer ?

— Je ne sais pas. Je n'ai pas encore trouvé la réponse.

Une bouffée de tendresse l'envahit, à son grand étonnement. Il ne faisait pas semblant, sa perplexité était réelle. Il ne jouait pas.

— Bon, eh bien, on sera deux, alors.

La pensée du pain des Elfes, de la brosse, du savon, de sa sollicitude lui revint. Elle leva la main et passa un doigt le long de sa gorge.

— Si je suis à toi comme tu dis, si tu souhaites me protéger, il me semble que tu veux que… je me sente bien ? Que je m'épanouisse ?

— Bien entendu.

Il baissa les yeux sur la main de Pia qui traçait des cercles sur sa poitrine.

— Dragos, murmura-t-elle. Je ne m'épanouis pas quand quelqu'un aboie des ordres tout le temps.

Il fronça les sourcils.

— C'est comme ça que je parle aux gens.

— C'est comme ça que tu parles à tes employés et tes serviteurs, tu veux dire ?

Son expression perplexe s'accentua. Elle se mordit les lèvres pour réprimer un sourire. Comment était-il possible qu'une telle brute primitive la charme à ce point ?

— Vois-tu, je vais t'expliquer. (Elle prit une voix douce tout en se mettant à lui frotter la poitrine.)

Quelqu'un qui me crie après me donne le sentiment que je suis prisonnière. Je comprends que ce soit une habitude chez toi, mais peut-être pourrais-tu éviter de me donner des ordres de temps à autre ? Enfin, jusqu'à ce que tu recommences à t'ennuyer et que tu me laisses partir.

Les paupières de Dragos étaient devenues lourdes tandis qu'elle le caressait, mais en entendant ces derniers mots, il rouvrit grand les yeux.

— Et si je ne m'ennuie pas ? Si je ne te laisse pas partir ?

Un sentiment de nostalgie l'envahit soudain. Elle détourna le regard.

— Nous ne savons même pas de quoi nous parlons, dit-elle.

Il s'appuya sur un coude et prit sa main luminescente dans la sienne. Il l'examina.

— Tu es remarquable. Non, non, ne fais pas ça ! s'exclama-t-il comme elle se souvenait qu'elle luisait et se mettait à faire baisser la luminescence. Laisse-moi te voir comme tu es vraiment, pendant quelques minutes en tout cas. Regarde comme tu guéris vite.

Elle baissa les yeux. Les vilains hématomes bleuâtres qui marquaient sa peau avaient presque complètement disparu.

— Je me sens bien, avoua-t-elle. Mieux que ça encore. Je suis Superwoman, ma parole !

— Cela arrive parfois avec les hybrides quand ils pénètrent dans une Autre Contrée. L'exacerbation de la magie peut les aider à accéder à des pouvoirs qui seraient autrement restés latents.

Elle essaya de maîtriser l'espoir que ses mots firent jaillir en elle, mais des questions continuaient à s'insinuer dans ses pensées. Était-ce là que résidait l'explication de tout ce qu'elle ressentait depuis qu'elle avait traversé la frontière entre les deux univers ? Si ce qu'il disait s'appliquait à elle, serait-elle en mesure de se transformer ? Pouvait-elle mettre un terme à cette vie incomplète, cette vie d'hybride, de demi-sang, ne plus se sentir écartelée entre deux identités, deux natures, l'une humaine l'autre wyr ?

— Je ne savais absolument pas. Ma mère a toujours refusé de m'emmener dans une Autre Contrée. Et je n'ai jamais eu suffisamment de Force pour traverser moi-même. J'en ai à peine pour communiquer par télépathie.

Dans le rêve, sa mère l'avait avertie qu'il était dangereux pour elle de rester ici. Elle balaya du regard la clairière faiblement éclairée par les tisons. Cela voulait dire qu'il fallait qu'ils s'en aillent sans tarder. Elle ne ressentait pas de sentiment d'urgence, toutefois.

— Ah oui, ta mère, répliqua-t-il d'un ton distrait en inspectant ses doigts fins et la courbe gracile de son poignet. Nous allons très bientôt devoir aborder le sujet, qui elle était et pourquoi cet enfoiré d'Elfe l'appréciait tant. Nous allons également discuter du fait que tu aies déclaré que tu n'allais pas bien dans ta tête. Et puis, je veux savoir si tu as d'autres identités ou piles d'argent cachées.

Elle arracha sa main et le frappa sur le bras.

— Rien de tout cela ne te regarde ! Et le fait qu'il m'appréciait et ne t'appréciait pas ne signifie pas qu'il est un enfoiré d'Elfe !

Il lui décocha un sourire paresseux et prédateur en se dressant au-dessus d'elle, leurs poitrines se touchant presque.

— Tu n'as absolument plus peur de moi, n'est-ce pas ?

Elle retrouva son calme. Elle était peut-être cinglée, mais c'était vrai.

— Et si c'était le cas ? marmonna-t-elle.

Sa belle bouche cruelle s'étira en un sourire.

— Si c'est le cas, c'est une excellente chose.

Il fit un mouvement et avant qu'elle ait pu se rendre compte de ses intentions, il lui avait plaqué les mains au-dessus de la tête.

— Cela me donne toutes sortes de permissions de te faire des choses, ajouta-t-il. Avec toi. Sur toi. En toi.

Elle sursauta et son cœur s'emballa. Il la regarda, abandonnée sous lui, et glissa une de ses lourdes cuisses entre les siennes. Puis il poussa avec sa jambe tout en mordant son cou à l'endroit exact où il l'avait mordue en rêve. Il se délecta de son exclamation de surprise et la maintint facilement en place tandis qu'elle essayait de dégager ses mains. Enfin, essayait sans grande conviction.

L'excitation envahit le corps de Pia. Elle s'étira simplement pour le plaisir de glisser contre son torse nu, et le regard brillant de Dragos suivit chacun de ses mouvements.

Elle passa sa langue sur ses lèvres.

— Dragos, je ne pense pas que…

— Tu ne penses pas quoi ?

— Je ne pense pas être aussi raisonnable que je le croyais, murmura-t-elle.

— Voilà ce que j'aime entendre.

Il poussa un peu plus, lui écartant davantage les jambes, puis s'installa entre elles et lança un véritable assaut sensuel, la mordillant et la léchant. Il tira sa lèvre inférieure entre ses dents et se mit à la sucer, puis il plongea profondément sa langue dans sa bouche.

Ils grognèrent tous les deux. Il fouilla sa bouche avec de plus en plus d'ardeur. Elle pencha la tête pour l'accueillir. Il prit ses poignets dans une main afin de pouvoir introduire l'autre sous sa tunique, ses longs doigts cherchant le doux monticule de son sein. Il le saisit avec avidité, trouva le mamelon et se mit à le rouler entre le pouce et l'index. Il tira doucement la chair sensible, puis la pinça légèrement.

Le plaisir la parcourut à la manière d'une décharge électrique. Elle se mit à haleter. Elle tenta à nouveau de dégager ses mains, mais il refusa de les lâcher. Elle se déplaça sous lui afin que sa longue et lourde érection repose contre son bassin.

Il poussa un feulement, les traits tendus par le désir, et se redressa pour saisir sa tunique.

— Non ! s'écria-t-elle en se raidissant.

Il se figea. Mon Dieu, ce dragon ne respirait même pas.

— Je n'ai rien d'autre à mettre, expliqua-t-elle.

Lâchant ses poignets, il se redressa, lui permettant de s'asseoir et de retirer le vêtement. Elle le laissa tomber à terre. Il posa les mains sur ses flancs et les remonta de façon à prendre ses seins en coupe.

— Nom de… fit-il. Regarde ça.

Elle baissa les yeux. Les lignes de son torse et de ses seins semblaient très féminines à côté de ses mains et de ses bras musclés. Sa luminosité et le ton plus sombre de la peau de Dragos semblaient se fondre littéralement. La pâleur de la peau de la jeune femme était soudain plus laiteuse, la pointe de ses seins plus rose.

Elle posa les mains sur son torse et les fit remonter le long de sa poitrine. Ses muscles ondulèrent sous ses paumes quand il hoqueta de plaisir. Elle laissa courir ses ongles sur ses tétons. Elle n'arrivait pas à croire à ce qui se passait. Je le touche. Il me touche.

Il poussa un feulement et saisit ses doigts, puis se dressa de nouveau au-dessus d'elle en l'incitant à se rallonger. Il plaqua les mains sur sa taille et, comprenant ce qu'il voulait, elle souleva les hanches afin de pouvoir enlever ses leggings. Il retira quant à lui son jean. Puis il se repositionna sur elle, lourd, dur et nu, leurs peaux en contact direct l'une avec l'autre.

Si elle avait eu l'impression qu'il était brûlant auparavant, il était maintenant volcanique. Elle sentait son cœur battre contre le sien. Elle s'abandonna à l'extase de se frotter contre lui, passant les mains sur son dos puissant.

Il commença l'exploration de son corps, posant sa bouche ouverte sur son cou, sa clavicule, avant de se repaître de ses seins. Il suça et mordit la chair succulente, saisissant les mamelons entre ses dents avec de petits coups de langue, jusqu'à la faire se cambrer et crier des choses incohérentes dictées par l'intensité de son plaisir.

Puis il glissa plus bas, parcourant l'arrondi de sa taille en lapant et mordillant sa peau. Il prit ses genoux et les écarta, la maintenant ouverte pendant qu'il savourait la chair tendre de l'intérieur de ses cuisses. Elle se tordit, soulevant ses hanches vers lui.

Il marqua une pause et contempla le spectacle divin qui s'offrait à lui. L'élégante structure osseuse, le teint laiteux, le rose foncé, et l'extravagant oreiller de cheveux d'or pâle. Il pouvait suivre l'exploration qu'il venait de faire de son corps par les suçons qui s'épanouissaient sous ses seins et à l'intérieur de ses cuisses. Ses immenses yeux bleu foncé étincelaient de désir, comme dans le rêve.

Du désir pour lui, le monstre, la Bête.

Mais ce n'était plus un rêve et il était tellement dur et gonflé qu'il en ressentait une souffrance exquise. Il regarda ses grandes lèvres ourlées et roses, couronnées de boucles d'or blanc. Il constata qu'elle était mouillée, littéralement inondée de miel, et son membre tendu se dressa devant la preuve éclatante de son désir. Il murmura :

— Je vais te dévorer jusqu'à ce que tu hurles.

Elle replia ses pieds fins et émit un grondement profond. Il baissa la tête et reprit son assaut avec voracité, léchant, mordant, suçant. Il introduisit son bouton couvert de rosée dans sa bouche et le téta tandis qu'elle s'arc-boutait en tremblant sous la force du tourbillon qui l'entraînait.

Pia se souleva sur les coudes, haletante, et regarda ce qu'il lui faisait. Cette tête noire et ces larges épaules lovées entre ses cuisses, ce visage ciselé luisant de sève, de *sa* sève tandis qu'il se repaissait d'elle, était un spectacle tellement érotique qu'il la précipita dans l'orgasme. Elle rejeta la tête en arrière et hurla comme elle jouissait avec une intensité qu'elle n'avait jamais connue.

Il ne s'arrêta pas. Il continua à laper, à sucer, sa bouche absorbant les spasmes qui cascadaient en elle. Il posa une main à plat sur son pubis alors qu'elle contractait le cœur de son intimité, désireux d'éprouver le rythme de sa jouissance.

La sensibilité de la zone atteignit son paroxysme et elle enfouit les doigts dans ses cheveux, essaya de lui faire relever la tête.

— Arrête… je n'en peux… je ne peux…

Il émit un son guttural, son regard brûlant d'or en fusion lança des éclairs en se posant sur le visage en sueur de Pia, et il téta encore plus fort. Il plongea deux doigts en elle et la fit remonter au firmament, cette fois-ci plus longtemps et de manière encore plus intense. Il engloutit littéralement l'orgasme et, sans s'arrêter, la précipita dans un troisième.

Le torse de Pia se souleva du sol au moment où un hurlement essoufflé jaillissait d'elle. Elle était absolument possédée par ce qu'il lui faisait. Et le ciel nocturne étincelant d'étoiles disparut comme ses yeux se remplissaient de larmes.

Il abandonna enfin son sexe et remonta le long de son corps. Elle le regardait, incapable de trouver les mots. Il était un mâle tellement resplendissant, impérieux, les muscles puissants de sa poitrine et de ses biceps frémissaient, et son énorme pénis se dressait fièrement de toute sa vigueur entre des cuisses dures comme du marbre. Elle plongea son regard dans le sien en plaçant sa main autour du gland massif et le caressa.

Ce geste lui fit perdre la raison. Il se jeta sur elle, avalant de grandes goulées d'air. Il plaqua un bras sous ses hanches pour la soulever et faciliter son entrée dans le sanctuaire. Elle le guida et il plongea au plus profond.

Elle poussa un cri, enfonçant ses ongles dans son dos. Il n'était pas un amant délicat et timide. Il était extraordinaire, un tsunami qui détruisait son ancienne identité et restructurait toute son existence.

Il l'enveloppa de son autre bras, la serrant contre lui par le cou et les hanches tandis qu'il se mettait à aller et venir en un rythme étourdissant, chaque coup de butoir un peu plus puissant que le précédent. Il grognait à son oreille chaque fois qu'il replongeait en elle tandis qu'ils copulaient comme les animaux qu'ils étaient. Elle se cambra et gémit, perdue dans le rythme inexorable, et jouit encore une fois.

Il rejeta la tête en arrière, les traits tordus par la sauvagerie et la stupéfaction. Il eut un dernier sursaut, laissa échapper un son étouffé et la rejoignit dans l'extase. Elle le sentit battre profondément en elle et se contracta autour de son membre, agrippée à la sensation, à lui. Il se balança en elle, haletant, les yeux clos, l'inondant de sa semence.

Il trouva sa bouche et l'embrassa en la serrant si fort que pendant un moment ils ne firent plus qu'un, comme s'ils avaient fusionné et n'étaient qu'une seule créature, légère et sombre, yin et yang.

C'est alors que sa conscience explosée retrouva ce qu'il lui avait grondé dans l'oreille alors qu'il la possédait.

— À moi, avait-il répété. Tu es à moi. À moi.

Elle laissa ses pensées vagabonder, contemplant sa tête qui se dessinait contre le ciel tout en frottant sa joue contre la sienne, son poids pesant sur elle. C'était trop intense. Elle n'arrivait plus à réfléchir.

Il se mit à bouger de nouveau les hanches, allant et venant, et sa respiration se fit plus courte. Il était toujours aussi énorme et dur. Pas humain. Elle émit un bruit de surprise, s'agrippant à lui. C'était magnifique. Elle poussa avec son bassin, adoptant son rythme.

Cette fois-ci, un gémissement déchira la poitrine de Dragos qui se mit à trembler comme une feuille au moment où il allait éjaculer. Elle contracta ses muscles internes et le guida jusqu'à l'orgasme, tout en lui murmurant à l'oreille. Il enfouit son visage dans son cou.

Il se retira, les traits tendus. Elle poussa une exclamation de surprise comme il la retournait sur le ventre et relevait brutalement ses hanches pour qu'elle se retrouve à quatre pattes. Ses cheveux emmêlés retombèrent devant ses yeux.

— Pas assez profond, gronda-t-il. Il faut que j'aille plus loin encore.

Elle écarta les genoux sans se faire prier et se cambra pour lui offrir sa croupe. Elle plaça une main entre ses cuisses afin de le guider tandis qu'il la prenait par-derrière. Sa longue queue chaude et soyeuse lui sembla encore plus grosse. Elle l'encouragea d'une voix rauque comme il plongeait son dard. Elle était transportée non seulement par cette sexualité intense, mais aussi par cette étrange créature qui vivait à l'intérieur de son corps et qui paraissait plus sensuelle, plus femelle, et plus désirée qu'elle ne l'avait jamais été.

Il la couvrit, un bras autour de sa taille afin de s'assurer une meilleure prise pour ses coups de butoir déchaînés. Cette fois-ci, le va-et-vient de ses hanches était presque violent. Le visage enfoui dans son cou, son souffle frémissant sur sa peau, il ne ralentissait ni le rythme ni la force de son assaut. La pression remonta, mais elle ne savait pas si elle pourrait la supporter. Un sanglot lui monta à la gorge et elle tenta de se stabiliser en s'agrippant à la terre. De l'herbe s'accrocha à ses ongles.

Il planta les dents dans sa nuque tandis que sa Force s'enroulait autour d'elle.

— *Jouis avec moi*.

Il se déplaça afin de pouvoir fourrer sa main entre ses cuisses et pincer son clitoris, puis il s'enfonça une dernière fois et se raidit. Sa Force déferla sur elle, à travers elle tandis qu'il jouissait.

Chauffée à blanc, elle explosa.

Dragos déversa en elle tout ce qu'il avait. L'orgasme partit de la base de sa colonne vertébrale alors qu'il figeait son membre dans l'étui étroit de son vagin. Ce qui se passait, ce n'était pas un rapport sexuel. Des rapports sexuels, il en avait eu d'innombrables fois. Généralement, une demi-heure après, il avait déjà oublié le nom de la femelle.

Non, cet échange était différent. C'était quelque chose de bien plus élémentaire que le sexe. Se repaître d'elle ne satisfaisait pas sa faim, mais nourrissait son besoin. La pénétrer n'était pas suffisant. Elle absorbait tout ce qu'il lui faisait et le rendait en le démultipliant. Elle en devenait encore plus magnifique, enivrante. Il voulait s'enfoncer en elle tellement loin qu'il n'en reviendrait pas.

Il reprit conscience des choses. Il la couvrait toujours et était toujours en elle, sa main posée sur l'arc gracieux de son bassin. Son corps était parcouru de tremblements. Ses cuisses fuselées frémissaient. Elle tentait de respirer entre deux sanglots silencieux.

Qu'avait-il fait ? Il pressa ses lèvres contre son cou et traça la courbe de son épaule. Il écarta la masse de cheveux qui lui couvrait le visage.

— Tout doux, chuchota-t-il. Tout doux.

Pia était trop faible pour pouvoir rester à quatre pattes sans son soutien. Elle s'affala à terre au moment où son pénis sortait d'elle dans un mouvement fluide. Elle posa la tête sur ses bras.

Il s'étendit à côté d'elle, une cuisse drapée sur son dos. Il lissa ses cheveux, frotta son dos tremblant. Son visage semblait mouillé. Est-ce qu'elle pleurait ? Lui avait-il fait mal ? Il aurait juré qu'ils étaient pourtant à l'unisson.

Il lui fit lever la tête en la prenant doucement par le menton. Son visage était défait et ses merveilleux yeux écarquillés. Elle avait l'air aussi belle et fragile qu'une sculpture en cristal. Il sentit son estomac se nouer.

— J'ai perdu la tête, murmura-t-il.

L'inquiétude qui assombrissait ses yeux la fit revenir à elle. Est-ce qu'il essayait de s'excuser ?

— Moi aussi, chuchota-t-elle.

— Je n'ai jamais fait ça avant.

— Moi non plus, avoua-t-elle.

Un sourire éclaira ses traits.

Il traça l'ourlet de ses lèvres avec ses doigts.

— Est-ce que… ça va ?

Elle était complètement chamboulée. Euphorique. Elle avait littéralement déraillé sur le plan des émotions. Elle avait besoin de se réfugier quelque part dans une pièce noire et tranquille, et d'appréhender ce qui venait de se passer…

Mais d'abord, il fallait qu'elle dissipe l'incertitude qu'elle lisait sur son visage.

Son sourire s'élargit et elle lui dit la vérité.

— Non. Tu m'as anéantie. Je n'avais pas la moindre idée que quelqu'un puisse faire ce que tu as fait. Et je veux savoir quand est-ce qu'on pourra recommencer.

Son inquiétude se volatilisa et un sourire sensuel éclaira son regard. Il contempla sa bouche.

— Je veux beaucoup de choses.

— Ce que tu peux faire avec ta langue est répréhensible, le taquina-t-elle.

— Être un mauvais garçon comporte certains avantages.

— Par exemple ?

Il s'assit et l'attira sur ses genoux, la retournant de sorte qu'elle puisse lui faire face, torse contre torse, pubis contre pubis, ses jambes fines de chaque côté de lui. C'était une position dont leur nudité rehaussait l'intimité, une position parfaite pour faire l'amour. Il l'entoura de ses bras et elle noua les siens autour de son cou.

Même assise sur ses genoux, il était tellement grand qu'il dut incliner la tête pour se mettre à sa hauteur.

— Une absence commode de conscience, expliqua-t-il. Le bonheur de dormir d'une traite chaque nuit. Le désir simple de découvrir tous les plaisirs de la chair possibles et imaginables avec une femme superbe.

Les yeux de Pia pétillèrent devant le compliment. Il lui sourit à son tour et l'embrassa ; une exploration longue et sereine qui lui donna des frissons.

— Eh bien, je crois que tu gardes un secret très bien caché, dit-elle quand elle eut repris son souffle.

Il leva un sourcil.

Elle frappa sa poitrine d'un doigt.

— Enfouie profondément là-dedans se trouve une créature plutôt charmante. Tu devrais la laisser sortir plus souvent.

Il éclata de rire, puis son regard se fit calculateur. Elle rit aussi en se rendant compte qu'elle trouvait même ça charmant. Elle était vraiment foutue. Elle affecta un ton sévère :

— Ne me fais pas regretter de t'avoir dit ça.

— J'essaierai de ne pas trop en profiter.

— Oh, merci beaucoup.

Elle leva les yeux au ciel. Cela voulait probablement dire qu'il allait essayer d'en profiter au maximum. Son ventre émit un gargouillement.

— Je meurs de faim.

Ils s'assirent et il attrapa le sac. Il lui tendit un pain enveloppé dans une feuille. Elle mangea tandis qu'il essayait de passer les doigts dans ses cheveux.

— On a vraiment malmené ta chevelure, dit-il.

Il envoya une légère impulsion de Force, et les cheveux de Pia se démêlèrent et retrouvèrent leur aspect soyeux.

Elle avala une bouchée du délicieux aliment.

— Si tu te lasses un jour du rôle d'homme d'affaires, tu pourrais faire fortune en ouvrant un salon de coiffure.

— Je ne l'oublierai pas. (Il balaya la clairière du regard.) Nous nous sommes attardés trop longtemps ici. Nous devrions partir.

— Oui, tu as raison. Et pourquoi sommes-nous venus par ce chemin au lieu de prendre le même trajet qu'à l'aller ?

— Tu n'es jamais allée dans une Autre Contrée auparavant, n'est-ce pas ? (Elle opina.) Le temps et l'espace se sont gondolés, c'est-à-dire qu'ils ont subi une déformation, au moment de la formation de la Terre. Cette déformation a entraîné la création de poches dimensionnelles où la magie s'est accumulée. Imagine-les comme des lacs ou de très grandes étendues d'eau, aussi vastes que les océans et reliées ensemble par des fleuves. (Il indiqua les alentours d'un geste ample.) Je peux capter que ceci est une zone reliée à d'autres zones.

— Comment tu fais ?

Il fronça les sourcils.

— J'ai posé ma main sur la terre et j'ai lâché mon esprit. C'est un exercice qui ne demande pas une salve importante de Force. C'est plus une espèce de connexion.

Elle essaya d'imaginer la sensation.

— Il y a donc différentes entrées et sorties de cet endroit.

— Oui. Nous avions plus de chances de nous enfuir en prenant une direction imprévisible plutôt que de faire le chemin en sens inverse. Nous allons peut-être même pouvoir avancer suffisamment vers le nord pour arriver à New York, ou en tout cas nous en rapprocher beaucoup.

— Pourquoi la technologie ne marche-t-elle pas dans les Autres Contrées ?

— Ce n'est pas tout à fait ça. Un certain nombre de technologies marchent si elles utilisent des forces naturelles déjà présentes, telles que l'eau qui coule, et si elles n'impliquent pas des phénomènes de combustion plus complexes qu'un poêle à bois ou une chaudière. Il est également possible d'apporter des choses comme des fenêtres avec des verres fabriqués dans des usines, des œuvres d'art, un certain nombre d'appareils électroménagers et même des toilettes à compostage, du moment que cela n'a pas besoin d'électricité pour fonctionner.

— Tu en connais un rayon, commenta-t-elle en riant.

— J'ai une maison tout à fait confortable dans une Autre Contrée reliée au nord de l'État de New York. Elle est conçue pour exploiter le soleil au maximum en chauffant de l'eau pour un système situé sous le plancher qui permet de chauffer la maison. C'est très romain. Sinon, pourquoi certaines technologies ne marchent pas ? (Il haussa les épaules en passant les doigts dans ses cheveux.) Il y a quelques théories qui circulent, mais en fait personne n'en connaît la raison exacte.

Elle releva la tête et la pencha en arrière, savourant la caresse.

— Un revolver à simple action n'est pas une arme tellement complexe et un fusil à pierre non plus, mais j'ai entendu dire que même des pistolets simples sont trop dangereux à utiliser.

— C'est vrai. Et ce qui est intéressant, c'est que plus l'arme est ancienne, plus longtemps il est possible de l'utiliser dans une Autre Contrée. Les armes automatiques, dès qu'elles entrent dans une de ces poches dimensionnelles, s'enrayent ou ont des ratés.

— C'est un bon moyen de perdre la vue ou une main, fit-elle remarquer d'un air préoccupé.

— Ou la vie. Une explication possible réside dans la théorie de la Terre vivante. À savoir, l'hypothèse que la Terre soit un organisme gigantesque. On pourrait envisager que les Autres Contrées sont plus essentielles au système général de cet organisme que les autres lieux, qu'elles en constituent un organe vital. Et si la magie, qui est tellement puissante ici et empêche le fonctionnement de certaines technologies, était le mécanisme de défense de la Terre ?

— Un peu comme les leucocytes ?

— Oui. Il y a également une théorie modifiée de la Terre vivante qui se concentre plutôt sur des poches individuelles des Autres Contrées, les appréhendant en tant qu'« esprits » collectifs engendrés par le territoire imbibé de magie et la faune régionale. Dans le cadre de cette théorie, le concept de la magie faisant office de mécanisme de défense et sabotant la technologie est toujours le même.

Elle sourit, intriguée et ravie par ces nouvelles informations.

— Tu as vraiment le sens et le goût de la science, dis donc.

Il leva les sourcils.

— J'aime chercher une signification au monde. Je lis beaucoup d'articles dans des journaux scientifiques.

Elle finit son repas et se lécha les doigts. Il posa les yeux sur sa bouche et elle le sentit durcir contre sa cuisse. Sa respiration devint laborieuse.

Mais il la déposa sur le sol, se leva et lui offrit une main pour l'aider à se mettre debout. Elle était trop fourbue et sensible à certains endroits de son anatomie pour être déçue, en fait. Et elle se le répéta deux ou trois fois en ramassant sa tunique froissée, ses leggings et la couverture. Elle se dirigea vers le ruisseau pour rincer la preuve de leur… enfin, de leur…

Quel était le mot pour décrire ce qu'ils avaient fait ? Faire l'amour était trop joli. Rapport sexuel, trop simple. Union donnait l'impression que cela pourrait être permanent. Elle se mordit la lèvre comme l'angoisse menaçait de la terrasser.

Il m'a vraiment démolie. Je ne sais plus qui je suis.

Elle écarta ces pensées, et activa le sort qui lui permettait d'estomper sa luminescence. Elle soupira avec résignation en tournant les mains et en les regardant. L'aube pointait, la clairière prenait des tons gris et ses mains étaient juste des mains normales, des mains d'humaine.

Un vrai repas chaud, un lit, un emploi du temps régulier. Se coucher le soir. Se lever le matin. Ah, ces choses qui semblent si évidentes jusqu'à ce qu'on ne les ait plus…

Elle enfila la tunique et les leggings, et s'assit pour mettre ses tennis. Elle ravala une grimace en constatant leur état crasseux. Trois identités gâchées. Pas de voiture. Pas de chaussettes. Pas de culotte ni de soutien-gorge.

Et qu'est-ce qu'elle avait fait ? Elle avait *couché* avec la cause de tous ses problèmes.

Elle attacha ses lacets rageusement en s'admonestant ; puis elle regarda l'objet de son obsession.

Il s'était lui aussi lavé dans le ruisseau et avait enfilé son jean et ses bottes. Il était penché sur le feu mourant. Il posa la main sur les tisons rouges, et ils devinrent noirs instantanément. Elle aspira violemment. OK, c'était un mec qui faisait oublier qui on était et tout le reste.

Il leva soudain la tête, et son corps se raidit. Il se tourna pour regarder en direction d'une brise légère soufflant sur les arbres qui délimitaient la clairière.

Elle inspira profondément, humant la brise. Elle perçut une vague puanteur.

Il bondit.

— Fonce, dit-il.

# 10

Elle attrapa la couverture et la brosse avec des mains tremblantes, commença à les fourrer dans le sac. Plus d'orques, par pitié. Je serai sage et mangerai tous mes petits pois.

— Oublie ça. *Fonce.*

Tout en elle se mit en mode alarme. L'adrénaline la fit bondir. Sa vision s'affina, son odorat s'intensifia et son ouïe devint plus sensible. Elle détermina le meilleur chemin à prendre tout en tendant l'oreille pour tenter de percevoir le bruit d'une poursuite.

Il n'y avait rien, aucun bruit. Juste le vent dansant dans les arbres et le son de sa propre respiration que l'effroi avait rendue haletante, ainsi que Dragos courant derrière elle. Mais elle capta une bouffée de la puanteur des orques. Le cœur lui manqua.

— Aussi vite que tu peux, Pia, lui dit Dragos d'une voix calme.

Oui, oui. Elle rentra le menton, chercha et trouva sa foulée.

Dragos courait derrière elle alors que l'aube naissante éclaircissait le ciel. Pia semblait en état d'apesanteur. Elle courait comme une gazelle. Plus vite encore, peut-être. Elle volait presque par-dessus les obstacles, troncs d'arbres tombés et roches, ses sauts semblaient effectués sans effort comme si elle choisissait simplement de lever les pieds et de planer. Et il eut une énième surprise en découvrant qu'elle courait plus vite que lui.

Quelle fille, songea-t-il. Si elle avait autant d'endurance que de rapidité, ils s'en sortiraient peut-être.

Pia fit le vide dans sa tête. Rien n'existait, si ce n'est le rythme de son souffle et le jeu de ses muscles. Ils avaient plongé au cœur de la forêt, si bien que la voûte céleste était obscurcie par le feuillage, mais la lueur matinale se renforça et la température s'éleva jusqu'à ce qu'elle soit trempée de sueur.

La forêt était silencieuse, les séculaires troncs d'arbres étaient emprisonnés par des plantes grimpantes. Elle se rendit compte que depuis leur arrivée dans cette Contrée la veille, elle n'avait pas entendu une seule autre créature, pas un bruissement, pas un pépiement, pas un gazouillis. Peut-être parce qu'elle était accompagnée du prédateur le plus redoutable qui soit.

C'est alors que, telle une brume froide s'élevant du sol, la sensation d'une Force glaciale commença à l'envahir. Elle glissait le long de sa peau brûlante et se resserrait autour de son corps, tel un boa enveloppe sa proie.

Une panique mêlée de répulsion menaça de l'étouffer. Elle s'arrêta, portant les mains à sa gorge.

Dragos pivota. Au moment où Pia regardait pardessus son épaule, il poussa un rugissement. Comparé à ce qui s'était passé à New York, le son était mille fois plus puissant.

Elle sentit ses cheveux se dresser sur sa tête. Elle eut l'impression qu'une décharge de terreur la traversait. Une terreur qui prenait sa source dans les tréfonds de son être.

Le son mit en pièces l'étranglement qui l'avait saisie. Elle put de nouveau respirer et elle aspira goulûment.

— On est fixés désormais, gronda-t-il. Urien est arrivé et il essaie de nous ralentir. Cours.

Elle recula de quelques pas, les yeux rivés sur lui. Il étrécit son regard chatoyant, mais étranger, et inclina la tête en un geste d'exaspération typiquement masculin. Bon, d'accord. Elle leva les mains l'air de dire « ça va, j'ai compris », puis prit son élan et courut à perdre haleine.

Peu après, elle franchissait la lisière de la forêt et ralentissait en découvrant devant elle une large plaine. Il n'y avait aucun refuge possible. Elle jeta un coup d'œil en arrière, incertaine, alors qu'il la rattrapait.

Il avait fixé sur son dos la hache et l'épée. La rage qui s'était inscrite sur son visage s'était estompée, mais ses yeux étaient toujours aussi flamboyants.

— Est-ce que tu peux te transformer ? s'enquit-elle.

— Pas encore. J'ai essayé dans la forêt. Allons-y.

Elle reprit sa course. Pour ne pas gaspiller son souffle, elle s'adressa à lui par télépathie.

— *Je ne les entends toujours pas. Et toi ?*

— *Non, je pense qu'Urien les a enveloppés dans une sorte de voile. Je les aurais entendus bien plus tôt, sinon. Ils n'auraient pas pu s'approcher autant.*

Ça, et le fait qu'il se soit laissé distraire par sa sensualité. Maudit soit-il. Il savait qu'ils s'étaient trop attardés, mais il l'avait fait malgré tout. C'était de sa faute. Elle était une nouvelle fois en danger à cause de lui. Elle lui mettait la tête à l'envers.

— *Ils nous pourchassent tout en pensant que tu peux te transformer en dragon ?*

— *À moins qu'ils sachent que je ne peux pas le faire,* souligna-t-il. *C'est peut-être pour cela qu'ils sont tellement agressifs. Ils savent peut-être que j'ai été empoisonné par les Elfes et que les effets du poison devraient s'estomper bientôt.*

Elle trébucha et faillit tomber. Il bondit et lui saisit le bras. Elle tourna des yeux horrifiés vers lui.

— *Mais cela voudrait dire que les Elfes – Ferion – savaient que nous allions être attaqués !*

— *Cela signifie au minimum, en tout cas, que l'un des Elfes a transmis l'information,* convint-il, l'incitant à reprendre sa course. *Et Ferion pense peut-être que tu as fait ce que tu avais dit : tu m'as fait traverser la frontière elfique, puis tu m'as laissé.*

— *Peu m'importe,* répliqua-t-elle d'un ton cassant. *Si je revois cet Elfe, il va passer un mauvais quart d'heure.*

Il ne put s'empêcher de sourire.

— *Je veux être présent.*

Il n'arrêtait pas de regarder derrière eux, et il vit bientôt une horde d'orques surgir de la forêt en courant. Et avec eux un groupe de cavaliers armés.

Pia suivit son regard.

— *Les orques ne montent pas à cheval. Même moi, je le sais. Les chevaux ne les tolèrent pas.*

— *Ce sont leurs alliés, les Faes noires,* nota-t-il.

Pour la première fois depuis qu'ils couraient, le visage de Pia était crispé.

— *Ils ont des arbalètes.*

Il lui adressa un sourire radieux.

— *Courage, chichiteuse. L'action commence à peine.*

Il accéléra et elle soutint le rythme, sa masse de cheveux blonds volant derrière elle et ses longues jambes de gazelle fendant l'air. Il était fier d'elle.

Le paysage changea devant eux et une falaise se dressa à l'horizon. Ils avaient parcouru un peu moins d'un kilomètre quand une dizaine de Faes noires, des cavaliers, apparurent au sommet.

Mais ils ne montaient pas des chevaux. Ils étaient juchés sur le dos de créatures qui ressemblaient à des libellules géantes. Leurs immenses ailes transparentes veinées de noir miroitaient avec des tons irisés.

Pia s'arrêta. Dragos fit de même. Ils étaient pris au piège.

Elle s'assit par terre et posa la tête sur ses mains. Il s'agenouilla à son côté et passa un bras autour de ses épaules. Il ne dit rien, et elle non plus. Il n'y avait rien à dire.

Une fois qu'ils eurent cessé de courir, leurs poursuivants ralentirent et approchèrent avec davantage de prudence. Les orques se déployèrent en demi-cercle, les cavaliers se mêlèrent à eux. Les Faes noires au sommet de la falaise ne bougèrent pas, toujours juchées sur leurs créatures volantes.

Pia les observa. Le troisième en partant de la gauche irradiait une Force glaciale que les autres n'avaient pas. Elle déglutit, essayant de soulager sa gorge parcheminée.

— Là-bas, dit-elle. Le roi des Faes est sur la falaise, n'est-ce pas ?

Dragos s'assit derrière elle et l'attira contre sa poitrine.

— Oui. Il attend de voir si on aura besoin de lui.

— Toujours pas de transformation possible.

Ce n'était pas une question.

— J'ai besoin d'encore un peu de temps, répondit-il en secouant la tête.

Il avait besoin de temps qu'ils n'avaient pas. Elle tourna le visage vers lui. Sa respiration était douce et régulière. Ce calme l'émerveillait.

Elle n'était pas calme. Son esprit était en tumulte et son cœur sautait dans sa poitrine. Elle repensa aux coups que les orques lui avaient donnés. Elle pensa à Keith et à son bookmaker, morts tous les deux. Elle pensa au couteau à cran d'arrêt glissé dans la poche de ses leggings.

Dragos la lâcha, se mit à genoux et retira l'espèce de harnais qui retenait ses armes. Il posa la hache et l'épée. Puis il retira la courte épée qu'il portait à la ceinture et la posa sur le sol également. Il riva les yeux sur leurs ennemis, et lui dit :

— Peut-être que si je n'oppose aucune résistance, je peux négocier avec eux ta liberté.

— Tu ne peux pas te rendre, protesta-t-elle. Ils te tueront !

— Probablement pas sur-le-champ. (Son expression était farouche.) Si je peux obtenir que tu t'en ailles, tu essayeras de retourner chez moi à New York et tu raconteras à mes sentinelles ce qui s'est passé. Ils te protégeront.

Il voulait dire qu'ils ne le tueraient peut-être pas immédiatement parce qu'ils le tortureraient. Elle sentit la bile remonter dans sa bouche.

Elle étudia le roi des Faes noires. Elle n'avait jamais autant haï quelqu'un.

C'était l'une des autres Forces suprêmes du monde, l'un des plus anciens parmi les Anciens. Ses connaissances et sa mémoire des coutumes et de l'histoire de la planète devaient être immenses. Comme Dragos l'avait souligné, il était impossible de savoir ce que

Keith avait pu raconter avant qu'elle achète le sort d'engagement.

— Ça ne marchera pas, de toute façon, ajouta-t-elle d'une voix neutre. Ils ne me laisseront pas partir.

— On se bat, alors, dit-il sans essayer d'argumenter.

— Je ne serai pas capturée.

Elle fouilla dans sa poche et sortit le couteau. Elle appuya sur le levier et la lame jaillit.

Plus rapide qu'un éclair, il lui saisit le poignet, les yeux étincelants.

— Qu'est-ce que tu fous, bordel ? Tu ne veux pas être capturée ? Eh bien, on se *bat*. On ne renonce pas.

Elle jeta un coup d'œil en direction des orques et des Faes. Ils étaient tellement nombreux qu'on aurait dit une véritable petite armée. Ils étaient désormais presque à portée d'arc.

Elle posa une main sur la sienne.

— Dragos, cette fois-ci, vas-tu me faire confiance ? Vas-tu me laisser tenter une chose sans poser de questions ?

Sa main et son visage étaient de marbre, son corps se raidit.

Elle lutta contre la panique et garda une voix douce.

— Je t'en prie. On a peu de temps.

Il détendit les doigts, la laissa faire. Elle se mit à genoux et lui fit face. Il ne bougea pas et ne la quitta pas des yeux pendant qu'elle plaçait la pointe du couteau contre la cicatrice blanche qu'il avait à l'épaule. Elle se concentra sur le bronze intense de sa peau nue. Elle se mordit la lèvre et essaya de faire bouger sa main, mais elle ne réussit qu'à se mettre à trembler.

— Merde, articula-t-elle. Je ne peux pas te couper.

La main de Dragos recouvrit la sienne. Puis il se redressa vivement et la lame s'enfonça dans sa peau, juste au-dessus de la cicatrice. Du sang chaud, brillant, se mit à couler. Elle prit une goulée d'air et lui fit un signe de tête. Il la lâcha.

Le second passage de couteau fut plus aisé. Elle se servit de la lame pour entailler sa propre paume. La plaie était assez profonde. La douleur s'épanouit et son sang se mit à couler le long de son poignet.

L'armée en marche se rapprochait de plus en plus, au point qu'elle pouvait désormais entendre les orques rire et s'interpeller.

— OK, c'est le va-tout, marmonna-t-elle.

Elle plongea les yeux dans ses yeux de faucon et plaqua son poignet contre sa plaie, mêlant leurs sangs.

Pendant quelques secondes, rien ne se passa. Puis quelque chose brilla d'un vif éclat et sortit d'elle en traversant sa paume, se glissant en lui. La tête de Dragos se rejeta en arrière. Il eut un sursaut et suffoqua en se balançant sur ses genoux. Sa Force rugit.

Elle chancela aussi, prise de vertige. Puis il se mit à briller, à chatoyer, et se déploya si rapidement qu'elle tomba sur le dos.

Elle se dressa sur les coudes et regarda, bouche bée, l'énorme dragon qui se tenait au-dessus d'elle.

Oh. Mon. Dieu. Elle avait imaginé à quoi il devait ressembler. Elle avait aperçu son ombre voler au-dessus de la plage alors qu'il était sur le point de fondre sur elle. Mais rien n'aurait pu la préparer à ce choc. Il devait presque faire la taille d'un jet privé.

Il était de plusieurs nuances de bronze et le soleil le faisait chatoyer, rendant sa peau iridescente. Elle fit aller et venir sa tête comme elle regardait les longues pattes plantées de chaque côté d'elle. Au niveau du pied, la couleur bronze devenait noire. Il avait des serres recourbées aussi longues que son avant-bras. Son corps souple s'affinait, puis se terminait avec un arrière-train puissant et une longue queue.

Des ombres majestueuses s'élevèrent du sol. Il avait ouvert ses ailes qui l'enveloppèrent comme un manteau.

Elle réussit enfin à bouger et recula précipitamment à quatre pattes, un peu comme un crabe.

Il ploya son long cou serpentin et baissa une tête triangulaire cornue afin de pouvoir la regarder avec des yeux qui évoquaient une fois encore des flaques de lave en fusion. Puis, avec un sifflement, le fouet de sa queue fendit l'air.

— *Ceci* est ma longue queue reptilienne couverte d'écailles. Et elle est plus grosse que n'importe quelle autre, fit Dragos d'une voix plus ample, plus basse, mais reconnaissable.

Une immense paupière se baissa, lui faisant manifestement un clin d'œil.

Pia fut prise d'un fou rire.

— Ne te lève pas, dit-il.

Il baissa la tête en se tournant vers la falaise dans un mouvement fluide, dénuda ses crocs et lança son défi avec violence.

— *Je t'attends, salaud.*

Une par une, les Faes noires s'élevèrent dans les airs sur leurs destriers-libellules et, se détournant, prirent la fuite.

Elle sentit le prédateur en lui, vibrant de l'instinct de partir à leur poursuite. Il se retint toutefois, et elle savait pourquoi. Il ne voulait pas la laisser sans protection alors que l'armée des orques et des Faes se trouvait si près.

Elle se souleva sur un coude pour regarder en direction de leurs poursuivants. Ils battaient en retraite.

Une espèce de raclement lui fit tourner la tête vers le dragon. Il avait planté ses serres dans la terre et grondait dans leur direction en montrant les dents.

— Dragos, l'appela-t-elle. (Elle indiqua les fuyards d'un mouvement du menton.) Vas-y.

Il ne se le fit pas dire deux fois. Il se ramassa sur lui-même, puis s'élança dans les airs. Un rugissement fendit le ciel, évoquant un assourdissant coup de tonnerre. Les orques se mirent à hurler.

Ce ne fut pas tant une bataille qu'un massacre, une véritable extermination. Après le premier plongeon spectaculaire de Dragos, suivi d'une voltige qui lui permit de raser leurs têtes et de cracher du feu, elle n'eut plus l'estomac pour regarder. Elle s'allongea sur le ventre, enfouit la tête dans ses bras et attendit qu'il ait fini.

La puanteur des orques était couverte par l'odeur de fumée huileuse. Le silence retomba vite. Aucun de leurs ennemis n'avait quitté la plaine en vie.

Elle enfouit son visage davantage encore dans les hautes herbes odorantes. Le soleil approchant de son zénith lui chauffait le dos et les épaules. Un bruissement se rapprocha et une ombre surgit devant elle. Quelque chose de très léger lui chatouilla les bras, effleura ses cheveux.

— Tu as tué les montures des Faes ?

— Je ne devais pas ? demanda Dragos d'un ton vaguement inquiet.

— C'est juste que ce n'était pas de leur faute, dit-elle en haussant les épaules.

— Si ça peut aider, j'avais faim et j'en ai mangé une.

Elle ne put s'empêcher de pouffer de rire.
— Je suppose que ça aide un peu.
Elle se mit sur le dos. Il s'était étendu à côté d'elle. Ses ailes, repliées, faisaient penser à un extraordinaire drapé de couleur bronze qui noircissait à ses extrémités. Son cuir luisait au soleil. Elle leva la tête et regarda du côté du carnage, où quelques volutes de fumée étaient encore visibles. La tête triangulaire de Dragos lui bloqua la vue, ses yeux d'or la fixaient avec intensité.
— Ne regarde pas par là, dit-il d'une voix douce.
Elle s'assit et s'appuya contre ses naseaux. Elle posa la joue contre lui. De près, elle distinguait un motif sur son cuir, comme des écailles. Elle caressa l'arrondi d'une narine. Elle avait l'impression que c'était une zone plus tendre que le reste de son corps. Il ne bougea pas et sa respiration légère se fit plus courte.
— Est-ce que c'est agréable ?
— Oui, très. (Il soupira et on aurait cru une bourrasque.) Merci de m'avoir sauvé encore une fois la vie, Pia Alessandra Giovanni.
— C'est moi qui vous remercie, *mister*.
Après un moment, il recula, lui donnant la place de s'étirer et d'allonger les jambes. Elle leva les yeux et contempla sa longue silhouette triangulaire qui se découpait en contre-jour.
— Tu as, reprit-il, deux choix.
— C'est bien, les choix. (Elle se leva, se sentant soudain fourbue.) Les choix sont préférables aux ordres.
— Tu peux monter sur mon dos, ou je peux te porter.
— Te monter ? Waouh. (Elle se protégea les yeux de la main.) C'est un peu trop d'excitation pour

aujourd'hui. Je ne vois pas de ceinture de sécurité là-haut.

— À ton service.

Il l'enveloppa dans les longues griffes d'un de ses pieds avec une telle précision qu'elle ne sentit absolument rien, ni égratignure ni pincement. Quand il leva le pied, elle découvrit qu'elle pouvait s'asseoir confortablement dans un creux. Il la souleva afin de pouvoir la regarder.

— Ça va ?

— Je me sens un peu comme la petite blonde dans *King Kong*, mais à part ça, c'est super. Tu sais, si tu n'étais pas un multimilliardaire, tu pourrais gagner ta vie en faisant l'ascenseur.

Il laissa échapper un rire sonore, puis il prit son envol. Elle poussa un cri.

Ce ne fut pas un vol sans heurts, mais il était rythmé par le battement de ses ailes. Elle pensait aussi qu'elle allait se geler. Mais elle eut encore une surprise en se rendant compte qu'il avait enveloppé autour d'elle une couverture de velours en invoquant sa Force. Elle était ainsi protégée du froid rencontré en altitude, et surtout du vent.

Elle percevait, au fur et à mesure qu'ils s'en rapprochaient, la recrudescence de magie qui marquait un passage permettant de rejoindre la dimension des humains. Guidé par un sens de l'orientation qui lui était étranger, il déploya complètement ses ailes et ils planèrent jusqu'à un petit canyon.

— *Tu arrives à ouvrir les yeux, ou pas encore ?* lui demanda-t-il télépathiquement.

— *Je regarde*, répliqua-t-elle.

— *De nombreux passages vers les Autres Contrées sont similaires à celui-ci. Ils sont posés sur une espèce de faille dans le paysage physique. Si nous volions ne serait-ce que trois ou quatre mètres plus haut, nous ne serions pas dans le passage.*

À un moment, le soleil changea et devint plus pâle. Le canyon se rétrécit au point de ne plus être qu'un ravin envahi par les broussailles. La qualité de l'air se modifia également. Ils étaient passés de l'autre côté.

— *Est-ce que tu sais où on est ?* questionna-t-elle.

— *Au nord de l'endroit où nous nous trouvions. Je connais mieux le paysage de la côte. J'aurai une meilleure idée quand nous survolerons l'Atlantique. Ce qui m'intéresse davantage en fait, c'est de savoir quel jour nous sommes et combien de temps s'est écoulé pendant que nous étions dans l'Autre Contrée.*

Elle avait complètement oublié cette histoire de temps. Elle observa le paysage changer lorsqu'il bifurqua vers l'est. Une demi-heure plus tard, la ligne bleue de l'océan apparut devant eux. Il mit le cap sur le nord et longea la côte, atteignant une altitude élevée – elle le sentit à la raréfaction de l'air. Les villes et les villages qu'ils survolaient avaient l'air de jouets.

— *Là-bas*, dit-il. *C'est Virginia Beach. Il nous reste deux bonnes heures de vol.*

Après un moment, observer les côtes devint tellement banal qu'elle s'ennuya. Elle inspecta la coupure de sa paume qui s'était cicatrisée. La croûte avait l'air de dater d'une semaine. Elle la grattouilla distraitement, puis s'absorba dans la contemplation des longues serres recourbées qui l'encerclaient. Elle en frotta une, la tapota avec un ongle. Elle brillait comme de l'obsidienne et était certainement plus dure qu'un diamant.

Elle soupira. Après toutes ces péripéties, voilà qu'elle revenait à New York, dans les griffes, littéralement parlant, de la créature qu'elle avait voulu fuir.

Et avec laquelle elle avait, soit dit en passant, été au septième ciel et plus haut encore.

Cette histoire était hallucinante. Elle regarda furtivement Dragos. Les souvenirs de leurs ébats étaient tellement intenses qu'elle en perdait le souffle. Ils semblaient irréels en même temps, comme si ce qui s'était passé était arrivé à quelqu'un d'autre. Et elle avait du mal à associer l'homme qui avait été son amant avec cette créature exotique qui la portait avec tant de sollicitude.

Elle appuya les coudes sur une serre et enfouit son visage dans ses mains. Des images des derniers jours défilèrent devant ses yeux. L'affrontement avec les Elfes, Dragos blessé. L'accident de voiture. La forteresse des orques, les coups. Le rêve magnifique où elle avait vu sa mère. La bataille dans la plaine.

Elle ne savait pas quoi penser de tout cela. Elle aurait voulu se réfugier quelque part et y réfléchir tranquillement. Et tout comprendre. Du genre, dans dix ans.

Et ce n'était vraiment pas bon qu'elle ait attiré l'attention du roi des Faes. Il n'était pas possible qu'il sache tout ce qui s'était passé entre elle et Dragos, mais c'est ensemble qu'ils avaient fui. Le roi devait se demander si elle avait joué un rôle important dans la transformation de Dragos.

Ah, pour éviter d'éveiller la curiosité, elle avait fait fort ! Quelle nouille !

S'il avait *peut-être* su quelque chose avant, il se posait désormais des questions sur elle. Si ça se trouve, ils allaient afficher des photos d'elle dans les postes, les commissariats, et les envoyer aux services secrets.

Elle pourrait toujours se faire refaire le visage et disparaître au fin fond d'un village mexicain. Si elle était en mesure de collecter ce qu'elle pouvait dans ses trois planques restantes et quitter une nouvelle fois la ville. Mais Dragos l'avait avertie qu'il la retrouverait si elle essayait de s'enfuir.

Qu'est-ce que cela faisait d'elle ? Elle n'en savait rien. Serait-elle sa prisonnière quand ils arriveraient ? Était-il sérieux quand il disait qu'elle lui appartenait ? Il avait parfois un drôle de sens de l'humour.

Dis-moi juste ce que je veux savoir et je te laisserai partir. Ah, la bonne blague. Elle n'arrivait pas à croire qu'elle avait pu gober un truc pareil.

Elle pensait qu'il lui avait vraiment pardonné pour le larcin. C'était un miracle en soi, vu qu'elle avait imaginé qu'il la mettrait en pièces pour la punir. Et elle lui avait promis de ne pas tenter de s'échapper. Elle avait été sincère à ce moment-là.

Elle se demandait si elle allait tenir cette promesse. La vie était devenue tellement imprévisible.

Tout ce qu'elle savait, c'était que son avenir était toujours aussi incertain et dangereux.

Et qu'elle était… de nouveau seule. Encore plus seule qu'avant.

# 11

Elle sombra dans un demi-sommeil agité, la tête appuyée sur un bras et blottie contre une griffe. C'était un peu comme faire la sieste dans un avion, en fait. Le changement d'altitude la réveilla. Elle se redressa en grimaçant et regarda autour d'elle. New York l'environnait. Le crépuscule s'était installé et toutes les lumières de la ville lui sautèrent aux yeux.

Dragos effectua un virage et se mit à tracer un vaste cercle. Ils se dirigeaient vers l'un des gratte-ciel les plus élevés. Ils se posèrent sur la piste ménagée sur le toit de la tour Cuelebre.

Elle balaya le lieu du regard, étourdie, et essaya de se lever sans chanceler quand Dragos la fit descendre. Le toit était immense.

Un groupe de personnes les attendait, posté à côté de portes à double battant. Devant eux, un homme à la chevelure fauve se tenait droit comme un I. Une superbe femme à l'air sauvage le flanquait, mains sur les hanches. Un homme au type amérindien se tenait légèrement en retrait. Il portait un jean noir et un gilet de cuir noir également. Ses cheveux noirs étaient coupés court.

Ils avaient tous des mines patibulaires.

L'air derrière elle vibrait de Force. Elle regarda par-dessus son épaule : Dragos s'était métamorphosé. Par une espèce de tour de passe-passe, il portait toujours le même jean déchiré et crasseux, ses bottes, et rien d'autre. Elle posa les yeux sur sa poitrine nue, remonta jusqu'à son visage taillé à la serpe et ses yeux de rapace, et se sentit défaillir pour la énième fois.

Il la prit par le bras et se dirigea rapidement vers le groupe. Elle sentit le rouge lui monter aux joues tandis que des regards intrigués et peu avenants se posaient sur elle.

— C'est pas trop tôt, fit l'homme à la chevelure fauve, qui indiqua du menton l'Amérindien. J'ai demandé du renfort en Amérique du Sud, Tiago et le reste de la cavalerie. Ça va ?

— Oui, tout va bien, dit Dragos.

Deux des hommes ouvrirent les portes. Dragos n'accorda aucune attention aux portes ouvertes de l'ascenseur et s'engagea dans l'escalier. Les autres suivirent.

— Conférence dans dix minutes. La chambre est prête ?

Quelle chambre ? Sa chambre ? Pia le regarda comme ils arrivaient à l'étage où se trouvait le penthouse.

— Tout est prêt, nota l'homme à la chevelure fauve juste derrière elle.

Quelques autres les avaient quittés. Ils longèrent un vaste couloir, bifurquèrent et en empruntèrent un second. Le sol était de marbre, luxueux. Des œuvres d'art originales étaient disposées dans des niches ménagées dans les murs. Elle tordit le cou. Attends… c'était un Chagall, non ?

Dragos s'arrêta devant une porte en bois blond. Il la poussa et s'effaça pour la laisser entrer. L'homme à la chevelure fauve et deux autres restèrent dans le couloir.

Pia balaya la pièce du regard. Elle eut la vague impression d'une pièce plus grande qu'une petite maison. Ses tennis crasseuses s'enfoncèrent dans la moquette blanche épaisse. Une cheminée et un coin séjour meublé de canapés et de fauteuils en cuir clair se trouvaient dans l'un des angles de la pièce. Un lit en fer forgé de la taille d'un bateau trônait de l'autre côté, débordant de coussins et d'édredons. Un vaste écran plat était accroché sur un mur, et un minibar logé dans une alcôve. Il y avait aussi une immense baie vitrée dotée de portes-fenêtres à verre poli. Des portes ouvertes menaient à des penderies et une salle de bains.

Il la fit tourner face à lui et lui souleva le menton. Elle le regarda avec de grands yeux.

— Je sais à quel point tu es fatiguée, dit-il à voix basse. Je veux que tu restes ici, que tu prennes un bain chaud et que tu te reposes. Tu trouveras tout ce dont tu as besoin, vêtements, boissons, et je vais te faire monter un repas chaud. D'accord ?

Ce cadre lui semblait d'une certaine manière plus étranger que l'Autre Contrée. L'agitation qui l'habitait s'en trouva encore augmentée. Elle avait à moitié peur de lui à nouveau, mais en même temps ne voulait pas le voir partir. Elle se mordit les lèvres, serra les poings pour s'empêcher de tendre les mains vers lui et de passer pour une emmerdeuse. Elle lui fit un signe de tête rapide.

Il posa une main sur sa nuque, chaude et pesante.

— J'ai discuté avec Rune pendant notre approche. Cela fait une semaine que nous sommes partis. Il faut que je les briefe sur tout ce qui s'est passé, expliqua-t-il.

— Tu dois avoir un million de choses à faire.

Elle se dégagea, croisa les bras autour d'elle et s'écarta de lui.

Il resta immobile, l'air perplexe. Elle jeta un coup d'œil en direction du couloir et vit le mâle à la chevelure fauve qui devait être Rune, et deux autres colosses. Ils avaient tous les trois les yeux rivés sur Dragos comme s'ils ne le reconnaissaient pas.

Il tourna les talons et sortit de la chambre.

— Bayne, Constantine, restez ici, ordonna-t-il. Donnez-lui tout ce qu'elle demande.

— Très bien, fit l'un des hommes.

Dragos disparut avec Rune, la laissant seule dans l'immense pièce avec deux hommes postés à sa porte.

Des gardes armés. Au moins, elle avait la réponse à une question. Elle était prisonnière.

L'un des deux saisit la poignée de la porte et lui fit un signe de tête, son visage hâlé dénué de toute expression.

— Nous frapperons quand votre repas arrivera, dit-il. Est-ce que vous avez besoin de quelque chose ?

— Non, merci, répliqua-t-elle, la gorge sèche. Je n'ai besoin de rien.

Le garde ferma la porte et la laissa seule.

Elle parcourut la pièce du regard. La chambre vide était drapée d'ombres qui s'allongeaient avec l'installation du crépuscule. L'étrange luxe du penthouse semblait plus froid et plus désincarné sans la présence de Dragos. Elle se frotta les bras et frissonna.

Elle retira ses chaussures sales et les posa sur le carrelage de la salle de bains, qui était plus grande que l'appartement qu'elle avait occupé. Puis elle se dirigea vers l'alcôve qui dissimulait le minibar.

S'il était petit, il contenait un vaste assortiment d'alcools, tous de qualité supérieure, bien entendu. Il y avait une machine à café sur le comptoir et un évier. Elle avisa un réfrigérateur et en inspecta le contenu. Des bouteilles d'eau d'Evian et de Perrier, de la bière, plusieurs sortes de jus de fruits, du vin blanc et du champagne.

Elle sortit deux bouteilles d'eau et avala une petite Évian. Puis, sa soif étanchée en partie, elle ouvrit une bouteille de Perrier et la but plus lentement.

Des bûches étaient empilées dans l'âtre de la cheminée : il n'y avait plus qu'à allumer le feu. Une boîte d'allumettes était posée à côté de la télécommande pour la télévision sur la table basse devant les canapés. Elle céda à la tentation et alluma un feu.

Elle s'approcha ensuite d'une des penderies. Un côté était rempli de vêtements d'homme. L'autre contenait ses vêtements.

Les vêtements qu'elle avait dans son appartement.

Elle poussa les cintres et ouvrit les tiroirs de la commode. Ses sous-vêtements, chaussettes, tee-shirts et shorts étaient rangés, tous propres, repassés et pliés.

Elle leva une culotte blanche pour la contempler. Un étranger avait lavé son linge… et l'avait repassé ?

C'était également le cas pour les vêtements sur les cintres. Ses chaussures étaient cirées et soigneusement disposées. Sa petite boîte à bijoux en cèdre était placée sur l'une des commodes. Elle l'ouvrit, et les larmes lui montèrent aux yeux en découvrant le collier ancien de sa mère. Elle le caressa, puis referma doucement la boîte et s'appuya au meuble.

C'était à la fois flippant et… plein de délicatesse. Retrouver des objets familiers était réconfortant, mais cela la terrorisait aussi à moitié.

Quand avait-il donné l'ordre d'aller chercher ses affaires ? À la plage lorsqu'il s'était servi de son téléphone pour appeler Rune ?

Elle attrapa un tee-shirt, un soutien-gorge de sport, une culotte et un short en pilou, puis se rendit dans la salle de bains. La baignoire avait la taille d'une petite piscine, et des marches et des bancs pour s'asseoir ; il y avait aussi des flacons neufs de bain moussant parfumé Chanel. Ses affaires de toilette et son maquillage étaient posés sur le comptoir de marbre qui jouxtait le lavabo. Des bouteilles de shampooing et de démêlant de la marque qu'elle aimait étaient dans la douche.

Quelqu'un avait apparemment pensé à tout, au moindre petit détail, sauf à celui de lui demander son avis. Une cage dorée.

Elle ferma la porte avant de se déshabiller. La douche était très large avec plusieurs pommes et même un banc. Une fois qu'elle eut compris comment s'en servir, elle resta sous les jets, les yeux fermés, jusqu'à ce que la chaleur achève de saper son énergie et qu'elle doive s'asseoir. Elle se lava les cheveux, se frotta le corps. Elle enroula une serviette autour de sa tête après s'être rincée, puis se sécha et s'habilla. Que ce soit rationnel ou non, elle se sentit immédiatement mieux dès qu'elle eut enfilé des vêtements propres.

Quand elle ressortit de la salle de bains, elle découvrit qu'un chariot et une petite table ainsi qu'une chaise avaient été installés devant les fenêtres. La table était recouverte d'une épaisse nappe blanche en lin et de couverts simples mais élégants. Des couvercles d'argent étaient posés sur les plats. Une petite bouteille de vin blanc était au frais dans un seau à glace. Affamée, elle souleva tous les couvercles.

Elle découvrit un risotto au citron et aux asperges garni d'amandes émondées, une salade verte, des poires coupées et des airelles séchées, du pain frais, des sachets de margarine au soja et un crumble aux myrtilles pour le dessert. Elle se jeta sur la nourriture et n'en laissa pas une miette.

Une fois rassasiée, elle n'eut plus de place pour s'inquiéter : elle n'arrivait même plus à garder les yeux ouverts. Elle eut l'énergie de se brosser les dents, avant de se glisser entre les draps du lit immense. Une prison comme ça, on n'en trouvait pas partout. Elle bâilla, renonça à réfléchir et s'endormit.

Un étage au-dessous, Dragos entra d'un pas décidé dans la salle de conférences, suivi par Rune. Située à côté de ses bureaux, c'était une grande pièce équipée de sièges en cuir noir, d'une longue table en chêne et de matériel de vidéoconférence dernier cri.

Toutes ses sentinelles étaient présentes, à l'exception des deux griffons Bayne et Constantine postés devant la porte de Pia. Rune s'assit à côté du quatrième griffon, Graydon, et inclina sa chaise en arrière. Tiago s'adossa au mur du fond, présence sombre et vaguement menaçante. Aryal était affalée sur sa chaise et pianotait sur la table. Elle n'arrivait jamais à être parfaitement immobile, sauf si elle chassait. La gargouille Grym orienta sa chaise de façon à pouvoir observer Aryal.

Tricks, la fée connue sous le nom de Thistle Periwinkle, directrice des relations publiques pour

Cuelebre, était assise à l'autre bout de la table, bras et jambes croisés. Ses cheveux lavande vaporeux étaient en désordre. Elle agitait nerveusement un pied minuscule tout en fumant cigarette sur cigarette.

Dragos, à l'instar de Tiago, ne s'assit pas. Il alla s'appuyer contre un meuble, passa un pied sur l'autre, croisa les bras, rentra le menton et s'absorba d'un air sombre dans la contemplation du sol.

Il n'aimait pas la manière dont il se sentait. Il était nerveux et inquiet d'avoir laissé Pia toute seule. Le sentiment s'était intensifié avec chaque pas qui l'éloignait d'elle. Elle avait eu l'air perdue debout au milieu de cette immense chambre.

Il n'aimait pas non plus la manière dont elle l'avait regardé. Comme s'il était une énigme qu'elle ne parvenait pas à élucider. Ou une bombe susceptible de lui exploser au visage.

Elle s'était reculée, écartée de lui juste avant qu'il quitte la pièce.

C'était inacceptable. Mais avant qu'il puisse la rejoindre et tenter de savoir ce qu'elle avait dans la tête, il fallait d'abord qu'il fasse ce débriefing.

Il regarda les autres personnes présentes. Ils avaient tous les yeux rivés sur lui et attendaient.

— Au fait, Tricks, dit-il en se tournant vers la fée, ton oncle Urien te passe le bonjour.

Tricks lâcha une litanie de jurons, les traits déformés. Elle écrasa rageusement une cigarette à moitié fumée dans un cendrier.

— Qu'est-ce que ce salaud a encore fait ?

Rune intervint.

— Tout le monde sait ce qui s'est passé jusqu'au moment où tu as appelé depuis la Caroline du Sud. Nous gérons encore les conséquences de ton entrée clandestine chez les Elfes. Ils ont lancé un embargo commercial et industriel pour tout ce qui touche de près ou de loin à Cuelebre Enterprises, ainsi que toutes les sociétés wyrs connues. Ils jurent aussi qu'ils vous ont escortés, toi et la femme, jusqu'à leur frontière. Ils insistent pour savoir ce qui lui est arrivé.

— Tu veux dire, à part abriter cette criminelle dans un penthouse de luxe ? Oui, c'est un châtiment cruel, sans le moindre doute, murmura Aryal à Grym d'un ton railleur.

L'ouïe fine de Dragos capta le commentaire, mais il décida de ne pas le relever pour l'instant.

— Ils nous ont escortés jusqu'à la frontière. C'est vrai.

Il leur raconta la suite, omettant ce qui s'était passé entre lui et Pia, et il glissa sur tout ce qui touchait aux secrets de la jeune femme. Pia était son mystère à lui. Il avait l'intention de le résoudre seul.

Les tempéraments s'échauffèrent quand il décrivit l'affrontement dans la plaine. Lorsqu'il eut terminé son récit, Tiago commença à s'agiter. Sous sa forme d'oiseau-tonnerre, il était aussi grand que les griffons.

— C'est la guerre, alors. Pas trop tôt.

Ses yeux d'obsidienne étincelaient de satisfaction.

— C'est la guerre, acquiesça Dragos. Nous n'arrêterons pas tant qu'Urien ne sera pas mort. (Il tourna les yeux vers Tricks.) Cela signifie que tu seras enfin la reine des Faes noires.

— Grands dieux, non, grogna la fée. Je ne peux pas supporter la cour des Faes noires.

— Eh bien, prends sur toi. Cela fait suffisamment longtemps que tu fuis tout ça. Et cette fois, Urien est allé trop loin.

Plus de deux cents ans auparavant, selon le temps humain, Urien avait pris le pouvoir et la couronne après un coup d'État sanglant. Il avait assassiné son frère, le roi, l'épouse du roi et toutes les personnes qui pouvaient hériter du trône. Il n'avait toutefois pas réussi à exterminer tout le monde et Tricks, la fille aînée des souverains, avait pu échapper au massacre.

Âgée de dix-sept ans, Tricks s'était réfugiée auprès de Dragos, la seule entité qu'elle savait en mesure de tenir tête à son oncle. Elle ne l'avait pas quitté depuis.

— On s'est bien amusés à lui faire des bras d'honneur pendant tout ce temps, hein ? Mais tu savais que ça finirait un jour, lui dit-il.

Elle hocha la tête d'un air accablé.

— Bon, voilà ce qu'on va faire. Tiago, envoie une partie du contingent que tu as amené avec toi nettoyer cette forteresse orque.

— Ça marche, répondit Tiago en souriant.

— Aryal, poursuivit Dragos, enquête sur cette connexion elfique. Je veux savoir qui est susceptible d'avoir divulgué notre présence à Urien.

La harpie fit un signe d'assentiment. Il se tourna vers la gargouille.

— Grym, je veux que tu travailles avec Tricks afin d'étudier le plan du palais des Faes noires et de leurs terres en vue de trouver des angles d'attaque. Tricks, j'aimerais que tu trouves quelqu'un pour te remplacer avant ton départ. Nous allons avoir besoin d'un nouveau responsable des relations publiques.

— Bien entendu, répondit la fée.

— Ça ne sera plus jamais pareil, fit Graydon d'un ton empreint de nostalgie. Voir son adorable petit minois quand elle passe à la télévision en sachant qu'Urien doit grincer des dents.

Tout le monde éclata de rire. Même Tricks réussit à sourire.

Rune et Graydon avaient les yeux rivés sur Dragos.

— Jusqu'à nouvel ordre, vous deux, plus Bayne et Constantine, êtes en mission spéciale. Vous allez tous les quatre garder Pia chaque fois que je ne suis pas avec elle. Deux de garde, deux de repos, vingt-quatre heures sur vingt-quatre, sept jours sur sept. Elle ne doit jamais être laissée seule. Compris ?

Rune se redressa dans son fauteuil et son beau visage prit une expression attentive. Graydon, quant à lui, avait l'air totalement incrédule. L'incrédulité, à vrai dire, se lisait sur tous les visages.

— Tu assignes quatre de tes guerriers les plus puissants au baby-sitting d'une voleuse ? demanda Aryal. Dans un contexte pareil ?

Dragos la regarda par en dessous. Grym posa une main sur le bras de la harpie, puis s'adressa à lui :

— Sauf s'il y a autre chose, nous allons nous mettre tout de suite au travail, seigneur. Je crois que nous avons tous beaucoup à faire.

Dragos observa la harpie encore un moment, le dragon sur le point de se réveiller. Aryal baissa les yeux et inclina la tête avec soumission.

— Au travail, ordonna-t-il.

Ils se levèrent et se dispersèrent. Rune et Graydon lui emboîtèrent le pas. Il se rendit à l'étage au-dessus et longea le couloir d'un pas vif, plongé dans ses pensées. Il arriva à la porte de Pia où Bayne et Constantine, appuyés contre le mur, étaient en train de discuter. Ils se redressèrent en le voyant.

— Briefe-les, ordonna-t-il à Rune qui fit un signe d'assentiment.

Le dragon toujours en alerte, il les dévisagea tous. Les griffons l'observèrent d'un air calme.

— Je vais être très clair pour qu'il n'y ait pas d'embrouille. Nous travaillons bien ensemble depuis presque mille ans. Vous comptez tous beaucoup pour moi. Votre service m'est précieux et votre loyauté est quelque chose que je place au-dessus de tout. (Il regarda Rune.) Je te considère comme mon meilleur ami.

Il indiqua la porte du doigt.

— Voleuse ou non, elle est à moi et je la garde. Si l'on touche à un seul cheveu de cette jeune femme, il vaudra mieux pour vous quatre que vous ayez déjà été massacrés quand je vous retrouverai.

Le regard direct de Rune plongea dans le sien.

— Tu n'as pas de souci à te faire, seigneur. Nous la garderons avec nos vies, je le jure.

Malgré le confort du lit et son épuisement, Pia se tourna et se retourna, n'arrivant pas à sombrer dans un sommeil profond. Elle rêvait qu'elle était pourchassée. Les scènes changeaient sans arrêt. D'abord elle rampait dans les passages secrets d'une immense maison à la recherche d'un endroit où se cacher. Ensuite elle se faufilait entre les passants dans une ville qu'elle ne connaissait pas, suivie par quelqu'un de menaçant. Elle n'arrivait jamais à voir clairement les traits de son poursuivant, mais il la terrorisait.

Puis quelqu'un souleva les draps, et un grand mâle humide et nu se glissa dans le lit à côté d'elle. Elle se réveilla en sursaut.

— Chut, c'est moi, murmura Dragos. Je ne voulais pas te réveiller.

— Pas grave, chuchota-t-elle. J'aimais pas mon rêve, de toute façon.

Ce n'était pas une bonne idée qu'il soit dans son lit, songea-t-elle. Ou bien, était-elle dans le sien ? Elle n'était pas suffisamment réveillée pour comprendre exactement ce qui se passait. Elle était juste assez éveillée toutefois pour éprouver une vague de plaisir et de soulagement.

Il l'entoura de ses bras. Elle se pelotonna contre lui. Sa chaleur et son énergie l'enveloppèrent. Elle appuya sa joue sur son épaule, contre la peau humide qui sentait le propre et qui recouvrait des muscles puissants comme une gaine de soie.

— Est-ce que ton repas t'a plu ?

— Délicieux.

— Tant mieux. (Il l'embrassa sur le front.) Retire le sort.

— Sommeil, grommela-t-elle.

— S'il te plaît, dit-il en lui caressant les cheveux.

Elle marmonna, s'y reprit à deux ou trois fois, mais finit par saisir le sort qui lui permettait de cacher sa luminescence et le déverrouilla.

— C'est mieux, approuva-t-il en poussant un long soupir.

Il immobilisa ses jambes avec une de ses lourdes cuisses. Elle jeta un regard ensommeillé sur leurs corps entrelacés. La lueur pâle de sa silhouette semblait sertie dans le bronze foncé de la peau de Dragos. C'était une étreinte jalouse et étouffante. Elle aurait dû vouloir s'en dégager. Elle soupira. Quelque chose se lova confortablement au plus profond d'elle-même et elle ferma les yeux, paisible.

Cette fois-ci, son sommeil fut sans rêve.

Des heures plus tard, quelque chose la tira de son sommeil profond. Une grande main caressait sa poitrine. Des doigts glissaient de son ventre plat jusqu'à ses côtes, puis traçaient un cercle autour d'un sein, de l'autre.

Elle soupira d'aise et s'étira. Elle roula sur le dos, se cambra. Des lèvres effleurèrent son épaule, frôlèrent la courbe gracieuse de son cou. Des dents mordillèrent le lobe de son oreille.

Elle ouvrit les yeux. Elle eut un choc en constatant qu'elle était au lit avec lui, toute nue. Elle frotta un pied contre sa jambe, les poils lui chatouillant les orteils. L'aube pointait dehors, plongeant la chambre dans une symphonie de gris. Dragos était appuyé sur un bras et penché au-dessus d'elle. Son visage sévère était intense. Sa bouche était incurvée en un sourire paresseux et sensuel.

Il était tellement magnifique que Pia sentit tout son corps palpiter. Les narines délicatement ourlées de Dragos s'ouvrirent légèrement, et elle sut qu'il percevait son émoi.

Elle passa sa langue sur ses lèvres. Il observa le mouvement.

— Je suis à peu près certaine de m'être couchée avec des vêtements, fit-elle remarquer.

— Oui, et alors ? répliqua-t-il d'un ton langoureux.

Il traça du doigt l'aréole d'un sein. Elle le vit déglutir quand il remarqua que son mamelon se dressait.

— Ils me gênaient, ajouta-t-il.

— Tu m'as déshabillée ? Je devais dormir vraiment profondément.

— Je t'ai peut-être aidée un peu. (Elle le regarda d'un air interrogateur.) C'était juste un petit charme. Tu avais besoin de te reposer.

— Sans mes vêtements.

Voilà qu'il recommençait à lui faire perdre la tête. Ils allaient devoir discuter du fait qu'elle n'était pas une poupée Barbie qu'il pouvait habiller ou déshabiller à sa guise.

— J'avais besoin de me reposer, moi aussi, dit-il. Et ils dérangeaient.

Elle ne put retenir un rire.

Il commença ensuite à tracer ses lèvres d'un doigt. Elle prit son doigt dans sa bouche et le suça, l'enflammant instantanément.

Il retira le doigt. Des yeux d'or étincelèrent, véritable incendie. Il baissa brusquement la tête et la força à s'enfoncer dans l'oreiller tandis qu'il plongeait une langue dure et impatiente dans sa bouche, plaquant une main entre ses cuisses et palpant son sexe humide, avant d'immiscer deux doigts dans sa fente.

Elle grogna et agrippa son bras. Ses gestes agressifs éveillèrent chez elle une réponse incontrôlée. Elle se sentit gonfler, mouiller, et elle trempa ses doigts. Il gronda. Pia pressa ses hanches contre sa main.

Elle retira sa bouche de la sienne et haleta :

— Attends… je ne veux pas…

Il était juste au-dessus d'elle, un rapace prêt à fondre sur sa proie tandis que son pouce trouvait et frottait son clitoris. Elle gémit et appuya sur sa main pour accentuer la pression.

— Tu ne veux pas ? murmura-t-il en lui souriant avec malice.

Elle trouva son pénis et le saisit. Il émit un feulement, frémissant contre sa paume.

— Je veux t'explorer moi aussi avant que tu me fasses perdre tous mes moyens.

Elle le regarda avec un peu d'incertitude. Il était tellement dominateur. Elle n'avait pas la moindre idée de ce qui pourrait lui plaire.

— Tu aimerais ça ? demanda-t-elle.

Il marqua une pause et elle l'observa se débattre avec des instincts contradictoires. Puis il retira la main de Pia et la plaqua au-dessus de sa tête.

— J'adorerais ça, lui murmura-t-il à l'oreille. Après t'avoir fait jouir un petit peu.

Il fouilla son sexe avec ses longs doigts agiles et frotta sa paume contre elle, trouvant la zone la plus érogène. Elle se cambra et tenta d'échapper à sa pression.

— Viens en moi, l'encouragea-t-elle.

— Non, ronronna-t-il à son oreille. Pas encore. Tu jouis d'abord.

Il était diabolique. La pression s'accentua et les caresses intimes de ses doigts étaient délicieuses. Mais elle le voulait en elle, sa queue épaisse et dure enfouie au plus profond de sa grotte. Elle lui mordit l'épaule.

Il laissa échapper un rire sensuel, sexy. Il se pencha pour aspirer un téton, le suçant goulûment tout en donnant des coups de langue autour.

L'orgasme s'épanouissait telle une allumette qui s'enflamme. Elle s'arc-bouta et poussa de petits cris de plaisir. Il abandonna son téton pour passer sa bouche sur la sienne pendant qu'elle gémissait et que les muscles de son sexe se contractaient autour de ses doigts.

— Voilà, c'est ça, murmura-t-il contre ses lèvres. Magnifique.

Ils restèrent immobiles un moment, leurs souffles à l'unisson.

Puis elle se tourna légèrement et lui sourit avec espièglerie.

— Tu voulais savoir pourquoi j'ai dit que je n'étais pas bien dans ma tête ?

— Oui, en effet, répondit-il en souriant.

Elle passa les doigts sur sa poitrine.

— Je n'arrêtais pas d'avoir des fantasmes sexuels avec toi à des moments totalement incongrus.

— Ah oui, et quand ? demanda-t-il en lui caressant la cuisse, passant les doigts avec douceur dans la toison de boucles blond clair.

Elle soupira d'aise.

— Quand tu es tombé du ciel et t'es assis sur moi. On aurait dit la colère de Dieu et j'étais à moitié morte de peur. Mais ensuite, je n'arrivais plus à penser à autre chose qu'à ce fichu rêve et au fait que tu étais incroyablement sexy. Ce n'est pas net d'avoir peur ainsi tout en étant excitée.

Il souleva sa main et embrassa la cicatrice qui marquait sa paume.

— C'est tout ce que je pouvais penser, moi aussi. J'avais voulu te piéger avec ce rêve et je me suis piégé moi-même.

— Et puis, murmura-t-elle, les yeux étincelants, tu te souviens quand tu étais enchaîné dans la forteresse des orques ?

— Je ne risque pas de l'oublier avant longtemps.

— C'était horrible. J'étais affolée, la cellule était sale et j'avais peur. Et tu étais enchaîné et exposé comme une pièce de viande. Malgré tout, en te voyant, j'ai eu envie de toi.

Son intérêt s'électrisa littéralement.

— Il faudra que je me souvienne d'ajouter des chaînes et des fers dans toutes les chambres.

Elle pouffa et se blottit un peu plus contre lui.

— C'était juste un fantasme. La scène était extrêmement flippante.

— Eh bien, nous ferons semblant.

Il se mit sur le dos et saisit les montants du lit au-dessus de sa tête. La posture étira les muscles de ses bras et de sa poitrine, révélant sa cage thoracique et creusant son ventre.

Elle l'observa, le corps parcouru de délicieux picotements. Son regard débordait de sensualité et elle n'avait jamais contemplé un spectacle plus grandiose. Qu'il ait choisi cette posture soumise devant elle le rendait encore plus désirable.

Elle se glissa sur lui jusqu'à ce que leurs torses s'épousent, les seins de Pia pressant ses pectoraux. Elle baissa la tête et fit courir ses lèvres ouvertes le long des siennes. Elle lécha, embrassa, mordilla. Il se mit à respirer plus vite. Il tenta de capturer sa bouche, mais elle s'écarta pour explorer son corps.

Elle fouilla les creux, s'attarda sur les saillies, frotta le nez contre les poils rêches qui lui couvraient le torse et s'arrêtaient au pubis. Il suivait le parcours de sa langue, s'étirant comme un chat sous elle. Elle joua un moment avec ses mamelons plats et sombres au point de les faire durcir.

Elle s'excitait autant qu'elle l'excitait. Elle se redressa légèrement et saisit son pénis à pleine main. Il siffla, haussa les hanches à sa rencontre. Elle baissa les yeux sur sa main pâle et luminescente qui le tenait. Son membre était magnifique, épais et long, la peau veloutée et le gland doux comme de la soie. Ses testicules gonflés de sève semblaient l'appeler. Elle massa les globes lourds et voluptueux.

Il leva la tête afin de la regarder lui donner du plaisir, les yeux brillants. Il était tendu comme un arc. Les muscles de ses bras tremblaient.

— C'est mon tour, maintenant. Retiens-toi, l'avertit-elle.

Elle soutint son regard farouche en glissant le long de son corps. S'ils n'avaient pas encore résolu plusieurs questions entre eux, lorsqu'ils se retrouvaient physiquement, c'était une véritable fusion qui s'opérait, un phénomène de combustion.

Elle s'agenouilla au-dessus de lui, souleva son membre et prit l'extrémité dans sa bouche, puis elle suça. Il poussa un cri bref et rejeta violemment la tête en arrière, frappant l'oreiller, tandis que ses hanches quittaient le matelas et tentaient de pousser son sexe plus loin.

Elle agrippa le pénis d'une main, plaça l'autre autour de ses testicules, et elle se régala. Le goût et la texture de son sexe l'enivraient. Elle ronronna de plaisir et l'aspira de plus en plus, la bouche largement ouverte. Elle tirait doucement sur sa queue en la serrant bien de ses lèvres, puis le faisait revenir au fond de sa gorge. Elle devint vorace, sauvage, chauffée à blanc.

Leur jeu oublié, il saisit ses cheveux dans un poing et fit aller et venir à toute allure son pénis dans sa bouche. Il caressait de son autre main les plis de son sexe mouillé.

Puis il lui tira les cheveux, la forçant à lâcher son membre. Elle émit un petit bruit de protestation quand il se retira. Il l'attira brutalement vers lui et l'embrassa à pleine bouche. Il tremblait de tout son corps. Il la positionna sur lui et elle écarta les cuisses pour l'enfourcher, frottant son sexe contre son érection alors qu'il la tenait toujours par les cheveux.

Étourdie par le désir, elle se souleva de sorte que la tête épaisse de son membre se plaque contre sa fente entrouverte. Puis il reprit le contrôle, l'attrapa par les hanches et plongea tout au fond de sa grotte. Il banda son corps dans un cri.

Elle gémissait elle aussi, modulant le ton, frissonnant d'extase comme les muscles de son vagin s'étiraient, se distendaient pour accepter cette invasion délicieuse. Il adopta un rythme effréné et la lima avec frénésie, ses doigts s'enfonçant dans sa peau blanche et douce.

Elle essaya de garder l'équilibre comme elle put, les coudes plantés sur sa poitrine. Il avait relevé la tête, si bien que leurs visages se touchaient presque, ses yeux mordorés étincelant. Il dénuda les crocs.

Sa beauté sauvage exacerba le désir de Pia qui se sentit littéralement fondre de plaisir. Elle étira les bras et s'appuya contre les oreillers, entraînée dans un tourbillon voluptueux jusqu'à ce que l'orgasme atteigne son paroxysme alors qu'il l'empalait.

Il la rejoignit dans un grondement guttural et poussa avec vigueur tandis que sa semence jaillissait en elle. Ils restèrent immobiles un long moment, haletants. Elle essaya de respirer un grand coup. Ses cheveux étaient devant ses yeux et elle les écarta, tentant de voir les traits de Dragos. Il avait l'air aux abois, hors de contrôle.

Il secoua la tête en marmonnant :

— Pas assez.

Maintenant ses hanches contre son sexe toujours bandé, il la retourna de sorte qu'elle se retrouve sur le matelas. Et il recommença à aller et venir dans l'écrin gorgé de miel.

— Oh, tu vas me tuer, grogna-t-elle.

Il s'arrêta et chercha ses yeux. Elle noua les bras autour de son cou en murmurant :

— Tu as intérêt à ne pas t'arrêter avant d'avoir fini. N'oublie pas que je peux suivre n'importe quel rythme, *mister*.

Le visage de Dragos s'éclaira d'un sourire féroce. Puis son sourire s'effaça, il oublia tout pour se laisser aller à la passion furieuse, et il ne cessa pas avant d'avoir tout donné.

Démolie. Il l'avait encore une fois démolie. Il l'emmenait tellement loin qu'elle revenait changée, transformée à des niveaux fondamentaux de son être qu'elle ne comprenait pas. Elle faisait des choses avec lui qu'elle n'avait jamais faites auparavant, qu'elle n'avait jamais même imaginé faire. Elle ne s'était encore jamais rendu compte que l'acte sexuel pouvait être un abandon absolu de tout comportement civilisé. Il la plaçait face à l'animal qui vivait en elle. Elle ne pouvait plus s'accrocher à rien de son passé. Il n'y avait que lui, le destructeur de son univers, et elle s'accrochait à lui de toute son essence.

Ils restèrent allongés, enchevêtrés l'un à l'autre, la tête de Dragos sur son épaule tandis que la lueur de l'aube avançait sur le plafond. Elle dormit peut-être un peu. Il déposa un baiser sur son sein et déclara :

— Je t'ai de nouveau marquée.

Elle bâilla et essaya d'analyser son ton. Complexe : sa voix était emplie de regret et de satisfaction.

— Tu as quelques griffures et quelques morsures que tu n'avais pas non plus avant, *mister*.

Il sourit. Le regret disparut.

— En effet.

On frappa à la porte, qui s'ouvrit devant une fée poussant un chariot chargé de nourriture.

— Bonjour, lança-t-elle d'une voix enjouée.

Plus rapide que l'éclair, Dragos saisit le drap et se jeta devant elle pour la cacher. Il rugit par-dessus son épaule :

— Qu'est-ce que vous faites ?

Pia jeta le sort qui lui permettait de cacher sa luminescence aussi vite qu'elle le put. Dragos avait un air meurtrier. Elle posa une main sur sa joue, l'embrassa et regarda au-dessus de son épaule.

La pauvre fée était devenue pâle comme un linge et semblait sur le point de s'évanouir.

— Je... Toujours... Cela n'avait jamais d'importance... bégaya-t-elle.

— Ce qu'il voulait dire, c'est « Merci beaucoup pour le petit déjeuner ». Et vous n'avez rien fait de mal. Il n'est pas en colère, il a juste été surpris, fit Pia gentiment. (Elle le pinça fort sous les draps. Il lui attrapa la main, mais ne protesta pas.) La situation est un peu différente à partir d'aujourd'hui, et ce sera peut-être une bonne idée la prochaine fois de frapper et d'attendre que l'un de nous vous dise d'entrer.

La fée se mit à faire quelques courbettes paniquées.

— Bien sûr, bien sûr ! Merci, gente dame. Je vais...

Elle indiqua la porte du doigt et détala. La porte se referma derrière elle.

Pia regarda Dragos avec stupéfaction.

— Elle m'a appelée « gente dame », dit-elle d'une voix plaintive. Je ne suis pas une dame.

La fureur qui avait marqué les traits de Dragos se dissipa et son regard étincela. Il regarda furtivement sous le drap.

— Non, en effet, je peux l'attester.

— Hé, hé ! s'exclama-t-elle en le frappant sur l'épaule.

Ils se regardèrent et éclatèrent de rire.

Il empila les oreillers, se carra sur eux et l'attira contre lui. Elle posa la tête sur son épaule et essaya de retrouver le sentiment de paix et de sérénité qu'elle avait éprouvé plus tôt, mais il s'estompait déjà.

Il passa les doigts dans ses cheveux.

— Tu me dois une mèche de cheveux, déclara-t-il.

Elle ferma les yeux et essaya de ne pas penser aux implications de tout ce qui venait de se passer.

— Tu en veux combien ?

— Plein, dit-il en en soulevant quelques-uns afin de les faire scintiller dans la lumière, puis il fronça les sourcils. Pas trop.

Elle ébaucha un sourire.

— Décide-toi. Je peux les couper court et te les donner, si tu veux.

— Ne fais jamais un truc pareil. J'en veux juste assez.

— Et c'est censé me donner une idée de ce que tu veux, une réponse pareille ?

Elle leva la tête et le regarda. Il affichait un air renfrogné. Elle soupira.

— Attends.

Elle descendit du lit et se dirigea vers la penderie, où elle décrocha son peignoir rose qui lui arrivait à mi-cuisses. Elle l'enfila et noua la ceinture. Puis elle fouilla dans les tiroirs de la commode où étaient rangées ses affaires. Elle en sortit son nécessaire à couture, avant de retourner vers le lit. Elle s'assit en tailleur face à Dragos. Il croisa les mains derrière sa tête, l'observant avec intérêt.

Elle sortit les ciseaux, isola des cheveux à l'arrière de sa tête, tout près du cuir chevelu afin de masquer l'endroit, et coupa une longue mèche. Elle la lui montra pour qu'il puisse l'examiner. C'était une mèche épaisse comme son petit doigt.

— Parfait, dit-il, les yeux brillants.

— Dette payée ?

— Dette payée.

— Qu'est-ce que tu vas en faire ? demanda-t-elle.

Il fronça de nouveau les sourcils.

— Je ne sais pas.

— Donne, je vais la tresser, sinon les cheveux vont se répandre partout.

Il l'observa, fasciné, comme elle coupait deux fils dorés presque de la même couleur que ses cheveux. Presque, mais pas tout à fait. C'était le ton le plus proche qu'elle trouva dans son nécessaire à couture et de loin on ne verrait pas la différence, mais le fil n'avait pas le lustre et le soyeux de ses cheveux.

Elle prit un morceau de fil entre ses dents, puis enroula plusieurs fois l'autre morceau autour d'une des extrémités de la mèche et le noua. Elle utilisa ensuite une épingle à nourrice pour fixer cette extrémité sur un oreiller, avant de tresser prestement et habilement la mèche.

— Tu ne vas pas faire un truc de magie noire avec ça, n'est-ce pas ? jeta-t-elle entre ses dents.

— Non, répliqua-t-il avec sérieux, les yeux rivés sur ses doigts. J'aime la couleur, c'est tout.

Elle réprima un sourire, heureuse et en même temps un peu troublée par leur relation. C'était tellement naturel, tellement simple, évident. Et il y avait tellement de raisons pour que cela ne le soit pas. Elle saisit la seconde longueur de fil afin de nouer l'extrémité de la natte.

— Je peux la nouer autour de ton poignet, si tu veux, dit-elle sans réfléchir.

Elle attendit qu'il s'exclame que ce serait ridicule. Mais, à sa grande surprise, il leva les sourcils et répondit :

— Ça me plairait beaucoup.

Il tendit son poignet droit. Elle enroula la mèche autour. Son poignet était épais, mais la natte était suffisamment longue pour en faire presque deux fois le tour. Elle coupa encore une longueur de fil et s'affaira à coudre la natte. Une fois qu'elle fut bien fixée, elle coupa les extrémités de fil superflu.

Il leva le poignet et admira la pâle lueur dorée. Le bronze foncé de sa peau semblait faire chatoyer davantage encore la couleur des cheveux.

— Dragos, est-ce que je suis prisonnière ? demanda-t-elle à brûle-pourpoint.

Ses yeux n'étaient plus que deux fentes quand il leva la tête pour la regarder. Elle se concentra sur la tâche de ranger les éléments de son nécessaire à couture, en faisant un gros effort pour empêcher ses doigts de trembler.

— Non, dit-il après avoir soupesé sa réponse. Pourquoi tu poses la question ?

Le soulagement lui permit de lui adresser un sourire un peu pâle.

— Les gardes, la nuit dernière.

— Les gardes sont là pour assurer ta sécurité. Quand je ne serai pas avec toi, ils le seront.

Elle ouvrit la bouche pour protester et il ajouta :

— Il n'y a pas de discussion, ce n'est pas négociable.

— Mais…

Son regard se durcit.

— Ne discute pas, Pia. Je suis en guerre, maintenant. Tant que je n'aurai pas enterré Urien, il représentera un réel danger. Peu importe ce qu'il savait ou ne savait pas sur toi avant. Après ce qui s'est passé sur la plaine, tu es devenue l'une de ses cibles principales.

— Mais des gardes même ici ?

— Deux mille personnes environ travaillent ici chaque jour et nous avons plusieurs milliers de visiteurs. Il y a des zones interdites, mais aucun endroit n'est sûr à cent pour cent, pas quand de la Force est impliquée dans l'équation. Tu te souviens comment je me suis immiscé dans ton rêve : imagine qu'une attaque magique survienne. Tu auras des gardes jusqu'à ce que tout soit terminé. Point barre.

Elle pinça les lèvres. Sa logique était irréfutable, et son attitude impérieuse parfaitement intolérable. Quand elle fut certaine d'avoir contrôlé la colère qui montait en elle, elle lui fit un signe de tête. Elle n'était pas nécessairement en désaccord avec lui, elle voulait juste avoir un mot à dire quant à l'agencement de sa vie.

Il s'adossa aux oreillers et croisa de nouveau les mains derrière sa tête. Il lui adressa un sourire détendu.

— Bon, maintenant qu'on a abordé le sujet et que nous pouvons enfin avoir cette conversation, si tu me racontais tout sur ta mère et m'expliquais comment tu as pu me soigner ?

# 12

Après un moment de suspens, elle se jeta littéralement hors du lit, saisit son nécessaire à couture et se dirigea avec rage vers la penderie.

— Je ne peux pas croire que tu me poses une question pareille.

Il la suivit et appuya une épaule contre le chambranle. Il avait enfilé un pantalon en soie noire.

— Il est clair que tu m'as guéri avec ton sang. C'est pourquoi tu étais tellement acharnée à le détruire. Tu ne pouvais pas en laisser derrière toi.

Elle le regarda fugacement puis détourna les yeux. Oui, il était vraiment trop sexy. Il était également insupportable.

— Je suppose que lorsque tu m'as promis de ne pas me poser de questions là-dessus, tu voulais dire que tu ne poserais pas de questions tant que tu n'aurais pas envie d'en poser, lança-t-elle d'un ton maussade.

Elle rangea son nécessaire à couture et ressortit de la penderie.

— Bien sûr, répliqua-t-il en lui emboîtant le pas. J'ai appris ça de quelqu'un que je connais. Tu sais, celle qui a promis de ne pas argumenter uniquement quand elle n'en a pas envie. Je me demande qui cela peut bien être...

Elle se planta devant lui avec indignation en agitant un doigt sous son nez.

— C'était différent.

— Ah oui, comment ça ?

— Nous étions alors en danger. Je me réserve le droit de savoir parfois mieux que toi ce qu'il faut faire dans une situation donnée. Alors j'argumenterai chaque fois que j'aurai envie d'argumenter, *mister*.

Il croisa les bras en plissant la bouche.

— Comme tu as fait quand nous étions dans la voiture et que les orques nous encerclaient ?

Elle se renfrogna.

— C'était une erreur de ma part. Je l'ai déjà dit et je me suis excusée. J'aimerais également souligner que si j'avais été une petite fille docile et si j'avais suivi à la lettre tout ce que tu m'as ordonné de faire, je serais encore dans ma geôle. Mon initiative a sauvé ta peau.

— Je l'ai reconnu également. (Il s'approcha de façon que leurs visages se touchent presque.) Tu essaies de changer de sujet. Tu ne veux vraiment pas en parler, hein ?

Elle recula, les yeux ronds.

— Qu'est-ce qui peut bien te donner une idée pareille ? se moqua-t-elle.

Il la suivit, se déplaçant avec elle avec grâce.

— Bon alors, voyons, qu'est-ce que je sais ? Les verrous n'ont pas d'effet sur toi, tu es végétalienne, tu dois conjurer un sort pour masquer ta luminescence et avoir une apparence humaine, et ta mère était vénérée par les Elfes.

— Arrête, murmura-t-elle.

Son regard de prédateur était sans pitié.

— Tu sais, j'ai senti la Force dans ton sang quand je t'ai nettoyée dans la voiture. Puis sur la plaine, lorsque tu as posé la main sur moi. J'ai cru que tu allais me faire tomber par terre. Mais tu n'étais pas sûre que ça marche. C'est parce que tu es hybride, c'est ça ? Toutes ces aptitudes viennent de ton sang wyr. Un héritage de ta mère.

Elle se détourna et balaya la chambre du regard. Celle-ci semblait soudain moins vaste qu'avant. Elle se dirigea vers les portes-fenêtres, les ouvrit et se précipita dehors, avide d'air frais.

Ce fut juste avant de constater l'absence de rambarde ; le balcon était juste une large corniche ouverte. Des bourrasques de vent soulevèrent ses cheveux en sifflant. Tout se mit à tourner.

Des bras musclés la saisirent et la stabilisèrent.

— Mince ! s'exclama-t-elle en tremblant. Il n'y a pas de rambarde.

— Tu étais tellement à l'aise pendant le vol que j'ai cru que tu n'avais pas le vertige.

Il la tira à l'intérieur de la chambre, gardant un bras autour de sa taille pendant qu'il refermait les portes-fenêtres. Il la regarda en fronçant les sourcils.

— Tu es blanche comme un linge.

— Je n'ai pas le vertige – quand il y a une rambarde ! Ou un mur ou une barrière quelconque ! (Elle pointa un doigt vers les baies vitrées.) C'est un précipice de quatre-vingts étages. Pour quelqu'un qui n'a ni parachute ni ailes, ce n'est pas rien.

Il lui frotta le bras avec douceur.

— Pia, le rebord est à au moins six mètres.

— Est-ce que j'ai dit que j'étais rationnelle ?

On frappa à la porte, et Rune et Graydon entrèrent.

— Jamais on attend qu'on vous dise d'entrer, ici ? s'écria-t-elle avec exaspération.

Les deux hommes se figèrent. Ils regardèrent Pia, sa chevelure blonde décoiffée et son expression furieuse, son peignoir rose qui lui arrivait à mi-cuisses et les jambes fuselées qui en dépassaient, jusqu'aux orteils recouverts d'un vernis rouge. Puis ils tournèrent les yeux vers Dragos, torse nu, juste vêtu d'un pantalon de soie noire et qui avait une tresse de cheveux blonds autour du poignet.

Dragos la suivit comme elle se rendait d'un pas vif vers la salle de bains. Elle lui claqua la porte au nez. Il posa les mains sur ses hanches et haussa la voix :

— Le sujet n'est pas clos.

La porte de la salle de bains s'ouvrit à la volée.

— Ce qui concerne ma mère ne te regarde pas ! trancha-t-elle avant de claquer de nouveau la porte.

Dragos se retourna vers les deux hommes. Graydon, le griffon le plus musclé, secouait la tête et s'apprêtait à ressortir. Rune se contentait d'observer la scène.

— Quoi ? s'enquit Dragos.

— Qui êtes-vous ? fit Rune. Et qu'avez-vous fait de Dragos ?

Il leur décocha son sourire carnassier.

— On va s'en aller et on reviendra plus tard, ajouta Graydon.

— Non, pas la peine.

Dragos se dirigea vers le chariot chargé de nourriture et commença à inspecter les plats en soulevant les couvercles d'argent. L'une des assiettes était remplie de porridge, de noix et de pommes. Il reposa vivement le couvercle. L'autre contenait une montagne de bacon frit et au moins six œufs brouillés. Il prit une fourchette et attaqua son petit déjeuner.

— Fais-nous du café, dit-il à Graydon. (Il marqua une pause et eut l'air pensif.) S'il te plaît.

Graydon tourna la tête vers Rune en écarquillant les yeux, puis il répondit :

— Oui, mon seigneur.

Dragos s'installa sur un des canapés, s'empara de la télécommande et alluma la télé sur CNN, la chaîne d'informations. Il mangea rapidement. Rune s'affala sur un autre canapé. Graydon apporta trois tasses de café.

— Plus question de faire irruption dans ma chambre, nota Dragos, les yeux rivés sur les nouvelles du jour.

— Jamais plus, souligna Graydon. Nous ferons passer le message.

— La fée du petit déjeuner s'en est déjà chargée, j'en suis sûr. Quel est l'ordre du jour ?

Dragos finit son repas tout en les écoutant. Ils passèrent en revue toute une liste de questions, d'ordre domestique, administratif, commercial et militaire. Il répondit avec son esprit de décision habituel. Les deux griffons commencèrent à transmettre ses ordres par télépathie aux personnes appropriées.

La porte de la salle de bains s'ouvrit, et des effluves de Chanel flottèrent dans la pièce. Les hommes se turent. Pia sortit, vêtue de son court peignoir. Elle entra dans le dressing et referma la porte.

— Trouvez quelqu'un pour acheter des vêtements à Pia. Veillez à ce qu'il y ait un peignoir plus long sur la liste, fit Dragos d'un air agacé.

Graydon affichait une expression torturée.

— Bien.

— Est-ce que les ouvriers ont fini de réparer l'autre chambre ?

— Presque, dit Rune. Il y a eu des dégâts au niveau de la structure quand tu as, euh… donné un coup de poing dans le mur. Ils s'efforcent de faire le moins de bruit possible. Vu que la pièce est de l'autre côté du bâtiment, le bruit ne devrait pas être trop fort.

Dragos tourna les yeux vers les portes-fenêtres et se frotta le menton.

— Quand ils auront fini, demandez-leur d'élever un muret sur le balcon. Dites-leur de faire la moitié du tour du bâtiment et d'installer des barrières avec des portes à chaque extrémité. Cela laissera suffisamment de corniches ouvertes.

Pia réapparut, vêtue d'un jean taille basse et d'un tee-shirt bleu à manches longues moulant qui laissait voir son nombril. Elle avait un petit sac de toile sous le bras. Elle s'arrêta, incertaine, son regard allant des trois hommes au chariot de nourriture et au lit défait. Elle avait l'air beaucoup plus calme.

Dragos se leva et s'approcha du chariot.

— Viens prendre ton petit déjeuner avec nous. (Il posa son assiette vide et prit le bol de céréales et une cuiller.) Tu veux du café ?

Elle opina et le suivit. Graydon s'apprêta à se lever.

Dragos posa le bol et la cuiller sur une petite table jouxtant le canapé où ils étaient assis.

— Je vais te chercher une tasse de café, dit-il.

Graydon se rassit.

Elle jeta un regard méfiant à Dragos.

— Tu fayotes ?

— Bien sûr.

Il se pencha et lui donna un baiser rapide. Elle sentit le rose lui monter aux joues.

Elle lança un regard de côté aux deux autres hommes. Ils étaient en jean et tee-shirt. Des blousons de cuir étaient jetés sur le canapé, et chacun d'eux portait un holster et un pistolet.

Graydon avait une expression catastrophée. Rune, une expression indéfinissable. Elle se lova dans un coin du canapé, remercia Dragos pour le café et se concentra sur son petit déjeuner, veillant à garder la tête baissée pendant que les hommes s'entretenaient entre eux. Elle avait de nouveau tellement faim qu'elle engloutit son porridge et ses fruits.

Elle sortit de son sac un flacon de dissolvant, des boules de coton et un flacon de vernis à ongles rose foncé. Elle nettoya le vernis rouge, mit des boules de coton entre ses fins orteils et se mit à appliquer le vernis.

D'après ce que Dragos avait décrit, la tour Cuelebre était une véritable petite ville. Rien qu'en les écoutant vaguement discuter, elle prit la mesure de l'importance et de la complexité de Cuelebre Enterprises. C'était une corporation mondiale.

Il y eut une pause dans la conversation. Elle leva les yeux. Dragos s'était tourné vers elle, une jambe posée sur les coussins et un bras drapé sur le dossier. Elle fixa ses orteils à moitié vernis et rougit.

— Je vais aller dans la salle de bains, dit-elle.

— Non. Je veux que tu sois à l'aise ici.

Elle soupira et marmonna :

— Tu ne peux pas dicter ce genre de choses.

— Je peux dicter tout ce que je veux, répliqua-t-il.

Elle leva les yeux au ciel, et reprit sa tâche.

— Autre chose ? demanda-t-il aux griffons.

— Une dernière, fit Rune. Le seigneur suprême des Elfes exige une téléconférence et une preuve que Pia va bien. Elle est devenue une sorte de problème.

Le regard impénétrable du griffon se posa brièvement sur elle, puis il détourna les yeux.

La moutarde monta au nez de Pia.

— Je ne suis pas un problème. Je suis une considération tactique.

Dragos laissa tomber sa main sur son épaule et la pressa. Il lui sourit.

— Mademoiselle Giovanni, reprit Rune. Pardonnez-moi. Je ne voulais pas dire que *vous* êtes un problème. Je voulais dire que les Elfes font de vous un problème.

Le menton reposant sur un de ses genoux, Pia toisa le griffon. Les excuses avaient été faites trop facilement, son beau visage était trop lisse.

Mais ce n'était pas le moment de provoquer un nouvel affrontement.

— S'ils font de moi un problème, pourquoi ne pas le résoudre ? (Elle se tourna vers Dragos.) Tu pourrais tenir la téléconférence et je serais présente.

— Je n'ai absolument pas l'intention de me plier aux exigences de ce clown.

Elle posa une main sur la sienne.

— Est-ce que ce ne serait pas mieux que les Elfes la ferment et disparaissent ? Ce n'est pas comme si tu avais bouffé leurs tulipes ou creusé des trous dans leurs pelouses. Tu n'as pas pissé contre des arbres quand je ne regardais pas, j'espère ?

Le gros nuage orageux qui voilait ses traits se dissipa. Il éclata de rire.

— Je l'aurais fait si j'y avais pensé.

Rune afficha un large sourire, tandis que Graydon pouffait en masquant sa bouche d'une main aussi grande qu'une assiette.

Elle retira les boules de coton qu'elle avait glissées entre ses orteils. Ce n'était pas encore de l'acceptation, mais c'était déjà quelque chose...

Pendant que Dragos prenait une douche et s'habillait, Pia accomplit la tâche qui l'obsédait depuis que Rune et Graydon étaient entrés dans la chambre et retapa prestement le lit. Elle se sentit mieux ensuite, moins exposée, même s'il était évident que Dragos et elle avaient partagé ledit lit. Elle évita de regarder les griffons qui l'observaient avec attention pendant que CNN était toujours diffusée.

Dragos réapparut, vêtu d'un pantalon treillis, de bottes et d'une chemise noire qui moulait son torse musclé. Le symbolisme de sa tenue n'échappa pas à Pia. Il était d'humeur combative. Elle alla chercher une paire de sandales. Elle en choisit des noires à talons plats aux brides ornées de sequins d'argent.

Dragos ouvrit la marche pour descendre. Pia dut trotter pour ne pas se faire distancer. Rune et Graydon formaient l'arrière-garde. Elle regarda autour d'elle. Elle se sentait un peu perdue. Elle ne connaissait pas l'agencement du penthouse et l'itinéraire qu'ils prirent ne lui permit pas de saisir celui de l'étage. Ils passèrent devant une énorme salle de sport équipée de toutes sortes de machines et d'haltères, ainsi qu'une zone d'entraînement aux armes. Elle regarda par les baies vitrées quatre Wyrs qui s'exerçaient à l'épée et faillit rentrer dans un mur. Dragos tendit vivement la main et rectifia sa trajectoire.

La présence du dragon leur ouvrait le passage. Les gens s'écartaient quand ils approchaient, le saluant avec toutes sortes de signes de tête et de courbettes. Elle fit comme si elle ne remarquait pas spécialement les regards curieux de ces inconnus.

Ils arrivèrent enfin dans une salle de conférences aussi somptueuse et immense que le reste. Il y avait déjà quelques personnes dans la pièce. La fée chargée des relations publiques pour Cuelebre Enterprises, Thistle Periwinkle, était debout et se tenait dans une attitude déférente, les mains croisées devant elle. Elle portait un tailleur pantalon en soie bleu ciel et des sandales de style gladiateur. Mesurant tout juste un mètre cinquante, elle avait l'air encore plus petite quand elle était entourée de Wyrs surdimensionnés. La fée faisait face à un mur et parlait elfique. La téléconférence avait commencé.

Dragos prit Pia par la main et s'avança. Regardant la jeune femme avec curiosité, la fée s'écarta. Dragos s'arrêta face au grand écran plat accroché au mur. Rune et Graydon se postèrent juste derrière eux, comme l'exigeait le protocole.

Trois Elfes de grande taille occupaient l'écran. Ils étaient dans un bureau baigné de soleil. Ferion se tenait sur la droite. Une gracieuse femme à la longue chevelure noire et au regard étoilé, sur la gauche. L'Elfe du milieu avait la même beauté intemporelle que les autres, mais la Force dans ses prunelles était palpable, même de si loin.

Ils arborèrent une expression froide en observant Dragos. Le regard du seigneur suprême des Elfes étincela. Dragos ne parut pas troublé. Ses traits avaient pris un air menaçant et son regard glacial était impénétrable.

Bon, ce n'était peut-être pas une idée lumineuse qu'elle avait eue, en fin de compte…

Le seigneur suprême des Elfes posa les yeux sur elle, et le printemps sembla inonder son visage élégant marqué un instant auparavant par la froideur de l'hiver.

— Nous constatons que Ferion n'a pas exagéré, dit-il d'une voix grave et mélodieuse. (Il la salua.) Dame. C'est notre très grand plaisir de faire votre connaissance. Je suis Calondir, et voici ma conjointe, dame Beluviel.

Elle sentit un tremblement s'insinuer sous sa peau. Le sentiment de vulnérabilité était de retour et, cette fois-ci, insupportable. Dans la série des mauvaises idées, faire cette téléconférence devant témoins n'était pas loin d'être l'apothéose.

Dragos lui serra la main au point de lui faire mal. Elle inspira profondément. Elle ne pouvait plus reculer.

— Je suis honorée de faire votre connaissance, répondit-elle. Veuillez me pardonner. Je n'ai pas eu de formation officielle quant à l'étiquette de la cour.

La femme elfe lui sourit.

— En présence d'un cœur noble, de telles choses n'ont aucune importance.

— Vous vouliez voir si elle allait bien. Elle va bien. Point final, déclara Dragos.

— Attendez. Nous souhaitons l'entendre le dire, rétorqua Calondir d'un ton glacial. Dame, allez-vous bien ?

Elle jeta un coup d'œil en direction du profil de marbre de Dragos, puis tourna les yeux vers les Elfes.

— Je suis traitée de manière extraordinairement courtoise et bienveillante, seigneur, dit-elle avec élan. Si je ne l'ai pas voulu, j'ai toutefois commis un crime. Dragos a entendu les circonstances de ce qui s'est passé et ce qui m'a entraînée à commettre ce délit. Il a choisi de me pardonner. Je souhaite vous demander respectueusement de faire la même chose pour lui. Ses actions ne vous ont causé aucun préjudice, je ne peux pas dire la même chose des miennes à son égard, et je le regrette profondément.

Quelque chose vibra dans la salle de conférences, un mouvement imperceptible. Dragos se tourna pour la regarder. Le seigneur suprême l'observa un long moment.

— Nous allons réfléchir à ce que vous venez de dire, déclara-t-il enfin. Si la Bête est capable de faire preuve de courtoisie et d'élégance, peut-être que nous pouvons nous distinguer de la même manière.

Se sentant un peu ridicule, elle s'inclina devant lui.

— Merci, je vous en suis reconnaissante.

— Nous aimerions profiter de cette occasion pour vous convier à nous rendre visite, ajouta Beluviel avec chaleur. Votre présence nous comblerait de bonheur. Nous pourrions parler avec vous de… eh bien, du passé.

Pia comprit que Beluviel avait connu et aimé sa mère. Elle sentit son regard s'embuer.

Dragos s'avança et la tira derrière lui. Le geste était terriblement possessif. Et si elle ne pouvait plus voir grand-chose sur l'écran maintenant qu'il se dressait devant lui, elle put toutefois observer le raidissement des Elfes.

— Arrête, qu'est-ce qui te prend ? lui murmura-t-elle.

Il allait tout gâcher. Elle tira sur son bras. Elle eut l'impression qu'elle essayait de bouger un rocher. Il se tordit et la fusilla du regard. Elle se pencha sur le côté afin de pouvoir être vue des Elfes et leur dit :

— Je vais lui parler.

Le seigneur suprême leva les sourcils. Ferion avait l'air terriblement offensé. Quant à Beluviel, elle semblait stupéfaite. Elle ébauchait un sourire quand l'écran s'éteignit.

Dragos fit volte-face, furieux.

— Tu n'iras pas rendre visite aux Elfes.

— Est-ce que j'ai dit que j'allais rendre visite aux Elfes ? rétorqua-t-elle d'un ton coupant. Je faisais preuve de politesse ! Tu pourrais peut-être lire la définition du mot dans le dictionnaire !

Il balaya la pièce d'un regard courroucé.

— Sortez.

La salle se vida. Thistle regarda Pia en affichant un sourire radieux, les yeux pétillants, puis disparut avec les autres.

Pia poussa un soupir et plaça une main devant ses yeux en baissant la tête.

— Comment en suis-je arrivée là et qu'est-ce que je fous ici ? marmonna-t-elle.

Dragos souffla bruyamment. Elle sentait l'air autour de lui brûler de Force. Il était très en colère après elle, peut-être pour la première fois depuis la plage. Il se mit à faire les cent pas autour d'elle.

— Les Elfes en savent plus sur toi que moi, jeta-t-il avec hargne. Inacceptable. Ils savent qui était ta mère. Inacceptable également. Ils veulent que tu viennes vivre avec eux. Ils sont mes ennemis.

C'en était trop.

— Tout ce que je voulais, c'était essayer de t'aider ! lâcha-t-elle, puis elle enfouit sa tête dans ses mains et fondit en larmes.

Il se mit à jurer. Il posa les mains sur ses épaules, elle se dégagea violemment et lui tourna le dos. Il l'enveloppa de ses bras par-derrière, l'attira contre lui.

— Chhh, fit-il d'un ton toujours courroucé. Arrête. Calme-toi.

Elle sanglota encore plus fort et se voûta.

Il se raidit.

— Pia, s'il te plaît, ne me rejette pas.

Sa voix lasse attira son attention, et elle le laissa la tourner. Il s'appuya contre la table de la salle, lui fit baisser les bras et la serra contre lui. Elle se laissa aller, posant la tête sur son épaule.

— Je n'étais pas censée dire quoi que ce soit sur moi, expliqua-t-elle, les larmes coulant toujours. J'étais censée vivre ma vie en secret. Mais je ne voulais pas être seule. Tout ce que j'ai fait, c'est confier un foutu secret et cette indiscrétion a fait boule de neige, et la boule est devenue de plus en plus grosse. Keith, d'abord, puis toi, puis les Elfes, les orques, le roi des Faes, puis encore d'autres Elfes, et tous les gens dans cette pièce les yeux rivés sur moi. Et tu continues à me harceler.

Il plaça sa joue contre la sienne et lui frotta le dos.

— Je suis affligé d'une curiosité insatiable. Je suis jaloux, égoïste, exclusif et possessif. J'ai très mauvais caractère et je sais que je peux être un salaud cruel. (Il pencha la tête.) Je mangeais les gens, tu sais.

S'il avait l'intention de sécher ses larmes en la choquant, ce fut réussi. Elle laissa échapper une espèce de hoquet de rire.

— C'est affreux, dit-elle. Je suis sérieuse, c'est affreux. Ce n'est pas drôle. Je ne suis pas en train de rire…

— C'était il y a longtemps, soupira-t-il. Des milliers d'années. Je fus la Bête dont parlent les Elfes.

Elle ferma les yeux et inspira profondément.

— Qu'est-ce qui t'a fait arrêter ?

— J'ai discuté avec quelqu'un. C'est alors que j'ai décidé de ne plus manger quelque chose qui parle.

— C'est un peu ta manière d'être devenu végétarien, non ?

Il s'esclaffa.

— Peut-être bien. Bref, tout cela, ce sont des circonvolutions pour te dire que je suis désolé. Je ne saisis pas toujours toutes les émotions d'une situation et je ne voulais pas te faire pleurer.

— C'est tout, ce n'est pas juste toi.

Elle tourna la tête et l'enfouit dans son cou. Il l'étreignit.

— Je veux que tu aies plus confiance en moi que tu n'en as eu pour ton abruti de petit ami.

— Quand est-ce que tu vas arrêter de parler de lui ? Ex-petit ami. Et puis il est mort, de toute façon.

— Je veux que tu me dises qui tu es, non parce que je veux le savoir mais parce que tu veux me le dire.

— Pourquoi ? murmura-t-elle.

— Parce que tu es à moi.

— Je ne suis pas juste une possession, je ne suis pas une lampe !

Elle se dégagea et le fixa d'un œil noir. Il lui rendit son regard, le visage dur, sans montrer le moindre signe de regret.

— Je suppose que c'est ta partie possessive, c'est ça ? soupira-t-elle. Tu sais, je n'ai pas envie de me disputer avec toi.

Comme tout prédateur qui se respecte, il percevait les faiblesses et il en profita.

— Ne te dispute pas, alors. (Il lui décocha un sourire malicieux). Donne-moi juste ce que je veux.

Elle grogna et regarda le sol. Il fallait quand même reconnaître qu'il commandait le respect. Il était franc et direct, assumait ce qu'il était et ce qu'il voulait, sans la moindre honte. Pas comme elle.

— Il faut que je réfléchisse à plein de choses, dit-elle.

Il fronça les sourcils. Ce n'était pas ce qu'il voulait entendre. Il appuya sa main sur sa nuque pour lui faire relever la tête et pouvoir la regarder dans les yeux. Ils étaient encore plus grands et plus beaux que d'habitude, immenses nappes bleu foncé tirant sur le violet. Elle le regarda, guettant sa réaction. Ce n'était pas ce qu'il voulait non plus.

Voilà qu'elle était de nouveau pensive et, plus que jamais, un mystère. Cela le rendait fou. Sans se rendre compte qu'il faisait un pas de géant dans leur relation, il demanda :

— Qu'est-ce que tu veux ?

La surprise éclaira le visage de Pia. Oserait-elle faire preuve d'autant de courage que lui et dire tout haut ce qu'elle voulait ?

— Je crois que je veux ce que beaucoup de gens veulent. Je veux me sentir en sécurité. Je veux décider de ma vie. Je veux être aimée. Je ne veux pas vivre cette vie bâtarde, n'être ni humaine ni wyr. Je voudrais être entière, pas hybride. Je veux appartenir à quelque chose.

Il l'écoutait, une expression indéfinissable mais attentive sur le visage. Son regard était clair et bienveillant, réceptif.

— Je ne sais pas ce que veut dire l'amour, dit-il. Mais tu appartiens à quelque chose. Tu appartiens à ce lieu, avec moi. Tu seras en sécurité. Et je crois que tu es plus wyr que tu ne le penses.

— Comment ça ? s'étonna-t-elle.

— Tu es plus forte depuis que nous sommes revenus de l'Autre Contrée. Je le sens chez toi. Tu ne l'as pas remarqué ?

— Eh bien, maintenant que tu le dis… (Elle eut un petit rire.) J'ai été un peu trop occupée pour digérer tout ce qui s'est passé, mais je continue à me sentir comme je me suis sentie là-bas – je ne sais pas, plus vivante. Mon ouïe, ma vision, tout, tout est… *plus*.

— Tu te souviens, je t'ai dit que parfois, lorsque des hybrides sont plongés dans la magie d'une Autre

Contrée, ils sont en mesure de réaliser pleinement leur nature wyr.

Elle empoigna son tee-shirt. Ce qu'il disait pouvait-il être vrai ?

Il recouvrit ses mains des siennes.

— Quand est-ce que tu as essayé de changer de forme la dernière fois ?

— Il y a des années, chuchota-t-elle, son regard se faisant lointain. Après la puberté. C'était avant la mort de ma mère. Je crois que j'avais seize ans. On a essayé tous les six mois environ. Une fois que je fus adulte, on a décidé que ce n'était plus la peine de nous imposer cette épreuve. Cela ne la dérangeait pas, elle m'aimait inconditionnellement. Mais je ne cessais de ressentir une profonde déception en constatant que je n'arrivais pas à me transformer.

Il lui toucha le nez.

— Seize ans, c'est jeune pour renoncer. La plupart des Wyrs vivent beaucoup plus longtemps que les humains, même les Wyrs qui sont mortels, et ils atteignent leur maturité plus tard.

Elle osait à peine respirer.

— Je ne sais pas quoi penser.

— Je ne veux pas te faire de promesses, mais au fil du temps, j'ai aidé beaucoup de Wyrs à gérer un premier changement difficile. Si tu veux essayer de nouveau et que tu me fais confiance, je ferai tout ce qui est en mon pouvoir pour t'aider.

# 13

Elle se jeta à son cou et le serra fort contre elle. Puis elle se mit à arpenter la pièce, l'esprit en tumulte. Elle se rua de nouveau vers lui pour le serrer encore contre elle. Il rit et l'attrapa par les hanches.

— Est-ce que tu m'as entendu quand j'ai dit que je ne pouvais rien promettre ?

— Bien sûr que je t'ai entendu, répondit-elle d'un ton distrait.

Elle se concentra sur lui, le visage grave. Si cela marchait, elle serait traquée jusqu'à la fin de sa vie. Mais elle allait de toute façon être traquée et pourchassée.

— Très bien, alors. (Il marqua une pause.) Réfléchis-y. Tu me diras ce que tu décides.

Elle opina. Il l'embrassa et lui caressa la joue. Puis il se dirigea vers la porte et l'ouvrit. Des groupes de gens discutant entre eux se mirent presque au garde-à-vous.

— Qui a besoin d'être là ? lança-t-il.

La plupart s'égaillèrent comme des moineaux. Quelques-unes de ses sentinelles, y compris Rune et

Graydon, restèrent. Pia s'essuya le visage sur sa manche dans l'espoir de se rendre plus présentable.

La responsable des relations publiques de Cuelebre Enterprises contourna Dragos et rentra dans la salle tandis qu'il s'entretenait avec les autres. Elle se précipita sur Pia avec un air radieux.

— Bonjour ! Qu'est-ce que je suis heureuse de faire votre connaissance !

Interloquée, Pia saisit la main minuscule que la fée lui fourrait sous le nez.

— Bonjour, merci. Vous êtes Thistle Periwinkle, n'est-ce pas ?

— Oh, je vous en prie, grogna la fée. C'est mon nom ridicule pour la télévision. Appelez-moi Tricks comme tout le monde, et d'ailleurs tutoyons-nous, d'accord ?

— OK... Tricks. Je m'appelle Pia.

— Écoute, je sais que nous n'avons pas beaucoup de temps, enchaîna Tricks en agitant les mains. Mais j'ai plein de trucs à te dire.

— D'accord, fit Pia. Vas-y.

— D'abord, je suis désolée de ce que mon oncle Urien t'a fait. Je le hais, il a tué mes parents et nous allons lui couper la tête, puis il faudra que je sois reine, mais avant que tout cela arrive, on va déjeuner ensemble, d'accord ?

Pia avait l'impression que la fée venait de sauter sur sa tête et de se mettre à faire des claquettes dessus.

— Tu es sérieuse ?

— Autant qu'une crise cardiaque, répliqua Tricks. Et puis je voulais te dire que tu as été super avec M. et Mme J'ai-avalé-un-parapluie. Vraiment super.

Pia éclata de rire.

— Tu parles des Elfes ?

Tricks fit un clin d'œil et fronça son petit nez couvert de taches de rousseur.

— Bien entendu. Tu veux un job ?

— *Quoi ?*

— J'ai besoin d'embaucher quelqu'un pour me remplacer. Oui, quoi, avec l'exécution à préparer et la reprise du trône et tout. Et je pense que tu serais géniale. Oh, écoute, on n'a pas le temps de parler de tout ça maintenant. On en discutera en déjeunant.

La fée regarda par-dessus son épaule et fit un V avec l'index et le majeur de ses deux mains, à l'instar de Nixon.

— Deux choses encore, rapidement. D'abord, tout le monde n'est pas ravi que tu sois ici. Plein de gens sont formidables, mais il y en a aussi qui, à mon avis, sont de tristes sires dangereux. Je n'ai personne de précis en tête, remarque… mais il y a beaucoup de prédateurs qui travaillent dans le bâtiment. Et cela veut dire qu'il y a quelques caractériels et parfois ça explose sans trop d'avertissement, alors prends soin de toi et fais attention, voilà.

— Prédateurs, caractériels, répéta Pia en regardant la fée avec fascination. Oui. Je pense que j'aimerais déjeuner avec toi.

— Bien sûr que oui ! s'exclama Tricks, qui baissa la voix. Et puis il y a Dragos. Oh, mon Dieu, il est fou de toi. (Elle gloussa.) Cela fait deux cents ans que je vis à la cour des Wyrs et je ne l'ai jamais vu dans cet état. Tout le monde flippe parce que *personne* ne l'a jamais vu dans cet état. Bon, tu sais que c'est un homme et un dragon et tout ça, et donc il a des problèmes pour exprimer ses sentiments, pour communiquer, mais ouh là là, ma chérie, il est tellement sexy et séduisant, si tu vois ce que je veux dire… alors, bravo ! (Elle pouffa de nouveau et tendit la main pour frapper celle de Pia.) Déjeuner aujourd'hui, une heure, ça marche ?

— Ça marche, répondit Pia d'une voix hébétée en frappant la petite main tendue vers elle.

Dragos, fou d'elle ? Vraiment fou d'elle ? Pas juste une passade ? un caprice ? Elle se mordit la lèvre.

— Faut que je me sauve.

Tricks lui fit un clin d'œil et sortit en sautillant juste au moment où Dragos, Rune et Graydon rentraient. La fée donna une tape à Rune sur le bras :

— Veille à ce que Pia soit dans mon bureau à une heure.

— Est-ce que j'ai la tête d'une secrétaire qui s'occupe des rendez-vous ? demanda Rune.

Trick étrécit les yeux.

— Est-ce que j'ai la tête de quelqu'un qui s'en préoccupe ? J'ai un million de trucs à faire avant mon départ, alors ne m'enquiquine pas.

Rune s'esclaffa et la serra contre lui en l'enlaçant d'un bras.

— Pardon, pipelette. Je sais que tu n'as pas eu une semaine facile.

Tricks s'éloigna, ses minuscules talons cliquetant le long du couloir.

— Tu as l'air passablement étourdie, fit Dragos en embrassant Pia. Tricks a en général ce genre d'effet sur les gens.

— Je suppose, dit-elle en souriant timidement.

— Quand elle est en phase maniaque, c'est un peu comme prendre du crack pour la première fois, ajouta Rune.

— Bien, fit Dragos d'un ton pressé. J'ai des choses à faire, il faut que je parle à Tiago, que je planifie une décapitation. (Il leva les yeux sur Pia.) Ça va ?

Elle lui sourit avec moins d'hésitation.

— Oui.

— Parfait. (Il marqua une pause.) Merci pour ce que tu as fait pendant la téléconférence.

— De rien.

Il regarda Rune et Graydon.

— Elle fait ce qu'elle veut, compris ?

Graydon s'absorba dans la contemplation de ses chaussures avec une expression de martyr et se frotta la nuque.

— Dragos, cela risque d'entraîner, euh... beaucoup de considérations tactiques, remarqua Rune. Tu ne crois pas qu'il serait plus simple de limiter ses mouvements ?

— Pourquoi parlent-ils d'elle à la troisième personne quand elle est debout à côté d'eux ? marmonna-t-elle avec agacement.

Des yeux d'or en fusion croisèrent les siens. Était-ce son imagination, ou ses lèvres s'étaient-elles pincées sous l'effet d'une émotion contenue ? Dragos se tourna ensuite vers Rune et lui décocha son sourire carnassier :

— Va te faire voir. Je ne suis pas son maître-chien.

Il sortit. La salle de conférences, privée de sa présence écrasante, sembla s'assombrir et s'agrandir soudain. Pia toisa ses deux gardes au visage de marbre. Ouh là là.

— Mademoiselle Giovanni, fit Rune d'une voix suave, les yeux rivés sur un point quelque part derrière elle. Pour votre commodité et votre plaisir, Dragos a fait venir quelqu'un pour vous assister dans vos achats aujourd'hui. La personne devrait arriver d'une minute à l'autre.

Pia dévisagea le griffon. Elle se retourna, tira le fauteuil qui se trouvait à l'extrémité de la table et s'affala dedans. Elle posa les mains à plat sur la surface polie.

— Est-ce que vous pouvez tous les deux vous asseoir ? demanda-t-elle.

Après un moment, Rune s'assit à sa droite et étendit ses longues jambes. Graydon prit le fauteuil à sa gauche. Les deux hommes échangèrent un regard circonspect.

— Bon, dit-elle doucement, absorbée dans la contemplation de ses mains. Ces dix derniers jours, on m'a fait du chantage, j'ai été traquée, menacée, j'ai eu un terrible accident de voiture qui m'aurait transformée en chair à pâté si votre patron n'avait pas été là, j'ai été kidnappée, rouée de coups et pourchassée une nouvelle fois. J'ai dû affronter une armée d'orques, le roi des Faes et trente ou quarante de ses acolytes, et tout ce qui touchait à mon existence a été détruit.

Elle entendit Rune aspirer une goulée d'air.

— Je n'ai pas fini, beau gosse. Je dois supporter l'attitude macho et autocratique de Dragos, vu qu'il fonctionne ainsi. Juste pour que vous compreniez ce que je veux dire quand je déclare que ma patience est passablement émoussée. J'ai bien compris que vous n'avez aucune envie de faire les baby-sitters. Vous avez été on ne peut plus clairs. Je n'ai moi-même aucune envie d'avoir des baby-sitters, mais c'est ainsi. Alors est-ce qu'on peut gérer la situation simplement ou est-ce qu'il faut qu'on se complique la vie ?

Elle les regarda. Graydon avait posé les coudes sur la table et l'observait. Elle remarqua pour la première fois qu'il avait de très jolis yeux gris ardoise.

Rune avait croisé les bras sur sa poitrine et rivait les yeux sur elle.

— Beau gosse, répéta Graydon. Elle t'a pas raté, mec.

— Va te faire foutre, répliqua Rune.

— En fait, histoire de vous tenir au courant, dit Graydon à Pia, il est le diplomate de la bande.

Rune se pencha vers lui.

— Ferme-la.

Elle se mordit la lèvre pour s'empêcher de sourire.

Rune leva les yeux vers elle.

— OK, mademoiselle Giovanni, essayons de reprendre à zéro et on verra comment ça se passe.

— Appelez-moi Pia, et tutoyons-nous.

Il fit un signe d'assentiment.

— Juste une chose, sache que si tu fais quoi que ce soit pour trahir Dragos, je te tuerai.

— Waouh, beau gosse, ça fait pratiquement de nous des super copains, non ?

Graydon explosa de rire. Après un moment, Rune afficha lui aussi un large sourire.

— D'accord, Pia. Qu'est-ce que tu vas faire aujourd'hui ?

— Nous savons déjà que je retrouve Tricks pour déjeuner. Qu'est-ce que vous pensez que je devrais faire ?

C'était manifestement la chose à dire, car les deux hommes se détendirent.

— Le plus sûr serait que tu ne bouges pas du penthouse.

Elle poussa un soupir. Rune poursuivit :

— Mais je peux comprendre que ça ne te dise rien. Le mieux, alors, serait de rester dans la tour. Nous t'escorterons dehors si tu le souhaites vraiment, mais je ne crois pas que ce soit une bonne idée pour l'instant et, si je peux me permettre d'être direct, je crois que Dragos pense la même chose.

Elle prit un air pensif. Elle n'avait donc pas imaginé le moment fugace de lutte intérieure qui avait agité Dragos. Il avait mis un frein à ses impulsions pour la laisser choisir elle-même.

— Autre chose : j'aimerais que nous allions à la salle de sport et que nous voyions avec toi quelques mesures de sécurité.

Elle opina.

— D'accord, j'ai pris des cours, donc ça devrait aider. Je vous propose de me faire visiter la tour, c'est possible ? Et puis il faut que je m'achète de nouvelles tennis. Les miennes sont foutues. J'ai environ mille deux cents dollars sur mon compte d'épargne, si je peux y accéder. Ensuite, après avoir déjeuné avec Tricks, on pourrait aller à la salle de sport.

Rune fouilla dans sa poche et en ressortit une carte en plastique. Il la posa sur la table et la poussa vers elle sans un mot.

Une carte American Express Platine. Avec son nom gravé dessus.

Une myriade d'émotions la saisit, à commencer par la vexation. Est-ce qu'il essayait de *payer* pour elle, comme si elle était une prostituée ? Est-ce que c'était pour qu'elle puisse se distraire pendant qu'il était occupé, jusqu'à ce qu'il se lasse d'elle et décide de l'éliminer ? Elle joignit ses mains tremblantes et inspira plusieurs fois.

Au fur et à mesure qu'elle se calmait, elle se souvint de Tricks parlant de Dragos et soulignant qu'il était un homme et un dragon, ce qui voulait dire qu'il n'était pas un expert dans l'art de la communication.

Aussi, l'amusement fut finalement l'émotion qui l'emporta en elle. Dragos ne la traitait pas comme une putain. Il essayait de lui faire plaisir.

Les griffons l'observaient d'un air impassible.

— Cette carte, ça ne va pas, je ne veux même pas en parler. (Elle posa un doigt dessus et la repoussa vers Rune.) Écoutez, tout ce que je veux, c'est deux ou trois cents dollars de mon propre argent, un café frappé et des chaussures neuves. D'accord ?

Le visage de Rune s'éclaira de son premier « vrai » sourire tandis que lui et Graydon se détendaient encore un peu plus.

— Et si je te prêtais un peu d'argent en attendant que tu en tires toi-même de ton compte bancaire ? Il y a un Starbucks au rez-de-chaussée et quelques boutiques, une pharmacie, et un restaurant potable.

— D'accord, merci.

C'est à ce moment-là qu'un homme mince aux cheveux noirs fit irruption dans la salle de conférences. C'était la personne chargée de l'aider dans ses achats, un Wyr qui répondait au nom de Stanford.

— Hello, miss, ravi de faire votre connaissance. Regardez ce que je vous ai trouvé. Un peignoir en satin noir de chez Dolce & Gabana. Oh là là, avec vos cheveux et votre teint de peau, vous allez être sublime dedans !

Il posa une boîte devant elle qui portait le logo de Saks Fifth Avenue, l'ouvrit d'un geste théâtral, sortit le vêtement et le lui présenta.

— Allez, ma chérie, touchez-le, voyez comme c'est divin.

Pia regarda le peignoir. Pressant les doigts juste au-dessus de son arcade sourcilière droite où pointait un mal de tête, elle répliqua :

— Bonjour, ravie de faire votre connaissance également, Stanford. Combien a coûté le peignoir ?

L'homme la regarda comme si des cornes venaient de lui pousser.

— Coûté ?

— Et pourquoi l'avez-vous acheté ? J'ai déjà un peignoir qui me convient parfaitement.

Graydon s'éclaircit la gorge. Il lui donna une petite tape sur le bras. Elle se pencha, et il lui murmura :

— Je crois que le patron veut que tu aies quelque chose d'autre qu'un bout de tissu rose qui te couvre à peine le derrière. Maintenant, ne te méprends pas, tu as un très joli derrière.

— Pardon ? fit-elle en se redressant vivement.

Le colosse rougit jusqu'aux oreilles. Il leva un doigt.

— Non pas que j'aie eu l'intention de sortir un truc pareil ni de remarquer ledit derrière ni de. Merde. Je veux dire, je pige pour la carte, mais à ta place, je laisserais le patron t'offrir un peignoir. Je ne crois pas qu'il apprécie trop que nous te voyions enveloppée dans ton mignon petit mouchoir rose.

Elle serra les dents, laissa passer un moment, puis s'adressa à Stanford.

— Merci pour le peignoir, il est ravissant.

Le Wyr afficha un sourire radieux.

— Voilà qui est mieux. Bon, alors occupons-nous maintenant de faire du shopping sérieux. Vous et moi, ma chérie. Je vais vous aider à avoir l'air d'une reine !

— Stanford, dit-elle en regardant le petit homme. Est-ce que vous touchez des commissions ou est-ce que vous êtes payé à l'heure ?

Il pinça les narines et secoua la tête.

— Oh, je ne suis pas sur commissions, ma chérie. Non, non.

— Est-ce que tu as un peu de liquide à me prêter ? s'enquit-elle en se tournant vers Rune.

Il sortit son portefeuille et lui tendit un billet de cent dollars.

— Est-ce que je peux avoir la carte aussi ?

Il leva un sourcil, mais lui tendit la carte de crédit.

Elle se retourna vers Stanford, lui donna le billet et la carte.

— Je veux deux choses, s'il vous plaît. D'abord, je veux que vous alliez m'acheter une paire de baskets New Balance, taille 37, et que vous me la rameniez avec la monnaie. Ensuite, je veux que vous preniez la carte et que vous fassiez un don à toutes les banques alimentaires de New York.

Le petit homme pâlit.

— Toutes les banques alimentaires ? De la ville ou de l'État ?

Elle eut l'air interloqué.

— Je n'avais pas pensé à ça. Disons, toutes celles de l'État. Quand est-ce que vous pouvez me procurer les chaussures ?

— Vous les aurez cet après-midi, répliqua Stanford d'un air déconfit.

— Merci. (Elle regarda Rune avec malice.) Il a dit que je pouvais avoir tout ce que je voulais.

— Pas de doute là-dessus, il l'a bien dit, répondit le griffon en souriant.

Stanford s'éclipsa, et les deux griffons lui firent visiter la tour comme promis. Ils étaient désormais suffisamment détendus pour discuter, ce qui rendit la visite beaucoup plus agréable. Elle eut rapidement une bonne idée de l'agencement des lieux.

L'étage où se trouvait le penthouse était l'étage des appartements privés de Dragos. Le tableau qui avait attiré son attention la veille était en effet un Chagall, et il était accroché en face d'un Kandinsky. Jouxtant la chambre qu'ils avaient occupée la nuit précédente, se trouvaient deux autres chambres immenses, l'une drapée dans des bâches en plastique car on était en train d'y faire des travaux, sous la surveillance étroite de gardes attachés à la sécurité. La cuisine du penthouse semblait tout droit sortie d'un magazine culinaire professionnel. Elle se trouvait juste à côté d'une salle à manger qui pouvait accueillir au moins douze Wyrs. On trouvait également à l'étage une grande bibliothèque meublée de fauteuils et canapés, riche de plus de vingt mille ouvrages portant sur une myriade de sujets. Le lieu comportait également une vitrine pour accueillir les livres plus anciens et fragiles.

La salle de séjour était similaire à leur chambre avec des baies vitrées. Deux écrans plasma se trouvaient à chaque extrémité. Seuls les sentinelles et du personnel choisi de la cuisine, de la sécurité et chargé des tâches ménagères, avaient accès à cet étage.

L'étage en dessous abritait plusieurs vastes pièces : la salle à manger des cadres, la salle de conférences, la salle de sport, les bureaux personnels de Dragos et enfin une grande salle de réunion. En dessous se trouvaient les quartiers des sentinelles et les appartements de certains cadres de l'entreprise, ainsi que des dignitaires de la cour et des invités. Deux étages étaient réservés aux bureaux des avocats et de leur personnel. Un cabinet entier d'avocats travaillait pour Cuelebre Enterprises.

La richesse, l'extravagance de la tour avec ses sols en marbre turc veiné d'or, ses lampes en verre dépoli et ses appareillages électriques en cuivre, proclamaient l'étendue du pouvoir et de la fortune de Cuelebre. Pas tout à fait aussi haut que l'Empire State Building, le bâtiment n'en était pas moins un palais.

Au centre du hall d'entrée du rez-de-chaussée se dressait une sculpture datant du IIIe siècle qui dominait les visiteurs. Sœur intacte de la *Victoire de Samothrace* qui se trouvait au Louvre, la sculpture représentait une superbe déesse à l'expression grave. Elle était drapée dans une robe ample, ses ailes majestueuses déployées derrière elle. Elle tenait une épée dans une main et son autre main était à hauteur de sa bouche car elle appelait, semblait-il, des troupes invisibles à lancer un assaut. La statue venait de la Grèce ancienne, mais l'inscription sur le piédestal était en latin :

*REGNARE.*

Régner.

Une fois au rez-de-chaussée, elle n'en pouvait plus et c'est avec joie qu'elle commanda son frappé. Elle avait besoin de sa dose de caféine. Graydon prit un grand café, et Rune un café glacé noir, ainsi qu'une dizaine de viennoiseries et plusieurs sandwichs. Ils choisirent une table dans un coin, et si leur attitude était détendue et tranquille, ils orientèrent leurs chaises de façon à pouvoir garder un œil sur le reste du Starbucks. Ils pouvaient de plus observer les va-et-vient du rez-de-chaussée à travers les fenêtres.

Pia balança un pied en buvant sa boisson. Elle essaya de ne pas fixer la montagne de nourriture qui disparaissait rapidement.

— Les gens parlent « d'empire », remarqua-t-elle, mais c'est impossible à comprendre tant que vous n'avez pas vu tout cela de vos propres yeux.

— C'est Dragos qui a bâti tout ça, fit Rune en engloutissant un morceau de gâteau aux carottes. Il y a mille cinq cents ans environ, il s'est rendu compte que les Wyrs devaient s'unir et former leur propre société. C'était le seul moyen de protéger notre identité et nos intérêts alors que les sociétés humaines et celles des autres Anciens se développaient.

— Ouais, ce dragon est redoutable, pouffa Graydon. Je ne crois pas que quelqu'un d'autre aurait pu le faire. Il a rapproché les immortels et les mortels, nous a imposé ses lois et nous a botté le cul suffisamment longtemps pour qu'on se mette tous, nous les prédateurs, à rentrer dans le rang et à lui obéir. C'était ça ou mourir. Il y a eu des époques sanglantes au début.

— Ça semble terriblement féodal comme système, commenta-t-elle.

— Ça ne le semble pas seulement, ajouta Rune. C'est féodal. Un grand nombre de Wyrs sont des créatures pacifiques, Stanford en est un bon exemple, qui n'ont pas de problème à se fondre dans la société humaine. Mais un plus grand nombre encore doivent savoir qu'ils passeront un très mauvais quart d'heure s'ils ne respectent pas les règles.

— C'est ce que vous faites tous les deux, n'est-ce pas ? Leur faire respecter les règles ? Je veux dire, quand vous ne faites pas du baby-sitting...

— Chacun des quatre griffons commande les forces wyrs sur un quadrant du domaine, expliqua Graydon. On est des espèces de shérifs. Mais de temps à autre, on nous fait faire du baby-sitting. (Il la poussa gentiment de l'épaule.) Tu n'es pas si spéciale que cela, beauté.

Elle sourit.

— Merci, je me sens beaucoup mieux.

C'est alors que la montre de Rune émit un signal sonore. Il poussa sur un bouton pour l'arrêter.

— C'est l'heure de ton déjeuner. Le moment est venu de nous rendre dans le bureau de Tricks, dit-il en se levant.

Dans l'ascenseur, les deux hommes discutèrent ensemble comme peuvent le faire deux amis. Pia resta coite tandis qu'elle réfléchissait au déjeuner. Elle se tourna pour faire face au miroir qui couvrait l'une des parois de l'ascenseur. Comme son peignoir, son jean venait d'un supermarché et elle avait elle-même coupé ses cheveux.

Le tailleur en soie de Tricks avait été dessiné par un grand couturier et ses sandales avaient dû coûter aussi cher qu'une voiture. C'était totalement dément de retrouver la fée pour discuter d'un job de relations publiques ! Même si on lui offrait le poste, elle ne pourrait pas l'accepter.

Elle pivota vers la porte comme ils atteignaient le soixante-dix-neuvième étage. Les portes s'ouvrirent sur Tricks qui courait vers eux, ses petits poings serrés et son adorable visage minuscule tordu de fureur. La fée se tourna et s'appuya contre le mur, l'attention manifestement accaparée par le hall qui se trouvait derrière elle.

Pia jeta un regard hésitant en direction de Rune et de Graydon. Les deux griffons échangèrent un coup d'œil. Dans un mouvement qui donnait l'apparence de la tranquillité, Rune lui saisit le bras, la guidant en silence vers un coin de l'ascenseur, pendant qu'il appuyait sur le bouton permettant de garder les portes ouvertes. Graydon posa une main sur son arme.

Sur les talons de la fée surgit le gigantesque Amérindien que Pia avait remarqué parmi le groupe de sentinelles qui avait accueilli Dragos à son retour. Faisant près de deux mètres et pesant plus de cent kilos avec des tatouages représentant des fils de fer barbelés encerclant des biceps très musclés et des cheveux noirs très courts où le rasoir avait tracé un motif de volutes, le Wyr n'était pas moins effrayant en plein jour qu'il ne l'était la nuit. On aurait dit que son visage avait été façonné à l'aide d'une machette.

Le tonnerre roula au loin. Graydon leva les sourcils. Ne les remarquant pas ou se moquant de leur présence, le mâle bifurqua. Tricks surgit derrière lui et frappa l'arrière de sa tête du plat de la main.

L'Amérindien fit volte-face à la vitesse d'un éclair. Il saisit Tricks par les épaules et la souleva de sorte qu'elle se retrouve nez à nez avec lui.

Pia émit un son involontaire. Son instinct prit le dessus et elle voulut intervenir, faire quelque chose pour aider la délicate fée. Rune resserra sa main sur son bras, l'immobilisant.

— Pas quand il y a de l'orage dans l'air, lui glissa-t-il.

Qu'est-ce que cela pouvait bien vouloir dire ?

Tricks se mit à tonitruer :

— J'en ai ras les sourcils de ton caractère de cochon, Tiago ! J'aimerais que tu te souviennes que je ne m'appelle pas « Bordel Tricks » ni « Va au diable Tricks ». Dorénavant, d'ailleurs, ces expressions sont illégales – la prochaine fois que tu ouvres la bouche pour me crier dessus, tu as intérêt à ce que ce soit : « Allez au diable, ma dame ! »

Ils se mesurèrent du regard pendant un moment tendu, puis la rage qui assombrissait les traits de Tiago sembla se fragmenter.

— Dorénavant ? répéta-t-il, avant de pouffer. Tu plaisantes, n'est-ce pas ?

Elle lui donna un coup de pied dans le mollet.

— Ne pense même pas à te moquer de moi !

Il se mit à rire à gorge déployée, et l'assassin impitoyable au visage taillé à la serpe se transforma en un homme vraiment beau.

— Mais tu es tellement mignonne quand tu es en colère. Regarde-toi. Le bout de tes oreilles devient rose.

Comme la colère du mâle wyr se dissipait, la fée sembla se comprimer, vibrant d'une fureur encore plus grande.

— Pas le truc à dire, abruti, trancha-t-elle.

Et elle lui envoya son poing dans l'œil.

Le rire de Tiago se transforma en hoquet.

— Aïe. (Il mit une main sur son œil.) Tu peux faire tous les caprices que tu veux, tu ne quitteras pas New York sans détachement de sécurité.

Il y eut un signe qu'elle ne capta pas, mais Rune et Graydon se détendirent. Rune la lâcha. Elle le fusilla du regard et se frotta le bras, même s'il avait manifestement veillé à ne pas lui faire mal. Elle suivit les griffons quand ils sortirent de l'ascenseur.

— Tiago, disait Tricks d'un ton qui trahissait son exaspération. D'abord, Urien n'est pas encore mort.

— Je lui donne une semaine, répliqua Tiago.

— Deuxièmement, continua la fée, une fois qu'il sera mort, Dragos et moi avons décidé qu'il n'y aura pas de Wyr autorisé à me suivre quand je m'en irai. Les Faes noires n'accepteront jamais la présence d'une force wyr, et si l'un des autres domaines soupçonne seulement que les Wyrs essaient de contrôler la succession des Faes noires, ce sera la bérézina.

— C'est suicidaire, fit Tiago en croisant les bras, ses muscles saillant. Et c'est impossible.

— Troisièmement, continua Tricks, je vais être *reine*. La reine l'emporte toujours sur un chef de guerre wyr, connard. Je sais que tu es habitué à commander ta propre armée, mais ça ne se passe pas comme ça à New York et ça ne se passe pas comme ça avec moi. Alors fais-toi à l'idée ou rentre chez toi. Si tu as un chez-toi. Si tu vis même dans une maison.

— Je vis dans une maison quand j'ai le temps, rétorqua Tiago en prenant un air renfrogné.

Rune s'avança.

— Quand est-ce que Dragos et toi avez décidé que tu quitterais New York sans gardes du corps ? demanda-t-il.

La fée lui jeta un regard gêné.

— On en a discuté ce matin.

Graydon les rejoignit.

— Je crois que nous devons revoir cette décision, mon chou. Quand tu vas révéler publiquement ta véritable identité, ça va faire de sacrés remous. La plupart des gens croient que toute ta famille, toi y compris, est morte. Et il va y avoir des Faes noires qui vont se sentir méchamment spoliées quand elles vont découvrir que tu es la légitime héritière de leur trône.

Tricks se boucha les oreilles.

— On ne parle pas de ça. Je ne parle pas de ça.

Toujours dans l'ascenseur, Pia observait le quatuor avec fascination. Elle ne comprenait pas tout ce qui venait de se passer, mais il était clair que les quatre individus étaient en pleine dispute familiale.

Elle regarda autour d'elle, mal à l'aise, se sentant une intruse. Elle reconnut où ils se trouvaient. Deux massives portes en chêne à double battant se trouvaient à l'autre bout du hall, et elles étaient ouvertes. Elles donnaient sur les bureaux de Dragos.

Piquée par la curiosité, elle franchit le hall en catimini et jeta un coup d'œil dans le sanctuaire, découvrant un endroit encore plus luxueux que le reste. Elle en eut le souffle coupé. Elle était à peu près certaine qu'elle avait un Jackson Pollock devant les yeux.

Dragos était là, absorbé dans une conversation avec un grand jeune homme aux cheveux en désordre qui arrivait à avoir l'air débraillé alors qu'il portait un costume coûteux. Dragos l'aperçut et lui sourit. La chaleur du sourire fit battre son cœur et elle lui sourit à son tour.

Une seconde plus tard, une expression de rage assombrissait ses traits, et la transformation était tellement inexplicable et inattendue qu'elle recula. Il s'avança vers elle et, la saisissant, l'attira vers lui.

— Elle n'est pas seule, on est là. On ne la quitte pas des yeux, fit Graydon en apparaissant derrière elle.

Elle se retourna comme Dragos jetait un regard noir dans le hall. Rune s'était planté quelques mètres plus loin.

Dragos se détendit et son expression s'adoucit. C'est à ce moment-là que Pia comprit ce qui venait de se passer : sa rage n'avait pas été tournée vers elle, mais vers ses gardes du corps.

— Si je te mets autant en colère une fois, dit-elle, tu me donneras une chance de m'expliquer, n'est-ce pas ?

Il l'embrassa prestement.

— Tu ne me mettras jamais autant en colère.

Elle avait pleinement conscience du regard fasciné que le jeune mâle posait sur elle. Elle sentit le rouge lui monter aux joues. Elle tapota affectueusement le bras de Dragos et murmura :

— Du moment que tu le crois, *mister*.

Il se tourna.

— Pia, je te présente l'un de mes assistants, Kristoff.

Elle rencontra le regard du jeune Wyr qui brillait d'admiration. Il lui sourit timidement.

— Bonjour.

— Ravie de faire votre connaissance, dit-elle.

— Prends dix minutes, fit Dragos à Kristoff.

Il escorta Pia dans son bureau. Les stores étaient tirés et la vaste pièce était baignée de soleil. Elle cligna des yeux, éblouie. Elle indiqua la porte de la main.

— Je ne voulais pas te déranger. Ils étaient tous en train de discuter dehors et je me suis dit que j'allais juste jeter un coup d'œil…

— Ce sont eux qui me dérangeaient. Ils font assez de bruit pour réveiller les morts.

Il poussa un bouton sur le mur. Les stores verticaux se fermèrent dans un ronronnement presque inaudible, restant à moitié ouverts, mais tamisant suffisamment la lumière pour qu'elle ne fasse pas mal aux yeux.

— Ton arrivée a été tout à fait bienvenue, ajouta-t-il.

Elle reporta son attention vers les fenêtres et le ciel bleu sans nuages.

— On a entendu le tonnerre.

— La forme wyr de Tiago, expliqua-t-il en soupirant, est l'oiseau-tonnerre. Quand il se met en colère, il y a des éclairs et du tonnerre. C'est quelque chose à voir pendant une bataille. Normalement, il se contrôle beaucoup mieux, mais tout le monde est à cran en ce moment.

Pia avisa soudain les deux paysages accrochés aux murs.

— Oh, ils sont magnifiques ! s'exclama-t-elle.

Elle s'approcha. L'effet aérien du paysage avait été créé grâce à l'utilisation de plusieurs éléments :

peinture, tissu, paillettes et perles. Un fleuve coupait la toile du paysage de jour. Le paysage de nuit, quant à lui, donnait l'impression de villes constellant un patchwork campagnard. Elles lui correspondaient bien. Elle l'imaginait assis à son bureau et les contemplant en ayant l'impression de voler dans les airs. Elle se tourna pour lui sourire, ravie.

Son expression s'éclaira de surprise et de plaisir.

— Oui, répondit-il simplement.

Un léger coup frappé à la porte les fit se retourner. Tricks se tenait dans l'embrasure, un sourire contrit sur les lèvres.

— Je suis désolée que tu aies dû assister à la scène dans le hall, dit-elle à Pia.

— Va au diable, ma dame, fit Dragos d'un ton amusé.

La fée rougit.

— Quoi, tu n'as jamais rien dit d'idiot dans un accès de colère ?

— Jamais.

Il saisit le poignet de Pia et l'attira vers lui en s'appuyant contre son bureau. Il se mit à tracer des cercles légers sur son dos.

— Dragos, il faut que tu fasses quelque chose, reprit la fée. Tiago me rend folle.

— Apparemment, répliqua-t-il.

Tricks fronça les sourcils.

— Je suis super amie avec toutes les autres sentinelles, expliqua-t-elle à Pia, mais je connais à peine ce type. Il est toujours quelque part en train de combattre des trucs. Ces deux cents dernières années, on a eu peut-être une dizaine de conversations chaque fois qu'il a été rappelé à New York. Et soudain, il bouillonne de colère et est hargneux, et pense qu'il peut me dicter ce que je dois faire. Non, mais je rêve ! C'est un chien galeux, Dragos. Il ne devrait pas être autorisé à mettre un pied dans la maison. Est-ce que tu peux le renvoyer en Amérique du Sud, s'il te plaît ?

— Le contrat en Amérique du Sud est sans importance. Je l'ai annulé il y a une demi-heure. Nous rappelons les troupes.

Les épaules minces de Tricks s'affaissèrent. Elle décocha à Pia un sourire triste.

— Et si on commandait de l'alcool avec le déjeuner ?

— Bonne idée, fit Pia.

# 14

Pia et Tricks dirent au revoir à Dragos et sortirent de ses bureaux. Dans le hall, Graydon et Rune s'entretenaient toujours avec Tiago. Tricks ne prêta aucune attention au trio. Tiago lui jeta un regard noir. L'homme hilare et séduisant que Pia avait aperçu fugacement avait été une nouvelle fois remplacé par l'assassin aux traits taillés à la serpe. Elle régla son pas sur les petites foulées de la fée en gardant une expression neutre.

Tricks l'emmena à Manhattan Cat, le restaurant situé au rez-de-chaussée.

— C'est une renarde wyr qui en est propriétaire, expliqua-t-elle comme elles traversaient le grand hall animé. Lyssa Renard est une garce un peu snob, mais elle s'y connaît en cuisine.

— J'ai entendu parler du restaurant, fit Pia qui constata que Rune et Graydon la suivaient à quelques pas. Il a reçu quelques bonnes critiques.

Tricks poussa la porte du restaurant.

— Tu es végétarienne, n'est-ce pas ? Il y a bien sûr beaucoup d'animaux et de poissons morts sur le menu, mais il y a aussi quelques bonnes salades et quelques plats à base de tofu. Et puis surtout, ils ont ce petit vin que j'adore. Tu aimes le vin blanc ?

— Absolument.

Tricks se tourna vers l'hôtesse, une jeune chatte wyr élancée et aux yeux bridés qui s'approchait d'elles en souriant, des menus à la main.

— Bonjour, Élise, désolée du retard.

— Pas de problème, Tricks.

Le décor du restaurant était sobre et élégant avec beaucoup de bois sombre, des nappes de lin blanc et des fleurs fraîches coupées. Toutes les tables étaient prises et si une ou deux personnes saluèrent Tricks, la plupart des clients ne leur accordèrent aucune attention. Le brouhaha des conversations et le bruit des couverts les accompagnèrent tandis que l'hôtesse les guidait jusqu'à une petite salle privée située au fond du restaurant.

La salle comptait trois tables. S'effaçant devant Pia, Tricks s'arrêta sur le seuil.

— Nous allons prendre deux tofus sautés aux légumes, une bouteille de muscadet, et pas d'hommes autorisés, dit-elle à Élise.

Celle-ci fit un signe de tête en souriant et s'éclipsa.

— Oh, allez, Tricks, grommela Graydon.

— Non, répliqua la fée. Vous connaissez cette salle. Vous savez qu'il n'y a qu'une entrée et donc qu'une sortie. Et vous savez qu'elle est avec moi. Alors, débrouillez-vous.

Tricks leur claqua la porte au nez. Pia éclata de rire.

— Ils n'ont aucun endroit où s'asseoir devant la porte, dit-elle.

— Je sais. Je suis encore en colère contre eux. Ces murs sont insonorisés. Nous allons pouvoir papoter tranquillement.

Le déjeuner arriva vite. Le serveur laissa la porte ouverte, le temps de déposer les plats et le vin devant elles. Dehors, Rune les observa d'un air soupçonneux jusqu'à ce que la porte se referme.

— Ils sont inquiets pour toi, déclara Pia spontanément. Il est clair que tu vas leur manquer.

— Ils vont me manquer aussi, admit Tricks d'un air triste.

Pia s'assit.

— Je suis désolée. C'était une remarque très personnelle.

— Ce n'est pas grave, répondit Tricks en s'installant à côté d'elle. Ce sont des types tellement formidables, Pia. Même cette tête de mule de Tiago. Tous sans exception se feraient tuer pour toi.

— Oh, dit Pia gentiment, ils se feraient tuer pour *toi*.

— Pour toi aussi, parce que Dragos veut que tu sois protégée.

Mince. La tristesse de la fée commençait à lui faire monter les larmes aux yeux à elle aussi.

— Je crois que je sais ce que tu ressens, fit Pia. Pas l'histoire d'être reine de manière imminente, ça c'est complètement en dehors de ma stratosphère. Mais le reste.

— Tu veux dire, la fin de la vie que tu as toujours connue ?

— Oui, c'est ça.

Tricks se mit soudain à rire.

— Comment avons-nous fait notre compte pour plomber ainsi l'atmosphère ? Nous n'avons même pas fini notre premier verre de vin. (Elle prit son verre.) À ta santé, nouvelle copine !

— À la tienne, dit Pia en touchant son verre.

Tricks avala son vin d'un trait.

— Bon, maintenant, passons aux choses sérieuses. Les potins ! Il faut que tu saches qui ment, triche, est hypocrite, veut se venger de quelque chose. Je suis ici pour te donner la feuille de route que toute fille devrait avoir avant de commencer à bosser dans cet asile de fous.

Affamée, Pia attaqua son repas.

— Il faudrait un organigramme.

— Génial, approuva la fée. Un stylo.

Pia la regarda palper les poches de son tailleur, puis trottiner vers la porte et l'ouvrir pour attraper une serveuse. Elle revint l'air triomphant, armée d'un stylo, et se mit à écrire sur la nappe blanche sans cesser de jacasser, traçant des cercles et des flèches reliant des noms entre eux. Elles finirent leur déjeuner. Le serveur apparut et repartit avec leurs assiettes. Les verres se remplirent de nouveau.

Un peu plus tard, Pia se frotta le nez. Elle regarda son verre de vin vide, puis les bouteilles vides posées sur une table. Sa nouvelle amie était assise de travers sur sa chaise.

— Comment tu t'appelles, déjà ? demanda Pia.

— Ça doit être écrit quelque part sur ce tableau, fit la fée en rigolant.

Pia baissa les yeux sur les gribouillis noirs qui couvraient la nappe.

— On allait parler d'un truc, non ?

— Bien sûr. Tu vas reprendre mon boulot.

— OK.

Elle opina. C'était une solution parfaite. Bien sûr que ça l'était.

Mais attends. Il y avait quelque chose qu'elle devait se rappeler à ce propos. Des doutes, d'autres facteurs, des raisons absolument évidentes qui dictaient qu'elle ne devait pas accepter. Il y avait quelque chose...

Quelque chose qui scintillait autour d'elle, une Force féminine si légère, délicate et effervescente qu'elle la remarquait seulement maintenant, des heures après avoir été saturée de sa présence.

Son amie écrivait quelque chose. *T. R. I. C. K. S.* La fée dessina des cœurs et des fleurs autour de son nom tout en fredonnant.

— Tricks, fit Pia.

Tricks leva les yeux de son dessin, la langue pointant entre ses dents.

Pia posa un coude sur la table, le menton dans la main.

— Est-ce que ta Force est associée par hasard au charme ou au charisme ?

— Et si c'était le cas ? répondit Tricks en se grattant l'oreille.

— Je ne crois pas que ce soit une bonne idée que je dise oui à ce que tu me demandes alors que nous nous trouvons dans la même pièce et que je suis ivre, c'est tout.

L'une des paupières de Tricks se baissa, lui donnant un air malicieux. Puis elle eut un sourire radieux, et le soleil et la joie inondèrent la pièce.

— Pffff, fit-elle.

L'après-midi se transforma en début de soirée. Dragos, Kristoff et Tiago regardèrent le journal télévisé. Kristoff se tenait debout, une main couvrant sa nuque. Tiago se tenait droit, bras croisés. Ses biceps se contractaient et faisaient onduler ses tatouages.

Dragos était installé à son bureau. Il tapotait sa bouche de ses doigts en regardant le reportage diffusé sur une grande chaîne nationale qui était en train de violemment critiquer Cuelebre Enterprises.

Deux êtres d'une grande beauté étaient à l'écran. L'un était une reporter humaine, l'autre le roi des Faes noires.

Pour la première fois depuis des dizaines d'années, Dragos voyait le visage de son ennemi. Urien avait le teint et les caractéristiques physiques des Faes noires, de très grands yeux gris, des pommettes saillantes, une peau blanche et des cheveux noirs qui lui arrivaient aux épaules. Sa chevelure en catogan révélait d'élégantes oreilles pointues.

— ... Bien entendu, annuler le projet est un coup financier pour cette communauté et pour l'État de l'Illinois, déclarait Urien avec un sourire qui arrivait à exprimer le regret tout en restant charmeur. Et pas seulement pour les emplois potentiels qu'il représentait. Nous avons perdu une source précieuse d'énergie propre et économique qui aurait été produite par une nouvelle centrale nucléaire et nous pouvons remercier Cuelebre Enterprises pour ça. Comme vous le savez, la nation doit relever le défi de réduire les émissions de carbone. Le seul moyen d'atteindre cet objectif est de développer des technologies propres, telles que les éoliennes et la puissance solaire. L'énergie nucléaire se doit de faire partie de cette gamme...

Dragos appuya sur la touche silence. Il regarda Tiago et son assistant morose.

— Urien a bonne mine pour un homme mort, fit remarquer Tiago.

— Bien trop bonne, gronda Dragos.

— Je n'arrive pas à croire qu'il puisse être hypocrite à ce point, ajouta Kristoff amèrement. Il parle d'énergie propre et de réduction des émissions de carbone alors qu'il continue à faire exploser des montagnes et qu'il dirige l'une des entreprises les plus polluantes de la planète. Vous savez que notre contact, Peter Hines, a rejeté, comme nous l'avions prié de le faire, la demande de subvention. Il a été viré aujourd'hui. Et l'attaque médiatique d'Urien est intervenue plus tôt dans l'après-midi. Les actions sont en baisse dans six de nos entreprises.

— Celles dont le siège est dans l'Illinois, précisa Dragos.

— Oui.

— Oh, arrête un peu, Kris ! s'exclama Tiago d'un ton impatient. Est-ce que tu pensais qu'Urien allait accepter de perdre son projet chéri sans moufter ? Bien sûr qu'il allait attaquer. Au moins, tu as la satisfaction de savoir que tu l'as vraiment mis en pétard. En général, il n'intervient jamais sur les médias humains.

Kris mâchouilla un de ses ongles.

— Je sais ce qui va se passer maintenant : RYVN va redéposer une demande de subvention auprès du remplaçant de Hines. Ensuite, ils auront l'opinion publique pour eux.

— Tant que je suis en vie, cette subvention, ils ne la verront pas, décréta Dragos. Je veux que vous fassiez ce qu'il faut pour démanteler le partenariat RYVN.

Il se leva et posa bruyamment les mains sur son bureau. Tiago garda le silence pendant que Kris s'absorbait dans la contemplation de ses pieds, attendant que Dragos contrôle sa rage. Il reprit la parole après un moment, légèrement calmé.

— Trouvez Hines, offrez-lui un boulot. C'est un bureaucrate – il devrait être en mesure de faire quelque chose qui nous convienne.

— Peut-être qu'il pourrait rejoindre notre équipe de lobbyistes à Washington, fit Kris.

— Occupe-t'en, sur-le-champ.

Kris sortit précipitamment. Dragos tourna les yeux vers Tiago :

— Et nom d'un chien, va me trouver cette ordure que je puisse la déchiqueter.

— J'y travaille, répondit Tiago. On va mettre la main sur lui.

Dragos suivit d'un regard courroucé sa sentinelle qui tourna les talons. Trouver Urien prenait trop de temps. Il gronda, puis se força à se dominer. Il faut que j'arrête de détruire les meubles. Il y a trop à faire et pas le temps pour des réparations…

Ses pensées bifurquèrent vers Pia. Il jeta un coup d'œil par la fenêtre et fronça les sourcils en voyant que la nuit tombait. Il sortit de son bureau et descendit un étage. Le penthouse était parfaitement silencieux. Il parcourut les pièces. Personne.

Ça ne lui plaisait pas. Mais à quoi s'était-il attendu ? Avait-il pensé que Pia l'attendrait docilement ? Comme une employée ?

— *Rune*, appela-t-il télépathiquement.

— *Encore en train de déjeuner*, répliqua Rune.

Encore en train de déjeuner ? Dragos se dirigea vers l'ascenseur. Quelques minutes plus tard, il franchissait le seuil du Manhattan Cat et traversait le restaurant.

Rune et Graydon étaient postés de chaque côté de la porte close de la salle réservée aux VIP. Graydon piétinait sur place et Rune était adossé au mur, bras et chevilles croisés. Dragos mit les mains sur ses hanches et l'interrogea du regard.

— Plat de tofu servi à 13 h 30. Quatre bouteilles de vin. Le serveur a apporté un plateau de desserts au chocolat et une bouteille de cognac il y a environ trois quarts d'heure. La dernière fois que la porte s'est ouverte, elles chantaient *I Will Survive*, énuméra Rune.

— Qu'est-ce que c'est ?

Graydon rigola.

— Un tube des années 1970. Je crois qu'elles le chantaient pour exprimer une espèce de « communion féminine après une rupture avec un petit ami nul et comment on s'en remet ».

Dragos releva vivement la tête comme s'il avait reçu une décharge électrique. Il venait d'avoir l'une des pensées les plus surprenantes et les plus désagréables du siècle.

Est-ce que je suis un *petit ami* ?

Il gronda et ouvrit la porte à la volée.

Pia et Tricks étaient à quatre pattes, riant et hoquetant. Les tables et les chaises étaient repoussées contre le mur. Pia était occupée à plier une nappe blanche couverte de gribouillis.

— Attends une minute, disait Pia. Je t'assure que je l'ai vu. Si tu plies l'organigramme de la bonne façon – regarde, les noms s'alignent les uns sur les autres. Toutes ces personnes ont couché ensemble également.

Tricks pouffa.

— Comment t'as remarqué ? Ma parole, c'est un truc tout droit sorti du *Da Vinci Code*. Il faut qu'on mette des lunettes steampunk avec des verres spéciaux et tout, et peut-être qu'on remarquera autre chose. Attends. Ça vient.

Elle laissa échapper un long rot.

Pia se mit à compter pendant toute la durée de l'échappement d'air.

— ... deux, trois, quatre... Oh, tu as gagné. (Elle regarda la petite fée avec émerveillement.) Où est-ce que tu as pu emmagasiner tout cet air ?

— C'est un don, répondit Tricks.

La mauvaise humeur de Dragos creva comme une bulle d'air et son visage se fendit d'un sourire. La queue-de-cheval blonde de Pia s'était presque défaite et avait glissé sur une de ses oreilles. Tricks avait retiré ses sandales et roulé son pantalon de soie jusqu'aux genoux. Il s'appuya contre le chambranle et attendit de voir celle qui le remarquerait en premier.

Ce fut Pia. Elle s'accroupit tandis que surprise et ravissement éclairaient son visage.

— Coucou.

Surprise et ravissement, un cadeau pour lui, rien que pour lui. Il lui sourit.

— Tu es ronde comme une barrique.

Tricks le vit elle aussi. Elle poussa un hurlement et écarta les bras afin de cacher la nappe.

— Personne ne peut voir ça !

Rune contourna Dragos et pencha la tête avec curiosité pour essayer de lire ce qui était écrit.

— Pourquoi, ce sont des secrets d'État ?

— Presque !

Tricks commença à mettre le tissu en boule. Rune s'empara d'un coin et tira. Elle se jeta dessus.

— *Noooooooooon !*

Dragos ne leur accorda aucune attention. Il s'accroupit devant Pia et repoussa avec douceur une de ses mèches derrière son oreille. Elle était toute rouge et le regardait en dodelinant légèrement de la tête.

— Tu vas être malade comme un chien, demain matin.

— On pensait juste... fit-elle, incapable de finir la phrase. (Elle le regarda avec émerveillement.) Tu es le plus bel homme que j'aie jamais vu et je te le dirais aussi si je n'avais pas bu.

La fureur et la frustration qui avaient envahi plus tôt Dragos s'évanouirent totalement, une véritable transmutation alchimique. Il passa les mains sous ses coudes en riant avec bonheur et la souleva pour la remettre debout.

— Qu'est-ce que tu peux encore m'avouer ?

Elle se pencha et chancela en lui murmurant à l'oreille :

— Tu es le mec le plus sexy que j'aie jamais vu aussi. Tu sais, ta longue queue de reptile, couverte d'écailles, est plus grosse que toutes les autres. Non pas que j'aie fréquenté beaucoup d'hommes ou que je fasse des comparaisons, hein. (Elle eut un hoquet et le regarda d'un air inquiet comme il s'esclaffait.) Est-ce que je viens de franchir une limite dans la conversation ?

— Oui, on peut dire ça.

Il la soutint et, contournant Rune et Tricks en train de lutter pour la nappe, l'escorta vers la porte.

— Tu as fréquenté combien d'hommes, déjà ?

Elle leva deux doigts et les regarda en fermant un œil.

— Un ne compte plus, il est mort. (Elle enfonça ses doigts dans sa joue.) Je ne sens plus mon visage. Comment s'est passée ta journée ?

— Bien.

Il prit sa main, replia un doigt et déposa un baiser sur l'index qui restait tendu, puis ils sortirent du restaurant.

Le lendemain après-midi, Pia enfila des vêtements de sport et ses nouvelles chaussures. Elle noua ses cheveux en une queue-de-cheval serrée.

Ses souvenirs de la nuit précédente étaient flous. Elle se rappelait avoir beaucoup parlé et flirté, s'être sentie intelligente, belle et spirituelle tandis que Dragos la taquinait et riait avec elle. Elle se souvenait d'être littéralement tombée dans le lit en poussant des cris et en lui donnant des coups de pied pendant qu'il la chatouillait sans pitié. Elle s'était endormie, lovée contre lui. Il avait enroulé la cascade de sa chevelure autour de ses mains.

Elle était seule dans le lit quand les effets de ses excès l'avaient enfin rattrapée, tard dans la matinée. Poussant un grognement, elle avait découvert un petit flacon sur l'oreiller de Dragos. Il palpitait de magie. Un morceau de papier attaché au goulot disait : *Bois-moi.*

La potion lui avait sauvé la vie. Elle espérait que quelqu'un avait eu la bonté d'en donner à Tricks également. Même avec le breuvage, elle avait dû attendre un moment avant de pouvoir avaler quoi que ce soit. Maintenant, après un déjeuner léger, elle était prête à aller s'entraîner dans la salle de sport.

Elle ouvrit la porte. Les deux griffons interrompirent leur conversation. Leurs expressions étaient bien trop impassibles.

— Est-ce que j'ai dit ou fait quelque chose hier soir qui mérite que je vous fasse des excuses ? lança-t-elle.

— Pas toi, mignonne, répondit Graydon. Mais apparemment, plein de gens dans la tour devraient en faire.

— Oh non... Vous avez mis la main sur la nappe ?

— Avant que la petite teigne me morde, acquiesça Rune en souriant.

Ils descendirent. Une vingtaine de personnes suaient et soufflaient dans la salle de sport. Certains étaient sur les machines, d'autres s'entraînaient avec des partenaires. L'une des zones d'entraînement avait un parquet usé mais bien entretenu, et l'autre était recouverte de tapis.

Graydon alla au vestiaire se changer, puis Rune s'y rendit à son tour. Quand il revint, il fit signe à Pia et à Graydon de se placer au milieu des tapis. Les deux hommes portaient un débardeur moulant et un pantalon de coton noir.

Des curieux s'attardaient au bord de la zone et les observaient. Pia inspira profondément et essaya de dissiper les papillons qu'elle sentait dans son ventre, mal à l'aise. Elle étira les muscles de son cou.

— Bon, on va passer en revue quelques techniques d'autodéfense de base, expliqua Rune. Pia, la leçon principale, c'est que les experts, c'est nous. Tu fais ce qu'on te dit quand on te le dit. Si je te dis de te baisser, tu as intérêt à te baisser illico. Si Gray te dit de t'aplatir à terre, tu le fais. Le plus difficile à gérer, c'est qu'une attaque intervient en général sans avertissement, alors il est absolument essentiel de suivre les ordres sans hésitation et sans discussion.

— D'accord, dit-elle.

— Gray, mets-toi derrière Pia. Tu vas faire l'attaquant. Pia, Gray va te surprendre par-derrière en faisant mine de t'entraîner avec lui. Je veux que tu te concentres sur la manière dont il va te saisir et la position de vos deux corps. Nous allons travailler sur l'étude des moyens susceptibles de te permettre de te dégager, ça marche ?

— Ça marche.

Graydon se plaça derrière elle. Pour un homme de cette taille, il ne faisait aucun bruit. Elle respira profondément en se remémorant l'entraînement qu'elle avait reçu.

Reste ferme, mais souple. Ancrée, mais flexible.

Elle concentra sa force mentale et la focalisa sur Graydon. Elle l'entendait respirer, percevait ses mouvements. Ses sens, l'ouïe, la vue, tous ses sens n'avaient jamais été aussi affûtés.

Il bondit à une vitesse inhumainement rapide.

Coule comme l'eau.

Elle fit un pas de côté en se pliant au niveau de la taille et sentit sa main effleurer son bras. Elle effectua un mouvement de torsion et se mit en équilibre sur un pied, le sentit se détendre et trouva sa puissance de levier.

Graydon atterrit sur le dos, et le sol trembla sous l'impact. Le silence tomba sur la salle de sport tandis que les machines ralentissaient et s'arrêtaient. Les griffons la regardaient tous les deux.

Graydon lâcha un juron.

— Qu'est-ce que t'as fait, putain ?

Rune, les mains sur la taille, éclata de rire.

— Elle t'a fichu au tapis, c'est tout.

— Je suis désolée, est-ce que j'ai fait un truc qu'il ne fallait pas ? demanda-t-elle avec anxiété tandis qu'ils continuaient à la fixer. Est-ce que j'étais censée le laisser me saisir ?

— Non, non, je crois que tu as fait exactement ce qu'il fallait, dit Rune.

Il tendit une main à Graydon et l'aida à se lever. Ce dernier la fusilla du regard.

— Bon, ça va, je roupillais. Ma faute. Tu as dit que tu avais pris des cours et on aurait dû t'écouter. Mais on va recommencer, mignonne, et cette fois-ci tu ne bénéficieras plus de l'effet de surprise.

— OK.

Ils reprirent leurs positions initiales et elle se dressa sur ses demi-pointes, la tête penchée, concentrée sur le sol. Cette fois-ci, intriguée par l'acuité de ses sens, elle concentra sa puissance mentale sur Graydon et Rune. Leur Force et leur énergie physique lui facilitaient la tâche, et elle arrivait facilement à assurer une prise mentale sur eux.

Graydon attaqua, son corps entraîné par des siècles de combat. Elle se laissa couler et lui échappa. Cette fois-ci, il la suivit dans son mouvement et projeta un bras en avant pour la ceinturer.

Mais elle n'était plus là. Elle se déplaça où il ne l'attendait pas, captant l'énergie qu'il mettait dans son bras et celle avec laquelle il projetait son corps en avant, et s'en servant de levier. Le sol tonna quand il percuta le tapis.

Il le frappa du poing.

— Putain de merde !

Rune s'esclaffa.

Graydon se releva d'un bond avec une force, une agilité et une vélocité absolument stupéfiantes pour un homme de cette taille, et elle recula d'un pas.

— Tu peux te marrer, connard, lança-t-il à Rune avec énervement. C'est à ton tour d'essayer.

— Oh, arrête de pleurnicher, fit Rune qui se tourna vers Pia. T'es prête ?

Elle haussa les épaules, mais c'était un geste rapide et tendu.

— Donne-moi ce que tu as, beau gosse.

Il se jeta sur elle, utilisant sa vélocité et sa ruse, et elle perçut qu'il ne se retenait pas du tout. Elle recula en traçant une courbe élégante au moment où il l'atteignait, et elle exploita la puissance de son élan. Elle frappa le tapis et, reculant, se servit de ses pieds et d'une de ses mains pour le projeter par-dessus sa tête. Il se retrouva dans les airs pendant une seconde, puis percuta violemment le tapis tandis qu'elle complétait sa culbute et atterrissait avec grâce et légèreté.

Rune toussa, son expression figée. Quelqu'un murmura et cria quelque chose. Distraite, elle regarda en direction du bruit. Leur public applaudissait.

— C'était super gracieux et classe ! rugit Graydon.

Il lui donna une tape amicale sur l'épaule qui la fit vaciller. Elle grogna en chancelant, et il la rattrapa.

— Oh, pardon, mignonne. Je ne voulais pas te faire mal. Ça va ?

Il avait l'air tellement inquiet qu'elle n'eut pas le cœur de se plaindre. Elle frotta la zone endolorie.

— C'est bon, dit-elle. Ça va.

Rune se remit debout.

— Va chercher Bayne et Constantine, lança-t-il à l'un des spectateurs qui partit en courant.

Il s'approcha de Pia, les yeux étrécis.

— Qu'est-ce que tu as étudié exactement ?

— Wing chun, jiu-jitsu, le maniement de quelques armes. Des trucs de base, l'épée et le couteau. Je peux charger et tirer un pistolet ou une arbalète. Je ne suis pas très bonne avec un arc.

Il l'observa.

— Dragos nous avait dit que tu n'étais pas une guerrière.

— Mais je ne le suis pas. Pas comme vous. Je n'ai pas l'instinct de tuer et je n'aime pas les armes.

— Tu pourrais tuer si tu le devais ?

— Si je n'avais pas d'autre choix. Mais sinon, tout l'entraînement que j'ai reçu est concentré sur la fuite.

— Excellent, on peut bosser avec ça. Quelle discipline préfères-tu parmi celles que tu as étudiées ?

Elle réfléchit.

— Je dirais que c'est le wing chun. J'en apprécie les principes d'efficacité, l'application pratique et l'économie de mouvements, sans oublier l'évaluation de l'énergie de l'adversaire. C'est élégant. J'ai eu un professeur qui m'a dit une fois que le meilleur combat s'apparentait à un haïku, sobre, simple, et bref. Le wing chun a quelque chose de cette philosophie.

Il opina.

— Quel est ton point fort, d'après toi ?

— La vitesse, je pense. Faut être réaliste. Si vous aviez voulu vraiment me régler mon compte et aviez mis la main sur moi, j'étais cuite.

— Très bien. Et ton point faible ?

Elle baissa la tête, frotta sa nuque et avoua :

— Suivre des ordres. Je ne l'ai jamais fait avant. Je vais m'appliquer, mais si l'un de vous crie « baisse-toi », je pourrais être l'andouille qui relève la tête.

Les deux autres griffons, Bayne et Constantine, les avaient rejoints, si bien que Pia était encerclée par un énorme mur de muscles et avait l'attention de tous ces mâles. Rune les regarda.

— Faut que vous voyiez ça, les gars. Pia, tu peux continuer ?

— Comment ça, je peux continuer ? (Elle fit un petit bruit avec sa bouche pour exprimer son dédain.) Je n'ai pas encore transpiré, beau gosse.

— Ah, voilà les mots d'une combattante, mignonne, fit Graydon d'un ton ravi.

Bayne et Constantine essayèrent chacun leur tour de la mettre au tapis. Chaque griffon se retrouva à terre. Ils eurent un peu plus de poids quand ils s'y mirent à deux. La sueur mouilla le débardeur de Pia. Ils étaient non seulement de formidables guerriers avec des centaines d'années d'expérience, ils étaient motivés et apprenaient vite. Elle dut accentuer ses efforts.

Elle passa à la vitesse supérieure, sachant qu'elle devait en apprendre encore plus d'eux que ce qu'ils apprenaient d'elle. Elle était totalement focalisée sur les quatre Wyrs. S'ils rigolaient tous et plaisantaient, elle savait que c'était plus qu'une simple séance d'entraînement, mais bel et bien ce qui pourrait devenir une question de vie ou de mort.

Dragos avait passé une soirée absolument captivante avec Pia. Le matin, il l'avait tenue endormie dans ses bras et avait regardé le soleil se lever. Il avait alors fait la découverte d'une toute nouvelle expérience, un sentiment de plénitude totale, de paix.

Mais c'était ce matin. Depuis, son humeur avait tourné au vinaigre.

La forteresse des orques avait été abandonnée. Il n'avait pas été possible d'interroger qui que ce soit. Le cirque médiatique d'Urien avait été enregistré à l'avance. Quand ils avaient enquêté sur le lieu de l'interview, il avait décampé depuis longtemps et personne n'était en mesure de dire où il se planquait. Ceux qui suivaient la piste de l'ex-petit ami de Pia et de son bookmaker étaient arrivés dans une impasse. Et les actions des entreprises de l'Illinois continuaient à chuter.

Et puis il y avait le souci, qui n'était pas le moindre, de son trésor. Si le roi des Faes avait été en mesure de fabriquer un sort pour localiser le lieu où il gardait ses richesses, l'endroit était désormais compromis. Peu importait que le sortilège n'ait marché qu'une fois, et que Pia soit la seule à connaître l'emplacement du trésor. Urien pouvait très bien créer un autre sortilège.

Impossible aussi de savoir ce qu'un sortilège de cette puissance était en mesure de faire sur autre chose. Il envisagea d'alerter les alliés qu'il comptait parmi les Anciens, mais s'il le faisait, il devrait reconnaître sa propre vulnérabilité.

Pour couronner le tout, le maire de New York exigeait de lui parler. Ses électeurs voulaient à tout prix qu'ils parviennent à un accord relatif au contrôle des nuisances sonores de sorte que l'incident de la semaine passée ne se reproduise plus jamais.

Le gouverneur de l'Illinois l'avait appelé en personne pour se plaindre de la persécution à son égard concernant le partenariat RYVN.

Le tribunal des Anciens lui avait adressé une sommation en vue d'évoquer son « acte d'agression » dans le domaine des Elfes et certaines allégations quant à un massacre de Faes dans une Autre Contrée.

Un courrier spécial émanant du seigneur suprême des Elfes était arrivé avec une invitation destinée à Pia pour qu'elle leur rende visite au moment du solstice d'été. Pia uniquement, personne d'autre. Le seigneur suprême serait ravi de lever l'embargo commercial imposé sur les Wyrs dès qu'il recevrait, par écrit, l'acceptation de Pia.

En général, il aimait beaucoup travailler avec les sociétés internationales qui traitaient avec Cuelebre Enterprises. C'était un peu comme disputer plusieurs parties d'échecs en même temps. Mais aujourd'hui, il avait l'impression de porter des vêtements trop serrés sur une peau à vif. Il voulait les arracher et griffer les murs.

Il se mit à arpenter la pièce. Il ne faisait que penser à Pia. Elle était là, partout, et il n'arrivait pas à se concentrer sur autre chose. Il ne voulait pas s'occuper de tous ces problèmes. Qui se souciait franchement que les actions dans l'Illinois plongent ?

Et pourquoi ne pouvait-on pas tout simplement lui envoyer en colis express la tête d'Urien ?

Il posa les mains sur la fenêtre et s'appuya dessus en contemplant sa ville. Quand il lui avait demandé la nuit dernière si le poste de Tricks l'intéressait, l'étincelle qui animait son magnifique regard avait été remplacée par de la circonspection.

— Il faut que j'y réfléchisse, avait-elle dit. Il faut que je réfléchisse à plein de choses.

Mais à quoi devait-elle réfléchir, bordel ?

Ses magnifiques yeux bleu nuit le regardaient avec désir. Il aurait juré qu'elle l'étreignait avec une affection sincère. Elle était généreuse et spontanée. Il était prêt à perdre la tête dès qu'il pensait à la sensation ressentie quand il était en elle, sa beauté quand elle jouissait. Il sentit son membre se raidir en se rappelant les sons qu'elle laissait échapper lorsqu'ils faisaient l'amour.

Il était stupéfait de constater à quel point il était facile de lui parler, combien il *voulait* lui parler, et se disputer avec elle pimentait ses journées.

Elle était *sienne.* Pourquoi ne pouvait-elle pas le reconnaître ?

Chaque fois qu'il pensait qu'il la tenait, il ressentait ce qui s'était passé quand il lui avait envoyé le rêve destiné à l'envoûter : elle se transformait en fumée et se dissipait entre ses doigts.

Ces sorts de protection qu'elle avait dans la tête. C'était là qu'elle disparaissait. Elle se retirait dans cette citadelle élégante. Il ne pouvait pas l'atteindre, à moins de démolir la barrière et de briser son esprit.

Il fronça les sourcils. Il trouverait un moyen d'investir la citadelle. Il en faisait le serment.

Déterminé à évacuer sa frustration et à se concentrer sur quelque chose d'utile, il ouvrit la porte et sortit de son bureau afin de voir si Kris avait des choses à lui dire.

Il n'y avait personne dans les bureaux avoisinants. C'est alors qu'il entendit le tumulte. Il accéléra le pas en longeant le couloir. Il tourna un coin.

Une petite foule était massée dans le hall devant la salle de sport. Ils étaient tous collés aux vitres. Un cri s'éleva alors qu'il s'approchait, et à l'intérieur, les gens se mirent à applaudir et à s'exclamer.

Il se fraya un chemin et entra dans la salle, où il vit Graydon et Bayne debout devant les tapis d'entraînement. Ils observaient quelque chose, les bras croisés, et s'esclaffaient.

Graydon l'aperçut.

— Eh, patron, merci pour le nouveau jouet, lança-t-il en souriant.

— Qu'est-ce que tu racontes ? fit Dragos.

— On joue à un nouveau jeu : clouer l'herbivore. Aucun de nous n'arrive à comprendre ce qu'elle peut bien être, mais putain, elle est rapide ! Pour l'instant, le score est de 10 à 2, et ce ne sont pas les griffons qui gagnent.

Il arriva au bord de la zone des tapis. Constantine était accroupi, les bras tendus, concentré sur la lutte qui se déroulait devant lui.

— Vas-y, attaque-la !

Rune et Pia étaient sur le tapis, membres enchevêtrés. Le corps puissant de Rune était tendu comme il s'efforçait de recouvrir celui de la jeune femme. La silhouette plus menue de Pia se tordait et glissait sous lui. Elle était toute rouge et son expression était farouche. Ils haletaient tous les deux, couverts de sueur. Elle évitait la prise qu'il essayait d'avoir sur elle, et ses membres pâles et fins contrastaient avec les siens. Le griffon lâcha un juron en se déplaçant avec elle et en les plaçant dans une position qui rappelait celle que Dragos avait utilisée la veille quand il l'avait prise par-derrière.

Le dragon explosa.

# 15

L'attaque survint sans avertissement.

Elle était plongée dans son match contre Rune, concentrée sur la stratégie à suivre pour exploiter sa force. Il l'avait mise au tapis. Pas bon. Cela voulait dire qu'il la clouerait bientôt au sol, et s'il lui plaquait les épaules contre le tapis, il gagnait. Il fallait qu'elle se dégage, et vite. Sinon, entre lui et Constantine, elle était cuite.

C'est alors que le poids disparut.

Déséquilibrée, elle roula sur le dos, hoqueta pour reprendre son souffle et essaya de comprendre ce qui se passait.

Constantine était étendu au pied d'un mur. Il cracha du sang, roula et réussit à poser un genou à terre, essayant de se relever.

Bayne poussa le public vers la porte.

— Dehors, tout le monde dehors !

Graydon s'agenouilla et aida Pia à s'asseoir. Il était livide.

— Ça va, mignonne ?

— Qu'est-ce qui s'est passé ?

Il ne l'écoutait pas. Elle suivit la direction de son regard.

Dragos avait plaqué Rune contre le mur et le tenait à la gorge d'une main. Rune ne bougeait pas, bras ballants, mains ouvertes. Son regard vif était rivé sur Dragos tandis que son visage s'empourprait.

Constantine toussa.

— Il est en train de le tuer, dit-il.

Pia réussit à se lever, évita Graydon qui essayait de la retenir et bondit.

Le comportement de Dragos n'avait rien de rationnel. C'était le dragon qui agissait. Il s'était partiellement métamorphosé. Les lignes de son corps et de son visage étaient monstrueuses, tordues et disloquées. Des serres étaient plantées dans le cou de Rune. Du sang coulait des blessures.

Elle ne s'arrêta pas, ne réfléchit pas. Elle s'approcha de Dragos et le toucha sur l'épaule afin de lui signaler sa présence. Elle lui caressa le bras en passant dessous, plaçant son corps entre les deux hommes. Elle posa les mains sur ce visage étranger, meurtrier, et en caressa les joues.

La Force de Dragos était un véritable brasier infernal. Elle essaya quelque chose qu'elle n'avait jamais tenté auparavant et frotta sa propre énergie, plus froide, plus douce, contre la sienne.

— Hé, fit-elle. Dragos, je veux que tu me regardes, s'il te plaît. J'ai oublié de te parler du commencement de ma journée d'hier. J'ai envoyé la personne chargée de m'aider à faire des courses aider les banques alimentaires. On va nourrir tout l'État. Alors tu vas recevoir bientôt une très grosse note d'épicerie. Désolée – enfin non, à vrai dire, je ne suis pas désolée.

Le dragon cligna les yeux. Il la regarda. Elle n'avait jamais rien vu d'aussi magnifique.

Elle lui sourit et caressa ses cheveux noirs, tout en continuant à parler :

— Oh, et mon peignoir est splendide au fait. Il est en satin noir, soyeux, élégant. Je l'ai porté ce matin et j'ai pensé à toi en prenant ma douche.

Elle posa une main sur les muscles rigides de son bras en s'appuyant contre sa poitrine.

— Lâche ton ami, maintenant. Tu l'aimes beaucoup. Tu vas t'en souvenir très bientôt et tu seras bouleversé si tu lui fais du mal. Et puis, je voudrais que tu m'embrasses, pour que je puisse te remercier comme il faut pour le peignoir et aussi pour la potion que tu as laissée sur ton oreiller. Ces cadeaux étaient vraiment une jolie attention de ta part.

Les yeux du dragon s'étrécirent. Sa Force se transforma afin de l'envelopper dans un voile invisible de chaleur.

Elle introduisit le bout de son doigt entre ses lèvres et frotta sa cuisse le long de sa jambe.

— Allez, *mister,* tu sais bien que tu en as envie...

Il passa un bras autour d'elle, saisit son menton de ses longues serres sanglantes et leva sa tête avec une douceur exquise. Elle se mit sur la pointe des pieds, ferma les yeux et tendit ses lèvres en toute confiance. Sa bouche ferme effleura la sienne.

Elle perçut un mouvement rapide dans son dos au moment où Graydon tirait Rune. Le griffon s'étrangla et toussa. Puis le reste du monde se volatilisa comme Dragos l'embrassait. Elle glissa les bras autour de son cou. Elle sentit son corps se transformer et redevenir familier.

Il frôla sa joue de ses lèvres, descendit jusqu'à sa clavicule, puis enfouit son visage dans son cou.

Elle jeta un regard sur le côté. Bayne était adossé contre un mur à côté de Constantine, assis lui-même par terre avec une bouteille d'eau. Rune était plus loin, près des haltères. Il essuyait le sang qui coulait de son cou à l'aide d'une serviette. Les plaies cicatrisaient déjà.

Graydon se tenait debout à moins d'un mètre d'eux, les bras croisés, la regardant d'un air anxieux. Elle lui fit signe de s'éloigner en remuant les doigts.

Il secoua la tête. Il s'éclaircit la voix :

— Patron, tu sais qu'on ne lui ferait jamais de mal. On revoyait juste des mouvements d'autodéfense. Elle s'est avérée tellement bonne qu'on a commencé à s'amuser, c'est tout.

Dragos leva la tête. Il posa une main sur la nuque de Pia et l'attira encore plus près, tout en tournant le dos aux griffons afin de se placer entre eux et elle.

Elle comprit tout à coup. Ce n'était pas un instinct protecteur qui l'avait enflammé. Il avait failli tuer son premier lieutenant parce qu'il était jaloux.

Elle planta les mains sur sa poitrine et le repoussa violemment. Il relâcha sa prise. Elle lui jeta un regard furieux, mais en voyant la tension sur ses traits, son accès de colère s'évanouit. Peut-être qu'elle ne comprenait pas ce qui se passait. Peut-être qu'elle ne le comprendrait jamais.

— Est-ce que je peux faire quelque chose ? demanda-t-elle.

— Il faut que je parle à mes hommes.

Elle baissa la tête en opinant. Puis elle balaya la salle de sport désertée du regard.

— OK, j'aimerais prendre une douche.

— Nous allons tous monter, dit-il.

Elle se dirigea vers la porte pendant qu'il parlait à ses lieutenants.

Une femme puissante, de haute taille, se tenait dans le hall et les observait. Armée et vêtue de cuir, elle était d'une beauté étrange, mince et musclée, la chevelure noire en désordre, les yeux gris ombrageux. Il fallut un moment à Pia avant de la reconnaître. C'était une des sentinelles qui les avaient accueillis sur le toit. Aryal, la harpie.

La femme se détourna, mais pas avant que Pia ne remarque son regard glacial.

Pia, Dragos et les quatre griffons rejoignirent le penthouse. Pia prit la boîte estampillée Saks sur le lit et disparut dans la salle de bains sans un mot. Quelques minutes plus tard, la douche se mettait en marche.

Les griffons écumèrent le bar à la recherche de bouteilles de bière. Dragos ouvrit les portes-fenêtres. Il se tint dans l'embrasure tandis qu'une brise froide s'engouffrait dans la pièce. L'air frais était lénifiant.

Rune le rejoignit et resta à côté de lui, détendu et tranquille, les mains sur les hanches, les yeux lui aussi rivés sur la ville qui s'étendait sous eux.

— Je te dois des excuses, fit Dragos d'une voix basse.

Le griffon scruta son expression.

— Ce n'est pas grave, mon seigneur. Je peux comprendre ce que la scène évoquait. Vous nous aviez avertis de prendre des précautions avec elle.

— Non. C'est grave. Il est clair que je ne me maîtrise plus. Je suis parfaitement conscient du fait que je n'agis, pas plus que je ne pense, normalement ou même rationnellement.

Le regard de Rune était perçant.

— Dragos, on a tous vu des Wyrs agir ainsi, tu le sais. C'est juste qu'on ne t'avait jamais vu, toi, agir ainsi.

— Qu'est-ce que tu veux dire ? s'enquit Dragos en penchant la tête.

— Allons, réfléchis, reprit le griffon, un sourire fendant son visage bronzé. Quand as-tu vu des Wyrs agir de manière aussi jalouse, possessive, obsessionnelle ?

— J'ai toujours eu un sale caractère.

— Oui, certes, tu peux être une vraie tête de nœud, surtout si quelque chose ne se passe pas comme tu le veux. Mais quand tu piques une colère, tu as une raison. Et il y a une raison pour tout ça aussi.

Il réfléchit. Il pensa aux scènes qui pouvaient avoir lieu quand un Wyr était pris par ses émotions, par la passion.

— Tu crois que je suis en train de m'unir ?

— La possibilité m'a traversé l'esprit, répondit Rune en haussant les épaules. Il y a aussi beaucoup de choses qui se passent en ce moment. Tu es particulièrement stressé. C'est rare que tu coures le danger d'être tué.

Dragos inspira profondément et hocha la tête.

S'unir.

Il était une créature solitaire par nature. Il avait des interactions avec autrui, bien sûr, mais en son for intérieur il avait toujours été seul.

Au lieu de trouver un soulagement à l'absence de Pia aujourd'hui quand il l'avait laissée endormie dans son lit, il avait ressenti cette absence comme une perte.

Elle lui avait… manqué.

— Hmm, il faut croire que j'ai vraiment beaucoup de choses à méditer. (Il se frotta le menton et se mit à arpenter la pièce.) Simplement, qu'aucun de vous ne la touche pour le moment. Pas tant que je n'ai pas analysé tout ça.

Rune alla rejoindre les autres sur les canapés disposés autour de la cheminée. Il accepta la bouteille de bière que Bayne lui proposait.

— C'est compris. Sauf si sa vie en dépend, bien entendu.

Dragos fit un signe d'assentiment. Il changea de sujet.

— On ne sait toujours pas où se trouve Urien. Les orques susceptibles d'avoir survécu se sont dispersés aux quatre vents. Le maire se plaint, le gouverneur de l'Illinois me harcèle, les Elfes sont manipulateurs et... (Il s'arrêta et secoua la tête.) Elle n'a pas dit qu'elle nourrissait tout l'État, hein ?

Graydon se frotta le visage, couvrit sa bouche de la main et répondit d'une voix étouffée :

— Si.

Rune et les autres ne se montrèrent pas aussi circonspects et hurlèrent de rire en voyant son expression.

— Elle a demandé au type censé l'assister dans ses achats de remplir les placards et les frigidaires de toutes les banques alimentaires. À vrai dire, je crois que la carte de crédit l'a fait flipper. Elle est plus du genre boîte de chocolats et fleurs.

Dragos se renfrogna.

— Elle a aimé le peignoir, en tout cas. Elle a dit qu'il était très joli, ajouta Graydon.

— Peu importe, fit Dragos avec un geste de la main. Je crois que tout le monde a compris que je n'ai pas envie d'être avec plein de gens pour le moment, ou alors je risque d'égorger quelqu'un.

— Ce serait peut-être une bonne idée d'aller à Carthage pendant quelques semaines, fit Constantine d'un ton prudent.

Carthage était l'immense domaine que Dragos possédait au nord de l'État.

— Partir à la campagne n'est pas une mauvaise idée, admit Dragos. Mais je veux m'occuper d'un certain nombre de choses avant. À part le fait qu'Urien doit mourir, je veux simplifier ma vie et éliminer ce que je peux du chaos. Et pendant qu'on y est, je voudrais que vous m'aidiez à voir ce qu'on pourrait faire de toutes les saloperies que j'ai accumulées sous le métro.

Sous la protection de la douche, Pia s'assit sur le banc et prit sa tête entre ses mains. Le contrecoup de la peur et de l'adrénaline la frappa, et elle pleura jusqu'à ce que sa gorge la brûle. Les derniers jours avaient été tellement remplis d'extrêmes qu'elle avait l'impression de souffrir d'une espèce de coup du lapin, mais mental. Tout était étrange, ponctué de moments de joie intense auxquels succédaient des accès d'angoisse et un sentiment d'isolement. La réalité s'était transformée en un kaléidoscope et tout son univers ne cessait de se disloquer, puis de se reformer.

Pendant un moment, lorsque la situation avait été vraiment critique, Dragos avait été son point d'ancrage. C'était curieux, mais elle avait pu gérer le danger, l'incertitude.

Parfois, tout lui semblait clair comme de l'eau de roche, elle se sentait liée à lui d'une manière qui leur était à tous deux incompréhensible. Elle avait alors l'impression de le connaître encore mieux qu'il ne se connaissait lui-même.

Puis cette certitude s'estompait et elle avait l'impression de brasser de l'air, d'essayer de s'accrocher à quelque chose d'insaisissable. Et quand cela se produisait, elle se sentait fracturée à l'intérieur. Peut-être que c'était elle, le kaléidoscope.

Il était plus que splendide et magnifique. Il lui coupait le souffle et lui faisait battre le cœur. Il aiguisait son sens de l'humour et faisait danser de joie sa sexualité.

Il voulait qu'elle lui fasse confiance, mais comment faire confiance à quelqu'un qu'on ne comprend pas ?

Comment pouvait-elle aimer quelqu'un qui reconnaissait ne pas même savoir ce qu'était l'amour, qui déclarait qu'elle était son bien, et qui était capable de presque tuer son plus ancien et fidèle ami ?

Minute. Est-ce qu'elle venait de penser une chose pareille ?

Eh bien, ce n'était pas vrai. Elle souffrait d'un syndrome de Stockholm gigantesque. Elle voulait bien reconnaître qu'il la rendait folle de désir, mais elle n'allait pas avouer que le mot commençant par A était entré dans son cœur, non.

Mon Dieu.

Elle voulait rentrer chez elle, mais elle n'avait pas de chez-elle. Son appartement n'était plus le sien. Il avait peut-être été déjà loué à quelqu'un d'autre. Et même s'il ne l'était pas, elle craignait qu'il ne lui semble minuscule et étranger.

La porte de la douche s'ouvrit. Elle sursauta et recula en se couvrant les seins dans un geste de protection instinctif. Dragos entra tout habillé.

Il s'agenouilla devant elle et saisit le banc de chaque côté de ses cuisses. Les lignes sévères de son visage ruisselèrent bientôt d'eau et l'or de ses yeux s'assombrit légèrement. Elle se mit à tripoter l'encolure de son tee-shirt trempé et soupira.

— Qu'est-ce que tu fais exactement ?

— Tu as pleuré. Pourquoi ?

Elle laissa échapper un petit rire creux.

— Dure journée, je suppose.

— N'élude pas ma question. Dis-moi pourquoi.

— Et si je n'en ai pas envie ? répliqua-t-elle d'un ton sec.

— M'en fiche. (Il l'attira dans ses bras.) Il faut que tu me le dises pour que je puisse apprendre à ne pas faire ce que j'ai fait.

Maudit soit-il. Comment pouvait-il dire exactement ce qu'il fallait quand elle en avait le plus besoin ?

— Qui a dit que c'était toi ? Je te l'ai déjà expliqué, tout m'affecte.

Elle enfouit le visage dans son cou, le caressant du nez, savourant le contact de sa peau chaude et mouillée.

— Tu continues à éluder.

Il tendit la main pour saisir la bouteille de savon liquide parfumé, en versa un peu au creux de sa main et se mit à lui masser le cou et les épaules.

— Tu t'amusais bien avec les griffons. C'est de ma faute.

— On ne s'amusait pas tout le temps, grommela-t-elle, ravalant un gémissement de plaisir comme il malaxait ses muscles fatigués. En vue de les amadouer, j'ai dû faire appel à mon immense charme un nombre incalculable de fois, ces derniers jours.

Il sourit. Ses doigts frôlèrent son dos pâle, laissant une traînée de savon.

— Tu as un énorme bleu sur l'épaule, dit-il d'un ton où sourdait la colère.

— Ne commence pas. Après tous mes efforts, nous nous sommes finalement bien entendus aujourd'hui. Je m'éclatais à leur faire mordre la poussière, quand tu es arrivé pour jouer le trouble-fête.

Il recula et se releva afin de retirer ses vêtements trempés. Il les jeta dans un coin. Elle contempla son corps magnifique et son cœur se mit à battre la chamade. Elle n'était pas capable de gérer l'intensité de sa réaction à son égard. Elle détourna les yeux.

Il s'assit sur le banc et la souleva. Elle essaya de se dégager.

— Dragos, non, je ne peux pas.

— Chut, fais-moi confiance.

Il la mit sur ses genoux et la tourna afin de la placer en face de lui. Puis il s'adossa contre la paroi, l'enveloppa de ses bras, posa la tête sur son épaule et la berça tout simplement.

— Retire-le, dit-il.

— Quel emmerdeur tu peux être.

Elle soupira et retira le sort qui lui permettait de masquer sa luminescence. Il posa les lèvres sur sa clavicule.

— Je sais.

Son sexe tendu était pressé contre eux, mais il ne fit aucun geste équivoque. Elle renifla et se laissa envahir par la chaleur et le confort.

— Et je suis une mauviette.

— Ça, de la bouche de la jeune demoiselle qui, d'après Rune, a balancé quatre de mes meilleurs guerriers comme s'ils étaient de vulgaires coussins ? (Il enduisit ses cheveux de shampooing et le fit mousser.) Je t'ai fait peur, c'est ça ?

— Non. Oui. Oh, je ne sais pas. (Elle se redressa et le regarda.) Comment as-tu pu lui faire ça ? Il est ton bras droit. Vous vous connaissez depuis… depuis plus longtemps que je ne peux l'appréhender. Si tu peux lui faire ça, à qui d'autre pourrais-tu le faire ?

— Actuellement, je pourrais le faire à n'importe qui, sauf à toi.

Il la fit descendre et se leva. Il se savonna, lavant ses parties intimes et maniant son pénis en érection avec habileté, concentré sur sa toilette. Elle dut détourner encore une fois les yeux tant il l'électrisait. Elle finit de se laver les cheveux pendant qu'il se rinçait à grande eau.

Elle enveloppa ses cheveux dans une serviette et se sécha avec une autre. Dragos se sécha lui aussi. La normalité de la scène, son intimité tranquille était étrange et captivante à la fois. Elle lutta contre l'envie de s'abandonner à un sentiment d'appartenance, d'évidence. C'était une illusion. Elle mit le peignoir noir et lut une lueur d'approbation dans son regard.

— Pourquoi tout le monde, sauf moi ? s'enquit-elle. Pourquoi suis-je la seule en sécurité ?

Puis-je te faire confiance ? avait-elle surtout envie de lui demander. Mais il semblait plus détendu et elle ne voulait pas troubler la paix fragile qui semblait s'être installée. Elle retira la serviette qu'elle portait en turban et s'absorba dans la tâche de démêler ses cheveux.

Il se tenait debout derrière elle, une serviette autour des hanches. Il lui prit la brosse, se mit à brosser ses cheveux tandis qu'elle l'observait dans le miroir. La natte mouillée qui ceignait son poignet était du même ton miel foncé.

Après quelques minutes, il dit :

— Tu ne sais pas grand-chose de la vie dans la société wyr, n'est-ce pas ?

Elle secoua la tête. Il l'embrassa dans le cou.

— Tu le comprendras progressivement, je te le promets. Essaie simplement de me croire quand je te dis que non seulement je ne te ferai jamais de mal, mais je te protégerai de tous ceux susceptibles de le faire.

Elle le croyait.

— D'accord, dit-elle. Mais comment s'assurer que tu ne fasses pas de mal aux autres, alors ? Ils te sont tellement dévoués, Dragos.

— Je sais qu'ils le sont. Ce sont des hommes de qualité. Sache qu'ils comprennent ce qui s'est passé, mieux que moi peut-être. Nous avons tous fait preuve d'imprudence aujourd'hui. Ça ne se reproduira plus.

— Est-ce que tu peux être encore un peu plus énigmatique ? se moqua-t-elle, agacée. Qu'est-ce qui ne se reproduira plus ?

— Tu as faim ? s'enquit-il en souriant. Le dîner doit être servi dans la salle à manger.

Quand il prononça le mot, elle remarqua à quel point elle était affamée. Elle se sentit soudain flageolante.

— Je meurs de faim. J'ai juste mangé une salade au déjeuner.

Il fronça les sourcils en se dirigeant à grandes enjambées vers la penderie.

— Tu devrais manger plus que ça. Il doit falloir une sacrée quantité de carottes et de salade verte pour arriver à conserver un poids à peu près normal.

— Très drôle.

— Je ne savais pas que je faisais une blague, répliqua-t-il en penchant la tête.

Elle le suivit et choisit un débardeur rouge et une jupe blanche assortie avec un imprimé de poinsettias rouges. Elle enfila une culotte en dentelle, mais ne se préoccupa pas de mettre un soutien-gorge ou des chaussures. Dragos la regarda avec approbation.

Il s'était lui aussi habillé simplement. Il avait enfilé un pantalon noir et une chemise Armani en soie blanche dont il avait retroussé les manches.

Ils se rendirent dans la salle à manger. Son estomac gargouilla en sentant l'arôme appétissant de la viande rôtie, du pain frais et de l'ail.

Odeur appétissante… Viande rôtie…

Quoi ? Une vague de nausée l'assaillit. Elle s'arrêta, posa une main contre le mur et l'autre contre son ventre.

Dragos se retourna vivement. Il passa un bras autour de sa taille.

— Qu'est-ce qui ne va pas ?

Elle leva une main. La vague de nausée passa. Elle se redressa.

— Ça va.

— Tu vas retourner dans la chambre. Je vais faire venir notre médecin wyr.

— Non.

Elle tenta de se dégager, mais il ne lâcha pas prise.

— Dragos, s'il te plaît. Arrête. Ça va. Je n'ai pas beaucoup mangé aujourd'hui et j'ai juste faim.

Il acquiesça et la laissa aller à contrecœur.

Deux couverts avaient été posés sur la grande table en acajou devant les portes-fenêtres, et plusieurs plats les entouraient. Des bougies blanches étaient allumées et un bouquet de roses blanches s'épanouissait dans un vase en cristal. La silhouette des gratte-ciel leur servait de toile de fond.

— Comme c'est joli ! J'adore les roses.

— Tant mieux, je l'espérais, dit-il en souriant.

Il tira sa chaise pour elle, puis s'assit à son tour.

Une assiette de viande rôtie était posée à côté de Dragos, accompagnée de pommes de terre sautées et de sauce. La vue du plat la répugna et la troubla, elle détourna les yeux. À côté d'elle se trouvait une assiette de pâtes aux poivrons et aux brocolis dans une sauce à l'ail. Le « fromage » râpé était végétalien. Il y avait également une salade d'épinards couronnée de tranches de mangue et de noix de pécan. Une corbeille de pain blanc et de petits pains aux céréales était placée entre eux. Une bouteille débouchée de pinot noir complétait le repas.

Une nouvelle vague de nausée l'assaillit, mais elle avait tellement faim qu'elle se força malgré tout à prendre une bouchée de pâtes. Et le malaise s'estompa immédiatement.

— C'est délicieux.

— Si tu es gourmande, garde un peu de place pour le dessert : des fraises trempées dans du chocolat noir.

— Je suis morte et au paradis, soupira-t-elle.

Le silence se fit comme ils se concentraient sur leur repas. Elle fut une nouvelle fois frappée par l'étrangeté de cette simple scène domestique, de ce dîner partagé. Prise dans l'étau d'une faim vorace, elle dévora littéralement sa nourriture.

Ensuite elle lui demanda, un peu timidement, comment s'était passée sa journée, et fut surprise et flattée quand il répondit sans hésiter et avec franchise. Il lui parla de la disparition d'Urien, des problèmes dans l'entreprise, du maire, des Elfes.

— Cette histoire ne va pas être résolue vite ou facilement, n'est-ce pas ?

Il prit une gorgée de vin en la regardant, paupières mi-closes.

— On dirait que non. Ce serait peut-être une bonne idée que nous passions quelques jours dans ma propriété au nord. C'est plus tranquille.

*Nous*. Elle avait ses vêtements dans sa chambre à lui, elle dormait dans son lit à lui. Elle repensa à l'affrontement avec le roi des Faes sur la plaine et à la manière dont Dragos avait refoulé son instinct de le poursuivre pour pouvoir la protéger.

— Dragos, qu'est-ce qui se passe ?

— Comment ça ?

Elle reposa sa fourchette.

— J'aimerais te poser une série de questions, si je le peux.

Il plaça les coudes sur la table, les mains croisées, les doigts sur la bouche.

— Je t'écoute.

Elle se mit à aplatir le rebord de sa serviette en lin.

— Est-ce que tu irais à la poursuite d'Urien toi-même si je n'étais pas là ?

— Oui, répliqua-t-il sans hésiter.

Elle eut le souffle coupé pendant un moment fugace. Les pensées se bousculèrent dans sa tête. Elle les repoussa et se concentra sur une autre question.

— Qu'est-ce qui est arrivé à mon appartement ?

— Je suppose qu'il est comme tu l'as laissé. Pourquoi ? Tu veux y chercher quelque chose ?

Elle se crispa.

— Et si je voulais m'en aller ? Si je voulais retourner là-bas ?

— Tu as promis que tu ne le ferais pas.

Son ton était égal, dur. Elle recommença à tripoter sa serviette.

— C'est vrai. Mais si je voulais ma propre chambre ?

Silence. Elle se força à poursuivre.

— Et si je voulais aller voir mes amis ? Et si je voulais reprendre mon ancien travail ?

Silence. Elle leva les yeux et rencontra ceux du dragon. Il n'avait pas bougé, mais ses mains s'étaient crispées. Ses doigts s'étaient allongés et des serres tranchantes les hérissaient.

Elle n'arriva pas à analyser l'émotion qui l'assaillit à cette vue. Il était beaucoup trop dangereux pour éveiller la pitié. Elle tendit la main vers lui et dit avec douceur :

— Ce sont juste des questions, *mister*.

Il contempla sa main posée sur la table. Fugacement, elle craignit qu'il ne réponde pas à son geste. Puis les longs doigts hérissés de serres enveloppèrent sa main avec une infinie délicatesse.

— Qu'est-ce que tu veux ? demanda-t-il sans afficher la moindre expression.

Elle choisit ses mots avec une précaution infinie.

— Je ne sais pas exactement, si ce n'est savoir que mes souhaits comptent. Je ne veux pas qu'on parle de moi à la troisième personne alors que je suis là, comme une potiche, ou que ma vie soit agencée sans mon consentement. J'aimerais mieux saisir ce que nous faisons toi et moi.

— Cela nous aiderait tous les deux, nota-t-il.

Deux plis marquaient sa bouche. Elle l'étudia.

— Il y a cinq jours environ, ma vie était en danger et je te fuyais. Aujourd'hui, mes affaires sont dans ta chambre, nous partageons ton lit et je me demande quelle est ma place ici. Indépendamment de tout le reste, d'Urien, des orques et des relations avec les Elfes. J'ai l'impression que mon passé n'existe plus. Je n'ai pas d'amis ici. Tricks ne compte pas, puisqu'elle va partir. Le futur est flou et j'ai le sentiment que tout ce que nous faisons est dénué de fondations.

— C'est vrai, ton passé n'existe plus. Tu te feras des amis ici si tu y tiens. Pour ce qui est du futur ou des fondations, il va falloir que tu prennes des décisions. Je pense que tu ferais bien de les prendre rapidement.

Il parlait avec le ton pénétrant qu'il avait eu quand il lui avait expliqué comment gérer les dangers de leur capture par les orques. Au lieu d'être démoralisée par son comportement, un grand calme s'installa en elle. Elle lui pressa la main.

— Bon, quelles décisions penses-tu que je doive prendre ?

— Rune croit que je suis en train de m'unir à toi, dit-il, et c'était toujours le dragon qui la regardait. Il pourrait bien avoir raison.

S'unir à elle ? Elle eut l'impression d'étouffer.

Elle ne connaissait pas toutes les complexités de la société wyr, mais elle savait que les Wyrs ne s'unissaient pas toujours. Quand ils le faisaient, c'était pour la vie. C'était arrivé à sa mère qui s'était unie à un mortel. Après sa mort, elle s'était accrochée à la vie pour leur fille, mais une fois que Pia n'avait plus autant dépendu d'elle, elle avait perdu sa volonté de vivre et s'était éteinte.

— Tu ne peux pas t'unir à moi, je suis une hybride mortelle. Tu en mourras.

— Ce n'est pas un facteur pertinent, semble-t-il. (Il ne s'était pas départi de son calme, mais il lui serra la main tellement fort qu'elle ne sentit plus ses doigts.) Et puis, ce que tu es semble mal défini. Est-ce que ta mère était mortelle ?

— Non, pas avant son union avec mon père. (Elle se frotta le front.) Il est mort avant que je sois assez grande pour me souvenir de lui. En grandissant, quand j'ai pu m'occuper de moi, je sentais ma mère s'absenter du monde. La vie ne l'intéressait plus. C'était terriblement douloureux à observer.

— Si tu parviens à pleinement embrasser tes aptitudes wyrs, tu seras ce que ta mère était.

— Et si je n'y parviens pas ? murmura-t-elle en le regardant avec effroi.

— C'est la vie, Pia. (Aucune peur ne se lisait dans son regard.) Tout a une fin. Même moi, je disparaîtrai, d'une manière ou d'une autre. Pour l'heure, ce n'est pas la question. Si tu veux sortir de ma chambre ou de ma vie, tu ferais bien de te décider maintenant. Je m'efforcerai de te laisser partir. Si c'est ce dont tu as vraiment besoin. Je ne peux rien garantir. Cela va à l'encontre de tous mes instincts, parce que *tu es à moi.*

Son grondement fit trembler le sol.

Et la fit trembler aussi. Elle tira pour récupérer sa main, et il finit par la lâcher. Le silence qui s'installa entre eux devint lourd, pénible.

Le rythme rapide de talons de bottes résonna. Graydon surgit dans la salle à manger, vêtu d'un jean et d'un blouson de cuir.

— Patron, j'ai trouvé ce que tu voulais !

Il s'arrêta et passa de l'expression désemparée de Pia à la mine sombre de Dragos.

— Je reviendrai…

— Non. (Dragos se leva.) Donne-le-lui et reste avec elle. Je vais aller faire un tour. Voler me fera du bien.

Voler, à une heure pareille ? Elle leva les yeux.

— Dragos, non, dit-elle.

Il s'arrêta net et la regarda.

— Le roi des Faes, ajouta-t-elle. Il peut retrouver ta trace. C'est dangereux.

Elle voyait bien que ce n'était pas ce qu'il voulait entendre. Son visage s'assombrit de nouveau.

— Je suis bien moins en danger quand je suis seul, déclara-t-il sèchement.

Elle tressaillit et détourna les yeux.

— Je serai joignable télépathiquement, dit-il à Graydon.

Et il sortit.

— Qu'est-ce que ça veut dire, entre parenthèses ? s'enquit-elle. Télépathiquement. Tous ceux que je connais et qui ont cette aptitude ne peuvent se parler que s'ils se trouvent à quelques mètres les uns des autres.

— Dragos a une portée d'au moins cent cinquante kilomètres, nota Graydon.

Elle repoussa son assiette et mit sa tête dans ses mains.

Graydon poussa un soupir et alla s'asseoir à côté d'elle.

— Je suis désolée, dit-elle. Je sais que tu n'as aucune envie d'être là.

— Chut. Ça ne me dérange pas d'être là. Je pense simplement que ce serait mieux que ce soit Dragos qui soit là.

Elle regarda le griffon à travers ses doigts. Il avait pris la bouteille de vin et regardait ce qu'il restait dedans d'un air songeur. La bouteille était au tiers pleine. Il renversa la tête et la finit d'un trait.

— Tu te sens mieux ? demanda-t-elle.

— Non. Il faudrait une bouteille de scotch. Ou deux. C'est un jour comme ça, si tu vois ce que je veux dire.

Elle acquiesça. Oh oui, elle voyait ce qu'il voulait dire.

Il glissa la main dans une poche de son blouson et en ressortit un paquet enveloppé de papier doré. Il le posa devant elle en faisant une grimace.

— Je suis à peu près sûr que ce n'était pas censé se passer comme ça, mais bon, c'est de la part du patron.

Elle contempla le cadeau.

— Est-ce que ça va me sauter au visage comme le reste ?

— J'en sais rien. C'est possible, étant donné la tête que vous aviez quand je suis entré. (Graydon se leva.) Je reviens.

Elle prit le paquet et déchira le papier. Le boîtier noir portait l'inscription du célèbre bijoutier Tiffany. Le sentiment de bizarrerie qui la poursuivait se manifesta de nouveau tandis qu'elle soulevait le couvercle.

Un collier reposait sur du velours ivoire. Il était composé de cabochons d'opale sertis d'or. Les opales étaient plus grosses que l'ongle de ses pouces et scintillaient d'une extraordinaire palette de tons. Elle n'en avait jamais vu d'aussi belles. Sentant les larmes lui monter aux yeux, elle reposa l'écrin et souleva le bijou. Il coula entre ses doigts, les pierres étincelant à la lueur des bougies.

Graydon revint avec une bouteille de scotch sous un bras et une autre bouteille ouverte à la main. Il s'installa de nouveau à côté d'elle et glissa la bouteille ouverte vers elle. Johnny Walker Blue. Bon, d'accord. Elle prit une lampée.

— Un dragon vient de m'offrir un collier, murmura-t-elle, prenant une nouvelle gorgée avant de tendre la bouteille à Graydon. Est-ce que je viens d'être ajoutée à son trésor ?

Il secoua la tête et avala une rasade à son tour.

— Non, mignonne. Je suis à peu près sûr que tu l'as remplacé.

# 16

— Qu'est-ce que tu veux dire ? s'enquit-elle en toisant le griffon.

— Il a décidé de vendre des entreprises et soit il est en train de planifier une vaste réduction de son trésor et son déménagement, soit il va peut-être tout bonnement s'en débarrasser. Il dit qu'il veut éliminer tout ce qui constitue du « bruit blanc », du tumulte. (Graydon se frotta le front.) Peut-être que de temps à autre, les poules ont des dents. On dirait que ça ne tourne pas rond dans sa tête, tu ne trouves pas ?

Les yeux de Pia brillaient de larmes. Il tendit le bras et tapota sa main.

— Je sais bien qu'il n'est pas romantique. Je veux dire, me demander de te donner ce cadeau et tout ça. Même moi, je sais que c'est super maladroit, mais je crois qu'il fait des efforts. Il y a même des fleurs sur la table…

Il lui proposa la bouteille. Elle ressentit une nouvelle vague de nausée inexplicable. Elle secoua la tête, replia sa serviette et murmura :

— J'ai besoin de pouvoir parler à un ami.

La voix bourrue du griffon se fit douce.

— Ben, je compte pour du beurre ou quoi ? Tu m'as filé une sacrée dérouillée cet après-midi. Alors maintenant on est copains, je peux te le dire.

Elle reprit le collier et fit jouer les reflets des bougies sur les pierres.

— Je ne t'ai pas filé de dérouillée.

— Tu l'aurais pu, répliqua Graydon. Maintenant, Rune fouille la ville à la recherche d'un expert en wing chun qui puisse nous entraîner. Tu crois qu'on aura l'air aussi gracieux que toi ?

— Impossible, dit-elle en souriant.

Graydon lui rendit son sourire.

— C'est ce que je leur ai dit. Connor, toutefois, est persuadé qu'il sera irrésistible, mais bon, il se le dit tout le temps. Le type passe une heure tous les matins à chiader sa coiffure.

Elle pouffa. Un silence complice s'installa entre eux. Elle joua avec les opales du collier pendant qu'il buvait son scotch, affalé sur la chaise.

— Bon, finit par dire le griffon. Raconte tout à tonton Gray. Dragos t'a vexée ou un truc comme ça ?

— Si seulement c'était si simple. Non, il pense qu'il est peut-être en train de s'unir à moi.

— Oh, fit Graydon. Ça.

— Oui, ça. On se connaît depuis quelques jours seulement et il a investi toute ma vie. Il exige que je lui fasse confiance, revendique que je lui appartiens, comme si j'étais un bien. Il ne sait même pas ce que je suis et ça me rend folle.

Graydon prit une nouvelle lampée de whiskey.

— Aucun de nous ne le sait, mignonne. On n'arrive pas à te cerner et tu n'es pas disposée à te livrer.

Elle frissonna.

— J'ai mes raisons. Et je suis une hybride. Si je ne peux pas effectuer une métamorphose totale, cela le tuera.

— Alors, vous en parlez tous les deux et il se tire. C'est un peu bizarre.

— Non, pas exactement. Il m'a dit qu'il fallait que je prenne une décision et vite, pour qu'il puisse essayer de renoncer à moi. Ensuite il a dit qu'il n'était pas sûr de le pouvoir. Puis il est parti. Il y a aussi le problème du roi des Faes à régler, et puis tout ça, fit-elle en indiquant la pièce d'un geste, est tellement étrange. Je ne connais quasiment personne ici et on dirait que j'ai déjà fait naître de la rancœur. Tout ce que ma mère m'a appris, c'était de fuir et de me cacher. C'est du délire.

— Oh, oh, ne t'énerve pas. Essayons un peu de démêler tout ça. Il faut régler le problème Urien, c'est un fait, et il est un problème de taille, mais il n'est pas le vrai problème, si ?

Elle secoua la tête au bout d'un moment.

— Bon, enchaîna-t-il. Maintenant, qui te déteste ? Aucun de nous. Tu changes les données de l'équation, c'est sûr, et je reconnais que ça nous a pris par surprise. On n'était pas ravis au début et quelques sentinelles continuent à renâcler. Mais on s'y fera. Cela ne veut pas dire que d'autres verront d'un bon œil ton union avec Dragos. Il est très puissant, financièrement, politiquement et au plan de la magie, et je vais être franc avec toi : la cour est un vrai panier de crabes. Il faut que tu saches où tu mets les pieds.

Elle le regarda en étrécissant les yeux, se souvenant de la femme qui les observait lors de l'incident dans la salle d'entraînement. Elle la décrivit à Graydon.

— C'est une des sentinelles, n'est-ce pas ? On dirait qu'elle ne peut pas me supporter.

Il pianota sur la bouteille en fronçant les sourcils.

— C'est Aryal. Elle ne te hait pas, ce n'est pas ça. Simplement, la mansuétude n'est pas la qualité qui étouffe les harpies. Laisse-lui du temps.

Elle fit un signe d'assentiment.

— Tricks a mentionné quelques prédateurs au sang, euh... vif.

— Oui, répondit-il en rigolant. Il y a une meute agressive de lions dans la division du droit d'entreprise. Ils redéfinissent sans équivoque le terme « teigneux », mais ils ont leur place. Si quelqu'un te cherche noise, parle-m'en, et je m'en occuperai.

— Merci.

— C'est peut-être compliqué, mais en même temps c'est simple, ajouta Graydon. Est-ce que tu veux Dragos ou pas ? Est-ce que tu le veux suffisamment pour transcender ce que ta mère t'a appris et baisser ta garde, tolérer la cour des Wyrs et affronter l'avenir en décidant de gérer les choses ? Ou est-ce que tu veux fuir et laisser tout ça ? C'est tout ce qu'il te faut décider. Pour le reste, le temps fera son œuvre.

Elle essaya d'imaginer de recommencer ailleurs. Elle serait seule. Elle savait que si elle disait au revoir à Dragos, il n'y aurait pas de seconde chance.

— Tout arrive si vite, marmonna-t-elle.

— C'est souvent le cas quand le lien d'union se manifeste chez un Wyr. J'ai connu des exemples où le lien se formait au moment où deux Wyrs se voyaient pour la première fois.

— Est-ce que tu as connu l'exemple d'un lien d'union qui naîtrait chez l'un et pas chez l'autre ?

Il laissa échapper un sifflement.

— C'est épineux, un cas pareil. C'est beaucoup plus compliqué si un Wyr s'unit à un non-Wyr, un humain par exemple, étant donné que les non-Wyrs ne traversent pas les mêmes expériences que nous. Pour ce qui est des Wyrs, je me souviens d'un cas il y a cent ans où quelque chose n'a pas marché. Elle s'est tuée lorsqu'il a décidé de ne pas consommer leur lien.

— C'est horrible ! s'exclama-t-elle en plissant le front.

— Je sais.

— Et si je reste mortelle ?

— Dragos n'a pas l'air de vouloir décamper à cause de ça. Est-ce que tu te priverais d'un compagnon et d'un bonheur possible simplement parce que tu mourras un jour ?

— Ce n'est pas la même chose. Je vais mourir d'une manière ou d'une autre si je ne parviens pas à me métamorphoser. Ça semble affreux de penser que Dragos mourrait à cause de moi, c'est tout.

Il baissa la tête et contempla ses mains.

— Il n'y a pas de garanties dans la vie. Ce n'est pas parce que nous sommes nombreux à vivre particulièrement longtemps et à se dire « immortels » que nous ne pouvons pas être tués. Je sauterais sur l'occasion d'avoir une compagne, mortelle ou non. Nous n'avions jamais envisagé que cela pourrait arriver à Dragos, mais je mettrais ma main au feu que tous, sans exception, se disent qu'il a un bol incroyable.

Le silence retomba. Puis elle glissa la main pour toucher le dos de la sienne.

— Merci, Gray. Tu sais écouter et tu es sage.

Il prit sa main et la pressa contre ses lèvres.

— Chut, fit-il avec un regard rieur. Ne le dis à personne.

En dépit des protestations de Graydon, elle débarrassa la table, mit les restes au frigidaire, rinça les assiettes et les couverts avant de les ranger dans le lave-vaisselle. Elle décida ensuite d'attendre le retour de Dragos dans la bibliothèque. Rune l'y rejoignit alors qu'elle examinait les livres sur les rayonnages.

Elle lui dit bonsoir, puis choisit un ouvrage sur l'histoire des Wyrs et se lova dans un grand fauteuil au cuir souple et lisse, imprégné d'une odeur de mâle discrète. Elle imaginait Dragos, installé dedans et plongé dans la lecture de revues scientifiques. Rune et Graydon respectèrent son désir de tranquillité et s'attablèrent à une petite table pour jouer aux échecs.

Après un moment, elle laissa le livre reposer sur sa poitrine et ferma les yeux.

Une main sur son épaule la réveilla. Rune était accroupi à côté du fauteuil. Elle se redressa un peu et bâilla.

— Quelle heure est-il ?

— Plus de deux heures. Tu devrais te coucher. Mieux encore, Dragos a dit qu'il resterait à portée de transmission télépathique. Tu peux le rappeler si tu veux.

Elle secoua la tête.

— Non, je ne veux pas le déranger. Il avait besoin d'être seul. Et je ne veux pas me coucher sans lui. Sauf si vous voulez vous coucher ?

— On reste debout jusqu'à son retour, dit-il en souriant. Ne t'inquiète pas pour nous, ça va.

Elle opina et sentit une chaleur douce l'envelopper tandis qu'il posait un plaid en cachemire autour d'elle.

Il retourna à sa partie d'échecs. Elle ferma de nouveau les yeux. Bientôt, elle marchait dans une forêt très ancienne et respirait sa merveilleuse odeur de terre et de feuilles. Un petit dragon luminescent, nacré, était drapé autour de ses épaules à l'instar d'une étole. Elle caressa une patte qui ondulait gracieusement, et le dragon leva la tête et la regarda de ses magnifiques yeux bleu-violet foncé. Elle fut saisie d'émotion lorsqu'elle plongea dans le regard innocent.

— *Je t'aime,* fit le petit dragon.

Elle déposa un baiser sur ses naseaux délicats.

— *Je t'aime aussi, crevette.*

Elle se réveilla en sursaut, s'assit et regarda autour d'elle. Elle se sentit totalement désorientée pendant un instant.

Graydon et Rune l'observaient depuis l'autre côté de la pièce.

— Qu'est-ce qu'il y a ? s'enquit le premier.

— Rien, juste un rêve, dit-elle en secouant la tête.

Ils levèrent tous deux les yeux vers le plafond.

— Dragos est de retour, fit Graydon. Il va être là dans une minute.

— OK, dit-elle, blessée que Dragos n'ait pas tenté de la joindre télépathiquement, mais résolue à ne pas s'en offusquer.

Ce n'était pas le moment de faire preuve de susceptibilité.

Dragos entra et l'atmosphère dans la pièce s'électrisa. Il avait l'air revigoré. Il lança un coup d'œil aux griffons et fit un geste du menton pour indiquer la porte, et ils s'éclipsèrent. Puis il s'approcha et s'accroupit devant le fauteuil. Elle sourit timidement tandis qu'il s'accoudait sur les bras du fauteuil et la regardait. Il avait l'air de mauvaise humeur.

— Il est presque quatre heures du matin, commença-t-il. Si tu voulais éviter mon lit à ce point, tu aurais dû te coucher dans une autre chambre.

Le sourire de Pia disparut. Elle se tortilla afin de se redresser de toute sa hauteur et sortit la boîte avec le bijou de l'endroit où elle l'avait rangée, à savoir sous son livre. Elle la lui jeta à la tête. Il était impossible de rater sa cible de si près et elle le frappa en pleine poitrine.

— J'attendais pour te remercier de ton cadeau, répliqua-t-elle d'un ton cassant. Que tu n'as pas jugé bon de me donner toi-même. Écarte-toi !

Il resta devant elle, les yeux étrécis.

Elle approcha son visage du sien en le regardant avec fureur et montra les dents.

— J'ai dit : « Écarte-toi. »

Il la saisit et la plaqua contre sa poitrine, pressant sa bouche contre la sienne. Elle se débattit, parvint à libérer un bras et le frappa sur l'épaule. Il l'attrapa par la nuque afin de l'immobiliser et la dévora littéralement. Elle renâcla, le frappa de nouveau, moins fort. Il la força à entrouvrir la bouche et plongea sa langue.

Maudit soit-il ! Elle entoura son cou de son bras libre pour lui rendre son baiser avec rage.

Il lâcha du lest après un moment, se montra plus doux. Elle aspira sa lèvre inférieure entre ses dents et mordit fort.

Il se recula avec un sursaut, la fusillant du regard. Il toucha sa lèvre, regarda ses doigts tachés de sang, et éclata de rire.

— Mon baiser t'a plu.

Elle n'essaya pas de le nier.

— Oui, bon, il y a bien plus que cela qui se joue pour le moment. Est-ce que tu es revenu pour chercher la bagarre ? Comment veux-tu que je te fasse confiance quand tu te conduis comme un porc ?

Piqué au vif, il lui jeta un regard furieux. Saisie par la férocité de son expression, elle le toisa. Si c'était la première fois qu'elle le rencontrait et qu'il la regardait de cette façon, elle prendrait ses jambes à son cou.

Il relâcha sa prise sur elle. Elle se redressa et inspecta le livre ouvert qui s'était retrouvé aplati entre eux. Quelques pages étaient froissées. Elle les lissa et posa le livre sur une petite table.

— Je suis désolé, dit-il.

Mouais. Sa colère n'allait pas miraculeusement se dissiper parce qu'il avait appris à dire « je suis désolé ». Mais elle ne voulait pas mettre de l'huile sur le feu, et elle se contenta de faire un signe d'assentiment. Elle évita son regard en repliant le plaid et en le drapant sur l'accoudoir.

— Pia.

Elle leva les yeux. Il tendait l'écrin.

— J'ai un cadeau pour toi.

Elle se sentit fondre. Maudit soit-il.

— Ah oui ?

Il ouvrit la boîte et souleva le collier. Des étincelles irisées brillèrent entre ses doigts et se reflétèrent dans ses yeux.

— Je voulais voir les opales contre ta peau.

— C'est un très joli cadeau. Merci.

— J'aimerais te le mettre.

Elle rassembla ses cheveux et dégagea son cou en se tournant. Elle sentit ses doigts sur sa nuque. Puis le poids du collier, bien plus lourd que les chaînes fines auxquelles elle était habituée. Il retombait à la naissance de ses seins. Elle baissa les yeux et effleura l'une des pierres.

Il caressa le creux de son cou.

— Ravissant, murmura-t-il.

Il se pencha et posa les lèvres sur sa gorge. Elle caressa ses cheveux noirs, les yeux mi-clos. Il se recula. La tension crispait de nouveau ses traits.

— Est-ce que tu veux rester ou non ?

— Je vais être sincère. Il est difficile de vouloir rester quand tu es intenable. Mais je n'ai pas envie de partir.

Une lueur passa dans son regard – du triomphe, du soulagement, peut-être les deux. Il l'attira dans ses bras.

Elle posa les mains sur sa poitrine.

— Attends. Je n'ai pas fini. Nous devons régler une dernière chose.

— Quoi donc ?

— Il faut que je sache qui et ce que je suis. Il faut que nous le sachions tous les deux. Tu crois vouloir que je reste, mais si tu changeais d'avis ? (Elle posa les doigts sur sa bouche quand il l'ouvrit pour parler.) Je ne pourrai pas croire en nous tant que je ne suis pas certaine que tu sais qui je suis. Je veux que tu m'aides à essayer de me métamorphoser. S'il te plaît.

Il saisit sa main et la retira de sa bouche.

— Je peux parler, maintenant ?

Il avait l'air en colère. Elle humecta ses lèvres sèches.

— Oui, répondit-elle.

— Très bien. Tu veux faire ça, on le fait maintenant, sur-le-champ.

Il se leva et la tira pour la mettre debout.

— Maintenant ? Il est quatre et demie du matin.

— Qu'est-ce que ça peut bien faire ? Je ne vais pas te donner le temps de commencer à réfléchir, analyser, cogiter et te défiler. Tu as dormi un peu, non ?

Il la saisit par le poignet et se dirigea vers la porte. Elle trotta pour arriver à le suivre.

— Nom de nom, encore une chose, tiens. Il faut que tu cesses de me traîner comme si j'étais un sac de pommes de terre.

Il entrelaça ses doigts aux siens.

— C'est mieux ?

— Peut-être, grommela-t-elle.

Il la conduisit dans la chambre.

— Tu vas enfiler un jean et des chaussures, prendre un pull ou une veste. Il y a une poche abritant une Autre Contrée à quinze minutes à vol de dragon à l'ouest de la ville. Je l'ai déjà utilisée pour ce genre de chose. Ce n'est pas très grand, mais la magie y est puissante et stable.

— D'accord.

Elle entra dans le dressing et s'arrêta. Elle sentit son estomac se nouer.

Allait-elle faire ça sans avoir le temps de réfléchir ? Oui. Parce qu'il avait raison : elle serait tentée sinon de se défiler. C'était déjà suffisamment difficile d'avoir essayé toute seule et d'avoir échoué. Les enjeux semblaient tellement élevés, cette fois-ci.

Sans se laisser le temps de tergiverser, elle retira sa jupe, enfila un jean, puis s'assit par terre pour mettre des chaussettes et sa nouvelle paire de chaussures. Enfin, elle attrapa un sweat-shirt noir. Elle retira le collier et le posa soigneusement sur la commode à côté de son petit coffret à bijoux. Elle se dirigea vers la salle de bains où elle se brossa les cheveux et les réunit en queue-de-cheval.

Dragos apparut dans l'embrasure. Il avait gardé son jean, mais troqué sa chemise Armani pour un tee-shirt noir qui moulait son torse musclé. Il portait des bottes noires. Un pistolet était glissé dans un holster à sa ceinture et une épée fixée sur son dos.

Elle s'arrêta net en le voyant.

— C'est une simple précaution, Pia. Nous quittons la ville. Nous n'allons pas loin, les griffons nous accompagnent et nous ne sortons pas de mon domaine, mais il faut que tu t'habitues. Sortir armé est devenu la norme.

— Bien sûr. C'est juste encore une chose à laquelle me faire. (Elle regarda le holster.) Un pistolet ?

— Au cas où on rencontrerait un problème de ce côté du passage. Ils ne sont pas spécialement dangereux si tu ne les utilises pas de l'autre côté.

— Je suppose que je m'y ferai, marmonna-t-elle avec une grimace.

— Tu fais bien plus que cela, je suis fier de toi.

Elle lui sourit, touchée. Elle se dit que c'était une nouvelle preuve de son pouvoir de séduction si elle pouvait être affectée à ce point par ses compliments.

— Prête ?

— Oui.

Bayne, Constantine, Graydon et Rune étaient armés et les attendaient sur le toit. Ils étaient détendus et ne semblaient pas troublés le moins du monde d'avoir été convoqués à l'aube. Graydon lui fit un clin d'œil, et elle lui adressa un sourire un peu timide.

Elle n'avait pas anticipé d'avoir un tel public lorsqu'elle essaierait de se transformer. Elle s'efforça de ne pas se laisser déstabiliser, mais le sentiment de vulnérabilité qu'elle avait ressenti plus tôt dans la journée revint et transforma son appréhension en peur.

Dragos s'avança jusqu'au centre du toit. Un signal passa entre les hommes qu'elle ne put déchiffrer. Les quatre sentinelles se changèrent en griffons. Elle oublia sa peur pendant qu'elle les regardait, émerveillée. Ils avaient le corps d'un lion et la tête et les ailes d'un aigle. Aucune illustration de griffon qu'elle avait pu voir n'avait réussi à capter leur étrange majesté et leur farouche dignité. Ils étaient plus petits que Dragos lorsqu'il avait sa forme de dragon, mais étaient immenses malgré tout.

La Force de Dragos chatoya dans son dos. Elle se retourna et leva les yeux sur le dragon noir et bronze. Il baissa son énorme tête triangulaire vers elle. Elle posa les mains sur ses naseaux, les yeux brillants.

Il la poussa très légèrement et souffla doucement. Elle déposa un baiser sur le cuir chaud sous ses doigts. Puis il la souleva, se ramassa sur ses puissantes pattes et s'élança de la tour.

Comme il l'avait promis, le vol fut court. Elle garda les yeux fermés afin de ne pas avoir à regarder la ligne des gratte-ciel défilant sous eux. Elle respira par la bouche afin d'essayer de contrôler la nausée qui l'accablait.

Après quelques minutes, son malaise se calma et elle sentit qu'elle s'habituait au vol. Ils étaient déjà passés au-dessus de l'Hudson et survolaient le New Jersey, les griffons formant autour d'eux une barrière protectrice. Un moment plus tard, ils effectuèrent un virage et se laissèrent descendre en planant.

Elle essaya de comprendre ce qu'elle voyait. Une masse sombre se dressa devant eux contre le ciel nocturne.

— *Qu'est-ce que c'est ?* demanda-t-elle.

— *First Watchung Mountain*, répondit Dragos. *C'est un passage étroit et court le long d'un ravin. Cramponne-toi.*

L'atmosphère de magie de la Contrée surgit. Les griffons se placèrent derrière eux comme il entamait sa descente et planait très bas. Ils passèrent entre des arbres qui couronnaient les bords d'un ravin. Elle aurait juré que l'extrémité des ailes de Dragos frôlait les rochers.

Les lumières au loin vacillèrent, puis s'évanouirent, et elle sut qu'ils étaient passés dans l'Autre Contrée. Dragos reprit de l'altitude, mais pendant quelques minutes seulement. Ils se posèrent bientôt dans une vaste clairière.

Elle retrouva ses jambes comme Dragos la déposait par terre. Elle regarda autour d'elle, savourant la brise et le calme. Le ciel nocturne de ce côté était parsemé de nuages légers. Le chatoiement de la magie était plus fort qu'elle ne l'avait jamais éprouvé auparavant. Il l'appelait sur une vague de lune argentée, éveillant la créature prisonnière qui vivait en elle au point de la faire gémir et de la précipiter contre les parois de son corps, impatiente de sortir. Elle contempla la silhouette des arbres qui se balançaient doucement dans le vent, se demandant à quoi ressemblerait cet endroit en plein jour.

Dragos se métamorphosa, mais pas les griffons. Ils se postèrent aux quatre coins de la clairière pour monter la garde. Dragos la rejoignit par-derrière et l'entoura de ses bras, la serrant contre lui. Elle inspira profondément, croisa les bras par-dessus les siens et appuya la tête contre sa poitrine. Son sang courait trop vite dans ses veines.

— J'ai l'impression d'être chez moi et en exil en même temps, dit-elle. J'aimerais me sentir chez moi enfin.

— On a le temps. Nous n'allons pas précipiter les choses. Si ça ne marche pas la première fois, nous essaierons de nouveau avec ce que nous aurons appris. (Il l'embrassa sur la tempe.) Je vais te dire quelques trucs, maintenant. Des choses que je sais et des choses que je pense simplement. Je veux que tu m'écoutes. Si tu souhaites rebrousser chemin immédiatement et revenir à New York sans essayer, c'est ce que nous ferons. D'accord ?

Je t'aime, faillit-elle dire. Elle retint les mots au dernier moment et se contenta de faire un signe de tête.

— Tu as plus de chances de te métamorphoser si tu me confies ton vrai Nom. (Les bras de Dragos se raidirent, bien qu'elle n'ait pas bougé.) Je ne te demande pas de me dire ton Nom. Nous pouvons essayer sans que tu le fasses. Je dis simplement que je pourrai mieux t'aider si je le connais. Parfois, les hybrides restent bloqués au milieu de leur transition. Si cela se produit, je t'aiderai à accomplir ton changement en t'appelant par ton Nom.

— D'accord, fit-elle, un peu haletante. Quoi d'autre ?

— Je sais que ta mère a placé sur toi des sorts de protection. J'ai pu les sentir quand j'ai voulu t'envoûter la première fois. Tu les as depuis combien de temps ?

Elle leva la tête pour le regarder. La sienne était plongée dans l'obscurité, mais elle parvenait à distinguer les traits de son visage et l'éclat de ses yeux.

— Depuis aussi loin que je me souvienne. Maman craignait toujours que quelque chose m'arrive avant que je sois assez grande. Elle s'inquiétait aussi que je sois hybride, vu que je n'étais pas aussi puissante qu'elle. Je crois qu'elle se sentait coupable de m'avoir mise au monde.

Sa main encercla sa gorge et il l'embrassa sur la bouche.

— Il est clair qu'elle t'aimait énormément et que tout ce qu'elle voulait, c'est que tu sois en sécurité.

— C'est vrai.

— Il est possible que ces sorts de protection entravent ton changement. Ils sont étroitement tissés autour de ton noyau. À mon avis, tu as donc deux ou trois solutions. Tu peux essayer de te métamorphoser sans rien changer, et si ça se trouve, tu y parviendras. Mais si tu veux mettre toutes les chances de ton côté, je pense que tu devrais au moins retirer les sorts de protection pendant que tu essaies de te transformer. Confier ton Nom est une tout autre chose. C'est une initiative assez extrême. Mais je voulais que tu saches que c'est une possibilité aussi.

La panique tenta de la submerger. Elle lutta contre un irrésistible désir de déguerpir. Qu'est-ce qu'elle faisait, nom de nom ? Ce qui était en train de se passer allait radicalement à l'encontre de tout ce qu'on lui avait appris.

— Attends une minute, dit-elle, les dents serrées.

— Prends ton temps, répliqua-t-il d'une voix calme, sereine, lui frottant les bras.

Était-il possible que sa mère l'ait bloquée avec les sorts qui étaient censés assurer sa sécurité ?

Ils se tenaient dans un lieu ouvert, et pourtant elle sentait la cage en elle. Elle avait toujours eu le sentiment de ne pas être assez forte, de ne pas avoir suffisamment de valeur. À côté de la beauté lumineuse de sa mère, elle s'était sentie terne, gauche.

Elle savait que sa mère aurait été consternée de savoir qu'elle avait éveillé en elle ce sentiment. Mais elle avait toujours eu tellement peur pour elle…

— Je ne veux plus continuer à vivre de cette façon, souffla-t-elle, se tournant afin de faire face à Dragos. Je ne peux pas retirer les sorts de protection. Je ne sais pas comment faire. Est-ce que tu le peux ?

— Pas sans te faire mal. Et je m'y refuse.

— *Et si je te dis mon Nom ?* demanda-t-elle sans être capable de prononcer les mots à haute voix.

— *Alors oui, je le pourrais.*

Elle leva les yeux vers le ciel et lui dit son Nom.

Il eut le souffle coupé. Il frissonna et l'étreignit, baissant la tête, l'enveloppant.

— Tu ne le regretteras jamais, murmura-t-il. Jamais. Je le jure sur ma vie.

Elle posa une main sur sa joue.

Il porta sa main à ses lèvres et se mit à murmurer.

Les murmures s'enroulèrent autour d'elle, la caressèrent, l'incitèrent à se détendre, à s'ouvrir à lui. Elle leva les yeux et examina son visage de bronze, son regard hypnotique. Il s'infiltra en elle à l'instar d'un voleur dans la nuit.

Le dragon l'investit totalement, jusqu'au plus profond de son être, lova son corps de bronze, de serpent autour d'elle, murmurant et murmurant encore. La complexe citadelle de sorts lovée en elle s'effondra.

Puis il entreprit de se retirer, avec une extraordinaire habileté. Elle intégra ce qu'il lui avait montré, comment puiser profondément en elle pour atteindre sa Force quand elle souhaitait se métamorphoser. Puis soudain, elle se retrouva seule dans sa tête. Il la tint dans ses bras et chuchota :

— Ça va ?

— Oui. Mais je me sens si étrange.

Elle se sentait nue, tous ses sens à fleur de peau. Le vent souffla et elle eut la chair de poule, puis le monde ne fut plus que magie.

— Tu es prête ? s'enquit-il en souriant.

— Autant que je puisse l'être, je crois.

Il la lâcha et fit un pas en arrière. Elle sentait sa Force ; il gardait un contact subtil avec elle. Elle balaya la clairière des yeux. Les griffons étaient plongés dans l'obscurité, sentinelles immobiles.

Elle puisa en elle, cherchant sa propre Force. Celle-ci vint à elle sans hésiter, avec une plénitude jamais atteinte. Elle l'inonda d'un jaillissement de lumière. Elle s'étira vers la créature sauvage et emprisonnée qui reposait en elle, cette partie insaisissable qu'elle n'avait encore jamais réussi à toucher...

Et le monde bascula.

# 17

Sa forme humaine étincela et disparut. Une créature exquise brillant d'une luminescence nacrée la remplaça. Elle était de la taille d'un petit poney, mais très différente d'un poney. Son corps menu était fin et élancé. Des sabots délicats finissaient de longues jambes minces. Elle avait un cou à la cambrure gracieuse et une tête racée d'où surgissait une corne lisse aux lignes pures.

— Incroyable, murmura Dragos.

La possibilité lui avait traversé l'esprit car les indices n'avaient pas manqué, sans qu'il ose y croire vraiment. Il n'avait jamais posé les yeux sur une licorne au cours de sa longue vie. Il avait entendu dire que ces créatures rarissimes avaient disparu de l'univers, tellement elles avaient été chassées.

Leur corne pouvait détruire et dissiper n'importe quel poison. Leur sang avait des vertus curatives. Elles ne pouvaient être capturées que par des moyens fourbes. Rien ne pouvait les tenir prisonnières. Le sacrifice de leur vie pouvait conférer l'immortalité.

Pas étonnant que sa mère ait passé sa vie à lui apprendre à fuir et se cacher.

Ses grands yeux bleu-violet foncé étaient ceux de Pia. Ils étaient affolés.

Des prédateurs, songeait-elle. Elle était entourée de prédateurs. Elle se cabra et fit demi-tour, cherchant une voie par laquelle s'échapper.

L'homme de haute taille à la peau sombre commença à lui roucouler quelque chose. Elle frappa le sol d'un sabot et braqua sa corne vers lui.

— Tout doux, ma chérie, tu n'es pas en danger. Calme-toi. Tu n'es pas en danger.

Il fit un pas vers elle. Elle se cabra, trébucha et baissa les yeux, confuse. Elle avait tellement de jambes. Elle regarda derrière elle. Une queue.

Les grands prédateurs à la lisière de la clairière se rapprochaient, les yeux écarquillés. L'homme gronda dans leur direction et ils se figèrent, puis se transformèrent en hommes eux aussi. Elle se mit à galoper en tournant en rond et poussa un cri de détresse.

C'est alors que l'homme brun murmura son Nom. Elle s'arrêta net et dérapa, puis le regarda.

— Rappelle-toi qui tu es.

Elle percevait sa Force.

Pia secoua la tête et piaffa. Elle leva un pied et regarda son sabot.

Oh.

Elle s'était métamorphosée. Elle était wyr.

Dragos s'agenouilla. L'appréhension l'habitait. Après tout ce qu'ils avaient traversé, après qu'elle eut sauté le pas et lui eut fait confiance au point de lui confier son Nom, elle avait l'air au bord de la panique. C'était sa nature wyr. L'animal avait pris trop de contrôle.

— Viens, chérie, l'encouragea-t-il, tendant les mains. Il n'y a pas de raison de paniquer. Tu te souviens de nous. De nous tous. Mon Dieu, tu es la créature la plus belle que j'aie jamais vue.

Elle inclina le cou. Était-ce de la compréhension dans son regard ?

— Fais-moi signe, mignonne. Doucement. Indique-moi que tu es là.

Elle regarda l'étendue éclairée par la lune, puis elle reposa son regard sur lui. Un galop était tentant. Mais il était là avec ce visage lumineux, radieux.

Elle fit quelques pas vers lui. Lorsqu'il était à genoux, ils étaient au même niveau pour se contempler. Il respirait à peine. Elle avança jusqu'à lui et posa sa tête étincelante contre son épaule.

Il caressa ses naseaux veloutés. Elle mouilla ses doigts avec ses lèvres. Les yeux de Dragos brillaient. Il s'assit en tailleur et l'attira sur ses genoux. Elle replia ses jambes sous elle comme un chat. Il l'enveloppa de ses bras et pressa sa joue sur le dessus de sa tête. Ils écoutèrent le bruissement du vent dans les arbres.

— Merci, murmura-t-il. Merci.

Elle eut du mal à se transformer de nouveau et faillit paniquer. Il dut la guider pendant toute la durée de la transition. Il la tint dans ses bras et lui parla jusqu'à ce qu'elle retrouve sa forme humaine.

— Pourquoi est-ce que j'ai eu tant de mal à revenir ? haleta-t-elle en s'agrippant à ses mains.

— Ce ne sera pas toujours le cas. Il paraît que c'est comme apprendre à monter à cheval ou faire du vélo. Une fois que tu auras maîtrisé le changement, ce sera tout simple. Tu pourrais le refaire maintenant, mais je ne te le conseille pas. La première fois, surtout pour une hybride, sape toute l'énergie.

— M'en parle pas.

Son ton était maussade, mais ses yeux étincelaient.

Il l'aida à se relever alors que les griffons s'approchaient. Ils la regardaient tous les quatre avec émerveillement. Graydon lui sourit.

— Eh bien, si tu n'es pas une vision de rêve ! s'exclama-t-il. Je pensais que tu allais te transformer en un petit animal rapide et étrange, un ouistiti ou un truc comme ça.

Spontanément, elle se dirigea vers lui et lui sauta au cou.

— Merci d'être un si bon camarade.

Il se figea et regarda Dragos par-dessus l'épaule de Pia. Celui-ci se rembrunit, mais finit par faire un signe de tête au griffon. Graydon lui rendit son accolade. Ses yeux gris pétillaient de joie.

— Tout le plaisir est pour moi, mignonne.

Dragos posa une main sur le bras de la jeune femme et l'écarta.

— Nous devrions rentrer, maintenant.

Ils se transformèrent tous, sauf elle. Elle observa avec attention l'aisance et la fluidité qui caractérisaient leur métamorphose. Elle voulait essayer de nouveau, toute seule, mais il faudrait qu'elle attende de s'être reposée. Elle avait l'impression que toutes ses terminaisons nerveuses vibraient.

Elle s'endormit pendant le vol qui les ramenait à New York. Elle ne se réveilla même pas quand Dragos se métamorphosa. Il garda les deux pieds avant sous elle. Ses membres se changèrent en bras humains sous les genoux et les épaules de Pia, puis il se dressa, ayant retrouvé sa forme humaine, la jeune femme lovée contre sa poitrine.

Les griffons se rassemblèrent autour d'eux, la contemplant. Elle continuait à luire.

Rune avait passé les pouces dans sa ceinture.

— Tu te rends compte que si cela s'apprend, elle va être traquée toute sa vie ?

— Elle le sait déjà et moi aussi. (Dragos avait un air sombre.) Alors, pas un mot. À personne. Pas même aux autres sentinelles, pour l'instant. Cela reste entre nous. Elle a eu une semaine délirante pour une foule de raisons. Je veux qu'elle fasse une pause et se détende. Elle pourra ensuite décider qui peut savoir ou non.

Elle se réveilla à moitié lorsque Dragos retira doucement ses vêtements et la mit au lit, mais juste le temps de rouler et d'enfouir sa tête dans un oreiller, une jambe repliée. Il se déshabilla, se glissa sous les draps et se colla à elle, passant une jambe sous la sienne, un bras l'entourant.

Pia dormit profondément, puis rêva qu'elle courait. Elle se réveilla en sursaut quand elle se rendit compte qu'elle courait sur quatre jambes, et le souvenir de ce qui s'était passé l'envahit de bonheur. Le soleil matinal avait inondé la chambre.

Elle regarda Dragos, tourné vers elle, un bras sur sa taille. Ses traits ciselés étaient apaisés dans le sommeil. Les couvertures avaient glissé et elle contempla sa poitrine et ses bras musclés. Ses sourcils noirs contrastaient avec le bronze de ses joues, ses cheveux étaient en désordre. Son érection matinale pressait contre sa cuisse.

Il ne serait jamais un homme doux. Sa capacité de violence était sous-jacente, à fleur de peau. Mais il avait fait preuve par moments d'une extraordinaire tendresse à son égard.

Je t'aime, faillit-elle dire. Mais il avait avoué ne pas savoir ce qu'était l'amour. Elle serra les poings.

Peut-être qu'il ne le saurait jamais. Peut-être que ce qu'elle avait maintenant était tout ce qu'elle pourrait avoir. Si elle devait choisir entre la solitude avec lui et la solitude sans lui, elle préférait de loin la première solution.

Elle enveloppa son sexe épais et pressa ses lèvres contre les siennes. Il laissa échapper un son qui jaillit du plus profond de sa poitrine, et lui rendit son baiser en venant à la rencontre de sa caresse. Il poussa son genou pour lui écarter les cuisses, roula sur elle et la pénétra doucement. Ils soupirèrent à l'unisson quand ils ne firent plus qu'un.

— C'est ça, murmura-t-il en mordillant son oreille. C'est ça.

Elle serra ses jambes autour de sa taille et caressa son dos puissant.

Il se mit à aller et venir, ondulant au-dessus d'elle, en elle. C'était tellement bon. Il la fit monter lentement et sans effort jusqu'à l'orgasme. Elle jouit avec bonheur, au point d'en avoir les larmes aux yeux. Il l'embrassait, ses mains formant un cercle autour de son visage, lorsqu'il éjacula.

Elle le sentit palpiter en elle comme il s'appuyait sur les coudes et se penchait au-dessus d'elle, haletant. Ses traits étaient tellement beaux qu'elle ne put s'empêcher de souffler :

— Tu es à moi.

Il ouvrit les yeux et les plongea dans les siens, alors qu'il tremblait encore.

— Je suis à toi.

Ils se rendormirent, lui toujours lové en elle, caressés par les rayons du soleil. Un peu plus tard, elle remua et protesta quand il se retira et qu'elle sentit son poids la quitter.

— J'ai des choses à faire, dit-il doucement. Reste au lit et repose-toi.

Elle fit la moue, embrumée de sommeil. Il l'embrassa sur le front. Elle se pelotonna à sa place chaude, étreignit son oreiller et somnola.

C'était un petit dragon blanc tellement mignon. Sa tête était trop grande pour son corps. Il la regardait avec un amour pur, absolu, tandis qu'il avançait vers elle d'une démarche maladroite. Il n'arrivait pas à coordonner ses pattes arrière avec ses pattes avant et s'étala de tout son long.

Il ne fallait pas qu'elle rie, cela le vexerait.

— *Eh, amour de bébé*, lança-t-elle.

— *Maman*, dit-il en avançant à quatre pattes. *Maman.*

Elle se redressa vivement, son cœur battant la chamade.

Qu'est-ce que… ?

Le lit se mit à tanguer. La nausée l'assaillit, incontrôlable. Elle se jeta hors du lit, mais ne réussit pas à atteindre les toilettes à temps. Elle parvint toutefois dans la salle de bains et vomit dans le lavabo. Plusieurs fois, alors qu'elle pensait en avoir fini, elle fut saisie de haut-le-cœur qui lui firent monter les larmes aux yeux.

Oh non, non, non, ce n'était pas possible. Pas ça, pas ça en plus…

L'un des avantages d'être wyr, que ce soit pour les mâles ou les femelles, était l'aptitude à la contraception naturelle. Elle n'avait jamais très bien compris comment cela marchait. Quelque chose comme l'établissement d'une barrière mentale pour prévenir une grossesse.

Étant moitié humaine, elle n'avait jamais eu cette aptitude : elle avait donc dû avoir recours à des méthodes de contraception humaines. Cela faisait maintenant plus d'un an qu'elle avait un stérilet. Il était censé être efficace pendant encore dix ans au moins.

Sauf que désormais, Dragos était dans sa vie, déversant en elle sa Force et sa semence, jour après jour.

Le choc la fit littéralement tituber, et elle faillit ne pas se souvenir de vérifier si les fils transparents du stérilet étaient toujours en place. Ils l'étaient. Mais… Elle déploya ses sens nouvellement développés et les fit entrer dans son corps. Là. L'étincelle d'une minuscule vie était nichée en elle.

Le sentiment de trahison fut un coup de poignard. Le salaud.

Elle prit une douche et s'habilla : tee-shirt, bermuda kaki, baskets. Trente-cinq dollars qui lui restaient sur les cent empruntés à Rune pour acheter les chaussures. Elle sortit de la chambre.

Cette fois-ci, c'étaient Bayne et Aryal qui montaient la garde dans le hall. Pia s'arrêta net en avisant la femme de haute taille, toute de cuir vêtue et à la chevelure noire en désordre. Une étrange beauté, et des yeux gris ombrageux et durs qui jugeaient.

Bayne l'accueillit avec un grand sourire. La harpie la dévisagea calmement, ses traits anguleux froids.

— Où est Connor ? demanda Pia.

— Il avait quelque chose à faire, expliqua Bayne. Aryal le remplace pour l'après-midi.

— Ça vous pose un problème ? demanda Aryal en levant un sourcil et en la regardant avec insolence.

Pia pinça les lèvres. Elle ne répondit pas et indiqua l'entrée du penthouse.

— Rentrez et voyez ce qu'il y a à la télé. Est-ce que vous pouvez préparer du café, s'il vous plaît ? Toute une cafetière si vous en voulez aussi. Je vais chercher quelque chose à manger. Je reviens.

— Ça marche, fit Bayne en souriant.

Fais comme si de rien n'était. Traverse le hall, passe devant la cuisine et la salle à manger.

Elle jeta un coup d'œil par-dessus son épaule quand elle arriva au coin. Bayne et Aryal avaient disparu dans la suite. Elle courut jusqu'à l'ascenseur. Celui-ci fonctionnait au moyen d'une clef au niveau du penthouse. La porte qui menait à l'escalier était fermée à clef.

Pas de problème. Il lui suffisait de se faufiler.

Elle aplatit ses mains tremblantes sur le panneau et appuya. Mais elle respirait trop vite. Une terrible envie de courir la saisit. Elle lutta contre la panique, la souffrance et le sentiment de trahison, afin d'essayer de réfléchir de manière rationnelle.

Il n'était pas certain qu'elle parvienne à sortir de la tour. Il y avait de nombreux étages à descendre avant d'arriver en bas. Elle avait peut-être cinq minutes pour sortir du bâtiment.

Et qu'affronterait-elle si elle arrivait à sortir ? Le danger que représentaient Urien et son armée ne s'était pas évaporé simplement parce que la journée commençait mal et qu'elle avait besoin de respirer et de sortir de ce fichu endroit.

Une vague de nausée l'assaillit de nouveau. Elle ferma les yeux, serra les poings et s'évertua à reprendre le contrôle.

— Pia, est-ce que tout va bien ? lança Bayne derrière elle.

Elle inspira profondément, se ressaisit et lui fit face.

— Dragos a dit que je pouvais aller où je voulais. J'ai besoin de sortir.

Dieu sait l'expression qu'elle devait avoir. Sûrement pas rassurante, car le griffon la regarda d'un air inquiet.

— Est-ce que tu peux me dire ce dont tu as besoin ? demanda-t-il. Je serais ravi d'aller chercher tout ce que tu veux…

Le self-control qu'elle s'efforçait de maîtriser lui échappa. Et elle craqua. Elle pivota et donna un violent coup de pied dans la porte. Le son creux et métallique fit penser à une bombe.

— Je dois sortir ! hurla-t-elle, poussant la porte fermée avec ses poings. Je ne vais pas bien. (Coup de pied.) J'ai besoin de *ne pas en parler*. J'ai besoin que Dragos me foute la paix. (Coup de pied.) J'ai besoin que tu cesses de me poser des questions et m'emmènes où je veux. Est-ce que tu peux faire ça pour moi, oui ou non ?

Aryal apparut soudain. Les deux sentinelles se postèrent de chaque côté d'elle, concentrées. Elles se déplaçaient comme des soldats, sans bruit, leurs corps athlétiques se mouvant avec fluidité. La nonchalance détendue de Bayne s'était évanouie. Il l'enveloppait d'une énergie mâle protectrice, et il posa une main sur son dos.

— Bien sûr que nous pouvons le faire. Nous allons te conduire où tu veux.

— Bayne, fit Aryal.

— Ce sont les ordres.

La harpie se mordit la lèvre, mais demeura coite.

Pia souffla. Elle se retourna vers l'ascenseur et Bayne la guida à l'intérieur. Elle fixa d'un regard vide un point entre les épaules d'Aryal tandis que l'ascenseur descendait les quatre-vingts étages qui les séparaient du rez-de-chaussée.

Les portes s'ouvrirent et ils sortirent. Aryal resta devant eux tandis que Bayne se rapprochait tellement d'elle que ses épaules effleurèrent les siennes comme il balayait du regard le vaste hall animé. Puis ils poussèrent les portes à tambour et se retrouvèrent dehors sous un soleil éblouissant.

Elle marqua une pause, la main pressée sur le ventre. Elle avait du mal à y croire. Ils avaient tenu parole et l'avaient sortie de la tour.

Bayne l'incita silencieusement à avancer vers une Porsche noire qui était apparue comme par magie et attendait devant le gratte-ciel. Aryal regarda autour d'eux d'un regard d'aigle, ses cheveux volant au vent comme elle se glissait à la place du conducteur. Bayne ouvrit la portière arrière pour Pia. Elle monta et se tordit afin de l'empêcher de s'installer à côté d'elle. Leurs regards se croisèrent, et la gentillesse et l'inquiétude qu'elle lut dans ses yeux la transpercèrent. Puis il recula, ferma la portière et s'assit devant.

— Bien, Pia, fit Bayne. Où on va ?

— Brooklyn, répondit-elle.

La main de Bayne se dirigea vers le GPS et elle ajouta :

— Je vous indiquerai le chemin quand il le faudra.

Les deux sentinelles échangèrent un regard.

— D'accord, dit Aryal.

La Porsche démarra.

Pia se recroquevilla sur la banquette et regarda par la fenêtre.

— *Pia, qu'est-ce que tu fais ?* fit soudain Dragos dans sa tête.

Elle ferma les yeux.

— *Ne me parle pas*, répondit-elle.

— *Tu es sortie de la tour. Tu avais promis que tu ne le ferais pas.*

Sa voix mentale était tellement calme et contrôlée qu'elle sentit un frisson lui parcourir l'échine.

— *J'ai dit « ne me parle pas »*, répliqua-t-elle avec hargne, *espèce de salaud.*

Un battement de cœur, puis il demanda :

— *Qu'est-ce qui s'est passé ?*

— *Tais-toi. Sors de ma tête.*

— *Pia...*

Elle ne répondit pas et il hurla :

— *Qu'est-ce que j'ai encore fait, bordel ?*

Le cri télépathique résonna dans son crâne. Elle posa la main sur son front.

— *Ne hurle pas comme ça, je n'arrive pas à penser.*

Elle se sentait comme anesthésiée. Comment pouvait-il poser une question pareille ? Comment pouvait-il ne pas se rendre compte qu'elle saurait, maintenant qu'elle s'était métamorphosée en Wyr ?

— *Je suis désolé d'avoir haussé le ton.* (Il tentait la persuasion.) *Bayne et Aryal n'expliquent rien, juste que tu es contrariée et qu'ils te conduisent où tu dois te rendre. Gray est inquiet. On peut discuter de tout ce qui cloche, n'est-ce pas ? Pia, je t'en prie. Tu me tues.*

On pouvait dire ce qu'on voulait sur lui, il avait une sagesse maligne qui pouvait s'insinuer chez quelqu'un à l'instar d'un stylet. Elle essuya ses larmes.

— *Tu ne sais... rien... à propos de ce qui se passe ?*

Sa réponse fut immédiate et résolue.

— *Je te jure que non. Quel que soit le problème, on peut l'affronter ensemble, y remédier ensemble.*

Le pouvaient-ils vraiment ?

— *Dragos, donne-moi juste l'après-midi. J'ai besoin de me calmer et de réfléchir avant de pouvoir te parler.*

Le silence palpita. Puis, tranquillement et d'une voix suave, il déclara :

— *Je pourrais me servir de ton Nom pour te faire revenir.*

Elle renifla en regardant par la fenêtre.

— *Les menaces ne sont pas une bonne idée.*

Les secondes s'égrenèrent. Puis il reprit la parole.

— *Tu as l'après-midi. Ensuite, je viens te chercher.*

Tout un après-midi de libre ? Waouh. Quelle générosité, fit la partie d'elle qui cachait sa peine sous le sarcasme. Elle réussit à ravaler les mots et garda le silence.

Puis il resta lui aussi silencieux et elle fut seule.

Sans lui.

Rune et Graydon étaient dans le bureau de Dragos, la même expression renfrognée sur le visage.

— Au moins, elle est protégée, fit Graydon. Elle est avec Aryal et Bayne.

Il n'avait pourtant pas l'air spécialement rassuré.

— Est-ce qu'elle a dit où elle avait besoin d'aller ou ce qui n'allait pas ? demanda Rune.

— Non. (Dragos faisait les cent pas.) Elle a juste dit qu'elle avait besoin d'un peu de temps. Je lui ai dit que je lui donnais l'après-midi.

— Tu vas vraiment lui donner tout l'après-midi ? s'étonna Rune.

— Bien sûr que non.

Il ouvrit les portes-fenêtres avec une telle violence que le verre se brisa. Le vent vif du mois de mai s'engouffra dans la pièce.

— La sorcière ne répond pas au téléphone. Trouvez quelqu'un pour mettre un sort de pistage sur elle, et faites-le vite.

— Je m'en occupe, répondit Graydon.

Il plongea par la fenêtre et se transforma en plein ciel.

Dragos et Rune se regardèrent. Bayne et la harpie étaient d'excellents guerriers. Parmi les meilleurs.

Mais un après-midi pouvait être très long à New York, avec le roi des Faes en liberté et déterminé à faire des siennes.

Pia indiqua le chemin à Aryal. Ils arrivèrent bientôt devant la grande clinique wyr de Brooklyn où elle était suivie depuis quelques années. La clinique se trouvait dans un bâtiment carré tout simple, un bloc de béton, dans un quartier populaire. Un sentiment d'abandon planait sur les rues, quelque chose de désespéré tapi dans les recoins sombres, attendant de montrer ses dents à la nuit tombée. La clinique elle-même toutefois était ouverte dans la journée et son personnel était professionnel et attentif. La majorité des patients étaient des hybrides, et l'endroit fourmillait de monde.

Aryal gara la voiture le long du trottoir et coupa le contact.

Pia sentit son estomac se nouer.

— Restez ici, dit-elle.

— Désolé, Pia, répliqua Bayne.

Le griffon était descendu de la voiture avant qu'elle ait eu le temps d'ouvrir la portière. Aryal le rejoignit.

Elle retint l'impulsion de leur crier sa frustration en sortant du véhicule. Elle les regarda tour à tour. Aryal avait une expression dure. Bayne quant à lui était impassible. Elle se demanda ce qu'ils pensaient de leur destination, et quelle conversation télépathique pouvait bien être échangée derrière ces visages de tueurs.

— Bon, laissez-moi vous expliquer un truc, fit-elle en indiquant le bâtiment. Personne là-dedans ne sait que nous sommes là. Il est hors de question que vous entriez avec moi et terrifiiez les gens à l'intérieur, alors vous gardez les entrées. Point barre.

Bayne plissa la bouche. Elle étrécit les yeux.

— J'aurais pu partir sans vous, j'ai failli le faire, Bayne. Alors ne me fais pas regretter de m'être pliée à vos règles.

— Poste-toi derrière le bâtiment, lança soudain Aryal. À la porte de service.

— Bien, répondit-il d'un ton agacé.

Il tourna les talons et s'éloigna à grands pas.

Pia n'attendit pas plus longtemps et se précipita vers l'entrée. Elle y était presque quand Aryal la saisit par sa chemise et la plaqua contre le bâtiment.

— Enfin, ça va pas ! hoqueta-t-elle.

Aryal la maintint clouée au mur avec aisance en appuyant son avant-bras contre sa gorge.

— Taisez-vous, dit-elle d'un ton cassant. Je ne vous fais pas mal. Vous et moi allons parler.

— Lâchez-moi !

Pia essaya de repousser violemment le bras d'Aryal pour se dégager. La harpie attrapa son poignet. Des doigts d'acier mordirent sa peau.

— Vous avez causé plus de problèmes ces deux dernières semaines qu'un gang de rats wyrs déchaînés. Je veux savoir ce que vous manigancez maintenant.

— Ça ne vous regarde pas.

— Ça me regarde si vos actions font de nouveau courir un danger à Dragos.

— Je ne cause de préjudice à personne. Tout ce que vous avez à savoir, c'est que Dragos m'a donné l'après-midi.

— Et vous l'avez cru ? (Aryal ricana.) Elle est bonne, celle-là.

Il avait menti ? Elle regarda la harpie d'un air consterné.

— Lâchez-moi, dit-elle en serrant les dents.

Aryal la libéra tellement vite qu'elle faillit trébucher. La harpie la touchait presque, cependant. Elle portait un blouson de cuir qui s'ouvrit quand elle mit les mains sur ses hanches, et Pia aperçut son holster.

— Vous savez quoi ? Je pourrais arriver à oublier la queue-de-cheval de pom-pom girl, fit Aryal en lui décochant un sourire glacial. Il me faudrait du temps, mais je pourrais y arriver. Je pourrais aussi ne pas me focaliser sur le fait que les griffons perdent la boule autour de vous et vous mangent dans la main. Mais ce que je ne peux pas oublier, c'est que vous avez violé la loi. Vous avez mis en danger la vie du seigneur des Wyrs, et vous n'avez pas été punie. Ça me met vraiment en pétard.

— Vous ne savez pas de quoi vous parlez, répliqua Pia.

Elle frotta ses yeux brûlants. Elle se sentait déstabilisée, totalement à la dérive.

— Ce que je ne sais pas, reprit Aryal, c'est si vous êtes ou non la compagne de Dragos. Eh bien, mignonne, voilà un problème insoluble et la raison qui fait que je ne peux pas vous tuer.

Pia serra les poings.

— Non, vous ne le pouvez pas, c'est une chose acquise.

Elle abattit son poing avec une telle vélocité qu'elle surprit la harpie. Le coup l'atteignit à l'épaule avec une telle force qu'elle chancela en arrière.

— Vous n'êtes pas obligée de m'apprécier ou d'approuver mes actions, reprit Pia. Vous n'êtes pas obligée d'être d'accord avec les décisions de Dragos. Vous êtes obligée de faire ce qu'on vous demande. Est-ce qu'il vous a demandé de me ramener à la tour ?

Aryal la fusilla du regard, mais resta coite.

— C'est bien ce que je pensais. Alors, vous me foutez la paix. Vous n'avez pas le droit de me questionner ou de m'intimider. Et c'est Graydon qui peut m'appeler « mignonne », pas vous. Vous n'en avez pas gagné le droit.

Pia n'attendit pas davantage. Elle pivota et poussa les portes de la clinique.

Cinq ou six personnes étaient assises dans la salle d'attente. Quelques-unes regardaient la télévision. Une infirmière lui sourit poliment.

— Bonjour. Qu'est-ce que je peux faire pour vous ?

— Je m'appelle Pia Giovanni. Il faut que je voie un médecin, dit-elle à voix basse.

Les muscles de son visage et de son cou lui faisaient mal, tant elle était crispée. Elle se tordit les mains.

— Je suis une patiente du Dr Medina. Je suis désolée, mais je n'ai pas pris rendez-vous. Je... (Ses yeux s'embuèrent.) J'ai peur que ce soit une urgence.

— Oh, mon petit, fit l'infirmière avec compassion.

Elle tendit un Kleenex à Pia et la fit entrer dans le service de soins, où elle la guida dans une petite pièce d'examens dotée d'un évier, d'une chaise et d'un pèse-personne.

— Bon, qu'est-ce qui ne va pas ? Vous êtes sûre que vous ne devriez pas plutôt vous rendre aux urgences ?

— Je ne sais pas. Je suis une hybride wyr et je porte donc un stérilet. Vous savez, le modèle qui a un élément en cuivre, pas celui avec les hormones, parce que je ne suis pas totalement humaine. Je suis dans une nouvelle relation avec un pur Wyr, et j'ai réussi à me métamorphoser la nuit dernière…

— Félicitations ! s'exclama l'infirmière avec un grand sourire.

Elle s'appelait Rachel, d'après son badge.

— Merci. Mais je suis malade depuis deux jours et c'était vraiment terrible ce matin. Je suis à peu près sûre que je suis enceinte. Je le sens, maintenant que j'ai effectué ma métamorphose. Et le stérilet est toujours en place. Je suis sous le choc. Je n'arrive pas à réfléchir, mais je sais une chose : je ne veux pas perdre ce bébé.

L'infirmière posa la main sur le ventre de Pia et se concentra, semblant rentrer à l'intérieur d'elle-même. Pia sentit le picotement de la magie pendant que la femme l'examinait.

— Oh oui, oui, vous avez raison, vous êtes enceinte, fit l'infirmière avec excitation.

— Est-ce que ma métamorphose de la nuit dernière lui a fait du mal ?

— Non ! Non ! Se métamorphoser est la chose la plus naturelle du monde. L'intensité de vos maux de cœur est un peu inhabituelle, toutefois. Et vu que vous avez un stérilet, vous avez bien fait de venir. Nous allons vous faire examiner par un médecin. Installez-vous ici, je vais aller chercher votre dossier. En fait, je vais voir si je peux attraper…

Se parlant à elle-même, l'infirmière sortit d'un pas rapide. Pia s'affala sur la chaise, la tête dans les mains. Heureusement que Dragos avait cessé de rugir, car elle avait l'impression qu'elle aurait été avalée dans un tourbillon et se serait évaporée. Elle se dit que son silence n'augurait rien de bon, mais peu lui importait.

Elle se sentait flageolante, au bord de la nausée. Elle posa la main sur son ventre. Reste là, crevette.

La chance lui sourit, car le Dr Medina s'apprêtait à partir en vacances et venait de voir le dernier de ses patients. Pia se sentait à l'aise avec elle. C'était une Wyr canine aux cheveux blancs, vive, directe.

Après un examen rapide et une pulsation de Force, elle retira le stérilet.

— Bonnes nouvelles. Vous êtes en excellente santé et votre grossesse n'est pas ectopique, ce qui est un des risques majeurs lorsqu'une grossesse survient malgré un stérilet. Ce bébé est exactement où il est censé être, lové dans votre utérus. Je suis contente que vous n'ayez pas traîné pour venir, cependant. Parlez-moi un peu de ces nausées.

Soulagée, Pia décrivit les derniers jours.

— Je n'ai jamais été tentée de mettre un morceau de viande dans ma bouche, expliqua-t-elle. Mais ça sentait tellement bon. Et c'est tellement déplacé…

Le médecin la regarda par-dessus ses lunettes.

— Est-ce que vous êtes avec un prédateur, par hasard ?

— Oui.

Le médecin se redressa et lui sourit.

— Les unions prédateur-herbivore sont bien plus rares que les unions homogènes, mais elles existent, bien entendu. Je ne vais pas vous mentir : la grossesse ne va pas être facile, et par moments vous aurez l'impression que vos instincts sont totalement détraqués.

— Est-ce que ce sera une grossesse à risques ?

— Je ne dirais pas ça. Pensez protéines et calcium. Si vous n'arrivez pas à vous forcer à être omnivore pendant la durée de la grossesse, il faut que vous consommiez beaucoup de boissons protéinées. Le soja, c'est bien. Le lait, c'est mieux. Et puis, des vitamines prénatales. Je vais vous prescrire un charme antiémétique qui devrait aider. Il ne bloquera pas la douleur, toutefois. La douleur est un messager trop important. Mais il vous aidera à ne pas rendre vos repas.

Le médecin griffonna sur son bloc, puis lui tendit l'ordonnance.

— Merci infiniment, dit Pia avec ferveur. Une dernière question, si vous voulez bien.

— Oui, bien sûr.

Elle hésita, ne sachant comment aborder le sujet.

— Cette grossesse est un choc. J'avais le stérilet, je veux dire. Je pensais qu'il préviendrait les choses, vous comprenez ? Mon… partenaire et moi n'avons même pas abordé le sujet. Je commençais à avoir mal au cœur avant ma métamorphose, je devais déjà être enceinte. C'est donc le père qui… a fait quelque chose ?

Le médecin la regarda avec des yeux intelligents et doux.

— Aucun moyen de contraception n'est fiable à cent pour cent, que ce soit pour les Wyrs ou les humains. Certes, le stérilet est une méthode très efficace, en général. Et oui, les Wyrs sont en mesure de contrôler leur cycle de reproduction. En général. Mais j'ai connu des Wyrs qui perdaient le contrôle au cours des premiers jours de la frénésie qui accompagne une relation avec un nouveau partenaire. Vous seule êtes en mesure de dire s'il est juste votre amant ou votre partenaire de vie. Est-ce que ma réponse vous aide ?

Elle réussit à déglutir.

— Oui, elle m'aide beaucoup, docteur Medina. Merci, merci beaucoup.

— Je vous en prie. J'adore les bébés. J'aurais dû être obstétricienne. (Elle referma le dossier et se leva.) Au fait, vous ne m'avez pas dit en quoi vous vous étiez changée ?

Ne s'attendant pas à la question, Pia bredouilla :

— Oh, euh... en ouistiti.

— Étrange, murmura le médecin en la regardant avec étonnement. Je n'aurais pas imaginé cela. Et votre partenaire ?

— Il ne... n'en est pas un.

Le médecin plissa les yeux.

— Vous me le direz, n'est-ce pas, si l'information devient pertinente et importante au plan médical ?

— Oui, bien sûr. Je vous le promets.

— Prenez vos vitamines, conclut le médecin près de la porte. Je vous verrai le mois prochain.

Pia se rhabilla, étourdie par le soulagement et la faim. Elle aurait pu dévorer un cheval, si cela n'avait pas été du cannibalisme ! Elle se pencha et noua ses lacets.

Enceinte. Compagnon de vie. Je vais avoir un bébé dragon.

Elle se redressa et des étoiles noires dansèrent devant ses yeux. Tellement de choses se bousculaient en elle, tellement de pensées et d'émotions jaillissaient qu'elle avait l'impression d'être un feu d'artifice.

La panique de perdre le bébé avait été remplacée par la panique de se savoir enceinte. Elle était soulagée, non seulement que la grossesse soit viable, mais aussi à l'idée que Dragos ne l'ait pas intentionnellement piégée. Elle lui devait des excuses.

Mais elle n'avait aucune idée de la manière dont il réagirait à l'annonce de cette grossesse.

Elle appuya la main sur son ventre. Oh, crevette, j'ai toujours eu le secret espoir d'avoir un enfant un jour, mais il faut que je te dise : le moment n'est pas idéal...

Elle rencontra un problème inattendu alors qu'elle s'apprêtait à quitter la clinique. L'infirmière lui demanda :

— Toujours la même assurance et le même montant pour le ticket modérateur ?

Même assurance ? Celle d'Elfie's, son précédent employeur. Et elle qui avait trente-trois dollars en poche et pas de chéquier ! Elle se pinça l'arête du nez.

— Oui, merci.

Elle tendit les vingt-cinq dollars qu'elle devait, déclina la proposition d'un reçu et essaya de ne pas avoir l'air faux.

Elle traversa le hall vers la porte d'entrée. Elle s'arrêta juste devant. Elle ne pensait pas avoir assez de Force pour joindre Dragos télépathiquement, mais elle décida de tenter le coup.

— *Dragos ?*

Il répondit immédiatement et, Dieu merci, calmement.

— *Oui.*

— *J'ai fini. Je rentre à la maison. J'ai des nouvelles et je te dois des excuses.*

— *On en parlera plus tard. Où es-tu ? Je vais venir te chercher.*

— *Tu ne le sais pas ?*

Elle avait pensé que Bayne ou Aryal lui aurait sûrement dit. Elle poussa la porte de verre et cligna les yeux en retrouvant la lumière du soleil. Où était la harpie ? Elle mit sa main en visière et regarda autour d'elle.

— *Je suis allée voir mon médecin…*

Elle marcha sur quelque chose et déplaça le pied en baissant les yeux. Elle avait marché sur… Est-ce que c'était une fléchette ?

Une douleur vive lui perça le cou. Elle posa la main sur la zone douloureuse et vit une autre fléchette tomber sur le trottoir. Elle sentit son corps s'engourdir à une vitesse incroyable. Le monde pencha et elle heurta le trottoir.

Bayne. Aryal. Elle essaya de les appeler, mais elle n'arrivait pas à former les mots.

Quelqu'un lui criait quelque chose dans une autre partie de sa tête, mais elle n'arrivait pas à établir de connexion ni à comprendre ce qui était dit.

Trois personnes s'approchèrent. Deux étaient des Faes noires mâles avec de longs yeux étirés, des pommettes saillantes, des oreilles pointues et des cheveux noirs.

La troisième était une femme de type hispanique à la beauté majestueuse, dont le regard palpita de Force quand il croisa le sien. La sorcière Adela, du Chaudron.

— Oh, c'est encore vous. (Adela fit la moue et soupira.) Je le craignais.

Espèce de stupide garce, essaya-t-elle de dire. Je vais te faire passer un sale quart d'heure. Si Dragos ne met pas la main sur toi en premier…

Tout s'estompa.

# 18

Une voix méphistophélique tonna dans sa tête. Elle l'appelait par son Nom.

— *Utilise ta Force, bordel. Je sens que tu es là. Essaie*, exigeait la voix impérieuse. *Réveille-toi, merde !*

Tout tournoyait autour d'elle. Une odeur d'essence et de gaz d'échappement. Elle était allongée sur quelque chose de dur qui vibrait, la joue pressée contre un tapis rugueux. Elle respira à petits coups.

Quelqu'un poussait un gémissement plaintif. Oh, c'était elle. Tais-toi, idiote.

Elle lutta pour faire ce que la voix lui demandait et puisa au plus profond d'elle-même. Son professeur d'arts martiaux lui aurait dit d'aller chercher son chi, son flux d'énergie, le point d'où partait son souffle.

Pendant un moment affreux, elle fut désorientée, totalement à la dérive dans le noir. Puis elle se connecta. Sa Force jaillit de la base de sa colonne vertébrale et inonda son corps. Elle ne dissipa pas tous les effets de la drogue, mais l'aida à retrouver un peu ses esprits.

Elle était ligotée, les bras derrière elle, bâillonnée, dans le coffre d'une voiture roulant à vive allure. Elle se sentit accablée. C'était vraiment le bouquet.

— *Réponds-moi immédiatement*, ordonna Dragos.

— *J'ai eu une semaine de dingue*, réussit-elle à articuler.

Sa voix mentale était étouffée et manquait de contrôle, mais il l'entendit.

— *Ah, je reconnais ma douce.* (Le tonnerre avait été remplacé par un soulagement anxieux.) *Tu es blessée ?*

— *Non, droguée. Ligotée, dans le coffre d'une voiture. On va vite.*

— *Bien. Reste calme*, fit Dragos.

— *Bayne et Aryal ?*

— *On les a retrouvés devant la clinique. Ils avaient été drogués eux aussi. Ils vont bien ; les effets se dissipent.* (Dragos avait l'air de nouveau posé.) *Nous avons finalement réussi à trouver quelqu'un pour jeter un sort de pistage. Je vais être en mesure de te suivre dans peu de temps. Comment es-tu attachée ? Tu peux te libérer ?*

La nausée la menaçait de nouveau, elle la refoula. Elle ne pouvait pas se permettre de vomir alors qu'elle était bâillonnée. Elle se cambra afin de toucher ses mollets avec des mains qui la picotaient et commençaient à s'engourdir.

— *J'ai des espèces de menottes en plastique. Pas de verrous. Je ne peux pas les retirer.*

— *D'accord. Ne t'en préoccupe pas.*

Elle avait des choses importantes à lui dire. Qu'est-ce que c'était, déjà ? Pendant combien de temps pourrait-il lui parler ? Graydon avait dit quelque chose à propos de sa portée télépathique, plus de cent cinquante kilomètres. Elle n'avait pas la moindre idée du temps qui s'était écoulé depuis qu'elle avait perdu connaissance, ni de la distance qui les séparait.

— *J'ai des choses à te dire, au cas où on perdrait contact.*

— *Nous n'allons pas perdre contact*, répondit-il d'un ton sec. *J'ai un sort de pistage sur ta tresse. J'arrive.*

Elle se força à respirer profondément, régulièrement, même si l'odeur des gaz d'échappement lui soulevait le cœur. Elle essaya de réfléchir. Était-ce la magie d'une Autre Contrée qu'elle percevait au loin ?

— *Est-ce que le sort marchera encore si nous passons dans une Autre Contrée ?*

— *Je ne vais pas te laisser partir si loin.*

Il ne lui avait pas dit si le sort fonctionnerait toujours. Elle avait le sentiment que la réponse aurait été négative.

— *Ce sont deux Faes noires. Ils sont avec une sorcière du Magic District.*

— *Décris-la.*

— *Elle a des cheveux noirs, elle est humaine, Adela est son prénom. Elle est la propriétaire de la boutique Divinus. Je n'arrive pas à me souvenir de son nom de famille.*

— *Ce n'est pas important. Est-ce que tu peux me décrire les Faes noires ?*

Elle essaya du mieux qu'elle put, mais elle ne les avait vues que fugacement avant de perdre connaissance.

— *Je suis désolée.*

Son ton redevint doux.

— *Rien de tout cela n'a d'importance pour le moment.*

L'impression de se rapprocher d'une contrée magique s'amplifia. Oh, oh…

— *Il faut que je te dise quelque chose. Je suis enceinte.*

Son rugissement lui emplit la tête.

— *QUOI ?*

Elle se mit à parler à toute allure.

— *Je n'ai jamais eu de contrôle sur ma fertilité et je m'étais donc fait poser un stérilet. Quand je me suis rendu compte de ce qui arrivait ce matin, j'ai eu tellement peur de faire une fausse couche, je n'arrivais pas à penser à autre chose qu'à aller voir le médecin le plus vite possible et me faire retirer le stérilet. Et j'étais furieuse après toi. Je croyais que tu l'avais fait exprès.*

— *Pia, mon Dieu…*

— *J'ai rêvé de lui ce matin. C'était un dragon blanc, le plus beau petit garçon que tu puisses imaginer.* (Ils prirent un virage, puis ralentirent.) *Nous quittons l'autoroute et ralentissons. Je sens la magie d'une Contrée tout près.*

— *Vite,* dit-il. *Le coffre a un verrou. Essaie de le lever et dis-moi ce que tu vois.*

Si ses mains avaient été libres ou devant elle au moins, elle aurait pu ouvrir le coffre de l'intérieur. Elle essaya de se mettre à genoux et de pousser avec l'épaule. Le loquet se désengagea au moment où la voiture s'arrêtait.

Elle repoussa la porte du coffre afin d'avoir la place de s'en extraire et tomba sur la route avec un sinistre bruit mat. Elle leva les yeux comme un pick-up Dodge fonçait droit sur elle. Le pick-up freina à mort et stoppa à quelques centimètres de son visage. La voiture dans laquelle elle avait été enfermée redémarra et tourna à gauche.

— Hé ! hurla un homme au volant du pick-up.

Tais-toi, abruti, tais-toi.

Elle entendit une porte claquer.

Elle s'assit alors qu'un homme d'âge mûr surgissait devant elle. Il s'agenouilla à son côté.

— Qu'est-ce que c'est que ça ? Oh, doux Jésus, vous avez été kidnappée ?

À ton avis ?

Elle vit les feux d'arrêt d'une voiture à quelques mètres. Elle essaya de crier quelque chose à l'homme à travers le bâillon.

— Tenez bon, mon chou. Ça va aller maintenant.

Il essayait de lui retirer le bâillon.

— *Je suis sortie du coffre à un stop. Ils l'ont remarqué. Ils sont dans une Lexus grise et ils reviennent. Je vois des pancartes qui indiquent... autoroute 17 et... Averill Avenue, State Road 32. Il y a un panneau qui indique un parc. Je n'arrive pas à lire le nom. Ce sont les deux mêmes types. Pas trace de la sorcière.*

— *Je sais où tu es*, dit-il d'un ton satisfait. *Bien joué.*

L'homme retira le bâillon au moment où la Lexus arrivait à leur hauteur. Elle hurla.

— Fuyez !

Les deux Faes sortirent, l'air furieux. Elles avaient des pistolets au poing.

— *Non, ce n'est pas bien joué. J'ai commis une grave erreur. Oh, mon Dieu. Mon Dieu. Mon Dieu.*

Dragos essayait de lui parler, mais elle ne pouvait faire quoi que ce soit, sinon regarder l'homme avec horreur alors qu'il se dressait et faisait volte-face. Une des Faes leva son arme et tira ; l'homme s'effondra.

— *Je crois que je viens de provoquer la mort de quelqu'un*, sanglota-t-elle.

Puis l'autre Fae leva son pistolet vers elle et tira à son tour. Elle baissa les yeux à l'endroit où elle sentit la douleur dans sa poitrine. Une autre fléchette s'était fichée dans son tee-shirt.

Et tout devint noir.

Le dragon rugit de rage et de désespoir en volant à toute allure en direction du nord. Il était suivi par toutes ses sentinelles à l'exception d'une seule, laissée derrière pour s'occuper de la sorcière.

Il était trop loin, trop loin, et elle avait de nouveau disparu.

Ses ennemis avaient pris sa compagne de vie. *Son enfant.*

Il fallait qu'elle soit vivante.

Toute autre possibilité était inconcevable.

Une Force d'une glaceur brûlante la réveilla brutalement. Elle toussa et roula sur le flanc. Elle n'avait plus de bâillon et n'était plus attachée. Des fourmillements parcouraient ses bras et ses jambes.

Elle était étendue par terre. Elle toucha le parquet ciré. À l'intérieur, donc.

— Voilà notre voleuse, fit une voix cultivée et mâle au-dessus de sa tête. Le moment est venu de se réveiller.

Elle savait de qui il s'agissait. Dommage que sa tête soit toujours fixée à son corps. Elle avait espéré faire sa connaissance quand il ne l'aurait plus.

— Je dors, puis je me réveille. Puis je dors de nouveau et maintenant je me réveille, dit-elle d'une voix rauque. Vous ne pouvez pas vous décider une fois pour toutes ?

— Je dois reconnaître qu'on ne s'ennuie pas avec vous, répliqua-t-il en riant. Vous avez été drôlement dure à attraper. Et apparemment, Cuelebre a du mal à vous retenir.

Oui, bon, mieux valait ne pas aborder ce sujet. Elle contempla les bottes noires cirées qui se trouvaient juste à côté de sa tête et d'où partaient des jambes qui allaient plus haut qu'elle n'arrivait à voir pour le moment.

— Est-ce que je peux avoir de l'eau ?

— Bien sûr.

Il lui jeta de l'eau froide à la figure. Elle était trop épuisée pour réagir autrement que par un hoquet de surprise.

— Bon, reprit-elle après un moment. Est-ce que je peux avoir de l'eau à boire maintenant, s'il vous plaît, Majesté ?

Il rit de nouveau.

— Étonnante et pas bête. C'est autrement mieux que votre petit ami, qui m'ennuyait *et* était abruti. Franchement, je ne vois pas ce que vous faisiez avec lui.

— Ex. Ex-petit ami, corrigea-t-elle.

Ses membres semblaient enfin en état de fonctionner. Elle se redressa et s'assit. Elle se trouvait dans une vaste pièce à l'atmosphère médiévale. Il y avait une grande cheminée en pierre et des fauteuils, une longue table en bois avec des bancs, des appliques qui donnaient à la scène une illumination tremblante qu'elle trouvait étrange et angoissante, et un haut plafond à chevrons.

Il y avait aussi des gardes faes postés devant des fenêtres solidement verrouillées. Les deux qui l'avaient kidnappée étaient stationnés devant les portes à double battant.

Elle ne savait pas combien de temps elle était restée sans connaissance. Elle espérait que les drogues n'avaient pas fait de mal à la crevette. Elle posa discrètement une main sur son ventre et se concentra pour vérifier. Elle poussa un soupir de soulagement en situant la minuscule vie qui étincelait en elle.

Le roi des Faes s'accroupit à son côté. Il lui tendit une coupe. Elle prit une gorgée avec méfiance. De l'eau fraîche, pure, limpide. Elle l'avala d'une traite.

Puis elle posa les yeux sur le meurtrier de Keith. Quelques semaines plus tôt, elle ignorait qu'il y avait tellement de personnes à haïr dans le monde. Urien. La sorcière Adela. Les deux Faes noires devant la porte qui avaient abattu un humain innocent sans hésiter.

Les quelques Faes qu'elle avait rencontrées avaient l'apparence de malicieux lutins, à l'instar de Tricks, ou une étrange beauté sévère, à l'instar d'Urien. Dommage qu'il soit un tel monstre. Avec son élégance souple, ses pommettes saillantes, sa peau blanche et ses cheveux de jais, il était magnifique.

— Nous sommes dans une de mes propriétés à la campagne, expliqua-t-il. Pas de cour, juste mes hommes et moi. Et vous, maintenant. (Il indiqua la coupe de la main.) Encore ?

— Oui, merci.

Il la prit, se leva et alla la remplir à un pichet d'argent posé sur la table. Elle avala de nouveau l'eau d'une traite.

— Buvez autant que vous voulez. Le sédatif donne très soif, m'a-t-on dit, et vous avez reçu deux doses. Mes hommes étaient étonnés, d'ailleurs, car une dose aurait dû suffire pour le trajet.

— J'ai toujours eu un métabolisme très rapide, répliqua-t-elle.

Elle but une autre coupe. Son vertige se dissipa.

Le roi se dirigea vers l'une des chaises à haut dossier devant la cheminée et s'assit. Il indiqua la chaise en face de lui en souriant.

— Asseyez-vous, je vous en prie. Nous avons beaucoup de choses à discuter, vous et moi.

La pire attitude face à un prédateur, c'était de montrer sa peur et tenter de fuir. Elle avait le sentiment que c'était la même chose avec le roi des Faes. Elle s'assit donc, s'adossa et croisa les jambes.

Urien l'observa par-dessus ses doigts qu'il avait croisés devant sa bouche, puis il tendit la main vers le verre de vin posé sur une petite table à côté de son siège et prit une gorgée.

— Quelle surprise et quel mystère vous êtes, mademoiselle Giovanni.

— Ce n'est pas voulu.

Il lui adressa un sourire qui n'atteignit pas ses yeux noirs.

— Il y a quelque chose en vous…

Elle se pinça l'arête du nez et soupira.

— Oui, je ressemble à Greta Garbo, on me le dit souvent.

— Vraiment ? Et qui est cette Greta Garbo ?

— Une star d'Hollywood des années 1940.

— Je ne m'intéresse pas à ces passe-temps modernes prisés par les humains, dit-il d'un ton dédaigneux. Ce minable de Keith n'arrêtait pas d'importuner mes hommes, alors quand j'ai entendu ses déclarations grotesques à propos de sa petite amie, je me suis dit : jetons un charme de localisation et voyons ce qui se passe. Histoire d'essayer le prototype de quelque chose sur lequel je travaille. Imaginez ma surprise quand tout ce qu'il clamait s'est avéré. Et imaginez encore ma surprise quand il n'a pas soufflé un mot sur vous. (Il se pencha.) Pas après avoir été châtré, pas après avoir été éviscéré, pas après avoir été aveuglé. Je ne pensais pas que ce garçon pouvait faire preuve d'une telle loyauté.

Elle se couvrit la bouche, luttant pour ne pas montrer son émotion. Au bout d'un moment, elle avait retrouvé suffisamment de sang-froid pour dire :

— Il ne pouvait rien vous dire. Je l'avais forcé à prêter un serment d'engagement.

Urien fit claquer ses doigts.

— Ah, voilà qui explique tout. Une énigme éclaircie. Dites-moi à quoi ressemble le trésor du dragon. Est-ce qu'il est aussi magnifique que le disent les légendes ?

Il avait une expression cupide.

— Sincèrement, j'avais trop peur pour regarder autour de moi. Je ne savais pas s'il n'allait pas surgir d'une minute à l'autre. Je suis entrée, j'ai vu un bocal de piécettes à l'entrée, j'ai pris le penny et j'ai décampé. J'aurais pu prendre autre chose, mais j'étais tellement furieuse après Keith que je ne voulais pas lui donner la satisfaction de rapporter quelque chose de valeur. Et puis, j'espérais qu'en prenant simplement le penny, j'avais peut-être une chance que Cuelebre ne me tue pas s'il me retrouvait un jour.

Il pencha la tête, l'étudiant comme s'il regardait un insecte à travers une loupe.

— Ce qui nous amène à l'énigme suivante. Pourquoi ne vous a-t-il pas tuée ?

Elle croisa les mains sur son ventre. Tiens bon, crevette.

— Il faudra que vous le lui demandiez, répondit-elle. Parce que cela m'étonne moi-même.

Il étrécit les yeux. Elle sentit sa Force glaciale frôler sa peau.

— Comment avez-vous fait pour échapper aux orques ?

— Encore une fois, il faudra le lui demander. J'étais enfermée dans ma cellule quand il est venu me libérer. Prendre simplement un penny n'a aidé en rien. Il était dans une rage folle quand il m'a retrouvée. Il voulait à tout prix me juger, lui, pas quelqu'un d'autre. (Elle pensa soudain à quelque chose.) Il n'aurait pas non plus voulu que je m'échappe, vu que je savais où se trouvait son trésor.

— Très vrai, nota le roi en levant les sourcils.

— Enfin, ça n'a plus d'importance, ajouta-t-elle.

— Comment ça ?

— Un de mes gardes m'a dit que Cuelebre avait décidé de changer son trésor de place, révéla-t-elle en haussant les épaules. Je présume que maintenant que le lieu a été compromis...

Elle laissa la phrase en suspens.

— Je suppose qu'il fallait s'y attendre. Dommage. J'aurais aimé lui voler davantage. Peut-être que je vous enverrai voler quelque chose au nouvel endroit. (Il agita une longue main blanche.) Mais nous discuterons de cela une autre fois. Ce que je veux savoir, c'est comment vous êtes parvenue à vous introduire dans son antre.

Sa Force l'enveloppa en la serrant, à l'instar d'un boa se lovant autour de sa proie. Elle eut la chair de poule et se mordit les lèvres pour s'empêcher de claquer des dents. Elle se mit à réfléchir à toute allure.

— Vous savez que les ouistitis sont petits et vifs ?

— Les ouistitis, répéta-t-il.

— Est-ce que Keith ou quelqu'un d'autre ne vous a pas dit que j'étais hybride, moitié wyr ?

— Quelqu'un l'a mentionné en effet, répondit-il lentement.

— Eh bien, je suis petite et vive. Et j'ai un don : les verrous n'ont pas de secret pour moi. C'est comme ça que j'avais l'intention de m'échapper de la tour. Les gardes de Cuelebre ne savent pas que j'ai cette aptitude. J'allais les duper, attirer leur attention pour qu'ils tournent la tête et puis m'éclipser de l'endroit où j'étais enfermée.

Il lui adressa un sourire charmeur et relâcha un peu la pression glaciale qu'il exerçait sur elle.

— Impressionnant. Donc, ma chère, vous n'avez pas seulement humilié Cuelebre en lui volant quelque chose, mais vous avez en plus l'aptitude à vous échapper de sa tour. Je savais que cela vaudrait la peine de vous traquer.

Quelle chance pour nous, crevette.

— Ceci m'amène à notre dernière énigme, fit Urien. Que s'est-il passé entre vous et Cuelebre sur cette plaine ? Vous aviez l'air plutôt complices. Et quelque chose s'est produit, il y a eu une espèce de surtension de Force et il a été en mesure de se métamorphoser. On nous avait assuré qu'il ne serait pas en mesure de le faire si vite.

Un filet de sueur glaciale glissa entre ses seins. Il venait de confirmer qu'il avait un complice chez les Elfes. Elle ferma les yeux et frotta ses tempes.

— Est-ce que vous savez que les orques m'ont violemment battue ? Ils essayaient de faire réagir Cuelebre, ce qui n'a pas réussi, bien entendu, parce qu'il a observé la scène avec un regard dur et totalement impassible.

Tiens, elle ne savait pas qu'elle était encore contrariée par cet incident ; c'était irrationnel, non ? Il lui avait sans doute sauvé la vie en gardant un visage de marbre.

Le roi des Faes but une gorgée de vin sans la quitter des yeux.

— Eh bien, reprit-elle, nous avions en face de nous une véritable horde de ces ignobles orques. J'aurais fait n'importe quoi pour leur échapper. Il y avait une trace blanche sur son épaule, là où les Elfes l'avaient touché avec leur fichue magie. (Elle indiqua l'endroit sur elle.) Alors je l'ai convaincu de me laisser ouvrir la blessure. Et, comme vous venez de le dire, vous avez senti sa surtension de Force. Il a tué tout le monde sur la plaine, sauf moi.

Le silence pesa dans la pièce. Elle scruta le visage d'Urien, dénué de toute expression. Tu crois qu'il a gobé ma salade, crevette ? Je ne sais pas. Peut-être, peut-être pas. Ne joue jamais au poker avec ce type.

Mais ce qui s'était réellement passé n'était-il pas encore plus extravagant ?

Elle se sentit désorientée, comme toujours lorsqu'elle et Dragos étaient séparés pendant un moment. Il est *en train* de venir me chercher, songea-t-elle farouchement. Il a dit qu'il l'était. Nous sommes des compagnons de vie, peut-être. D'après Graydon, je suis son trésor. En tout cas, je porte son fils. Cela doit compter pour lui, n'est-ce pas ?

— Je vois, finit par énoncer Urien qui termina son vin et reposa le verre. On peut dire que vous en avez vu de toutes les couleurs ces derniers jours, n'est-ce pas ?

— Écoutez, dit-elle. Est-ce que je suis une invitée ou une prisonnière ? Est-ce que vous allez me torturer pour une raison incompréhensible ? Parce que, au cas où vous n'en avez pas l'intention, je veux que vous sachiez que je n'ai rien avalé depuis hier et que je ne me sens pas très bien.

Le roi des Faes fit la moue.

— Cuelebre ne s'est absolument pas occupé de vous, n'est-ce pas ? Ma chère, pourquoi aurais-je la moindre raison de vous torturer ?

— Je ne sais pas. Les deux dernières semaines ont été folles. Et je ne comprends pas la moitié de ce qui m'est arrivé, en particulier pourquoi vos sbires m'ont droguée au lieu de m'accoster dans la rue et de se présenter.

— Ce que vous dites là, nota le roi, est tout à fait juste. Disons simplement que nous ne savions pas comment vous réagiriez et nous n'avions pas envie que vous nous glissiez entre les doigts. Étant donné, d'après les comptes rendus, que vous avez été étonnamment protectrice envers le dragon lorsque vous vous êtes entretenue avec les Elfes en Caroline du Sud.

Elle se figea. Elle n'avait pas anticipé cette question. Qu'avait-on pu lui dire ? Comment devait-elle répondre ?

— Si cet affrontement s'était envenimé davantage, réussit-elle à articuler, deux domaines des Anciens seraient en guerre aujourd'hui, et les pertes seraient lourdes. Certes, je lui ai volé quelque chose, mais je ne suis pas une meurtrière. Si vous avez reçu un compte rendu de cet affrontement, vous savez aussi que je devais l'accompagner jusqu'à la frontière elfique puis m'en aller, mais en route des orques nous ont poursuivis et nous avons eu un accident. Et cet événement nous ramène à vous, n'est-ce pas ?

Il lui sourit d'un air rusé.

— Un de ces jours, je parviendrai enfin à tuer Cuelebre. Vous avez compliqué les choses. Regrettable, mais c'est du passé désormais. (Il agita une main.) Je crois que nous devrions vous considérer plus comme une employée qu'une invitée ou une prisonnière. Vous pourriez servir à beaucoup de choses. Tellement de gens ont tellement de choses que je veux.

— Je ne savais pas que c'était un entretien d'embauche. J'aurais mis un tailleur, sinon.

La fureur la rendait imprudente. Houlà, contrôle-toi, pouliche.

Il rejeta la tête en arrière en riant.

— Vous me plaisez, Pia. C'est très simple : vous faites ce qu'on vous demande. Si vous acceptez, vous aurez une vie relativement agréable. Et si vous ne le faites pas ? Oh, je ne vous recommande pas cette option. Vraiment pas. (Il se leva.) L'entretien est terminé. Piran, Elulas, accompagnez-la dans sa chambre et assurez-vous qu'elle n'en bouge pas. N'oubliez pas de la fouiller pour vérifier qu'elle n'a rien sur elle susceptible de crocheter un verrou. Oh, et donnez-lui quelque chose à manger. La malheureuse semble au bord de l'évanouissement.

Ses kidnappeurs s'approchèrent. Sa chose personnelle Un et sa chose Deux. Elle se leva et les suivit. Que pouvait-elle faire d'autre ?

Ils la laissèrent utiliser les toilettes au rez-de-chaussée. Elle constata avec soulagement que la demeure n'était pas trop médiévale. Au moins, il y avait l'eau courante et une chasse d'eau. Ils lui firent ensuite monter un escalier et longer un couloir jusqu'à une chambre nue. Il y avait juste un lit étroit, deux couvertures pliées et une fenêtre avec des barreaux.

Chose Un la fouilla soigneusement pendant que chose Deux observait. La Fae palpa les coutures de ses vêtements, remonta les mains le long de ses jambes et palpa son entrejambe, vérifia qu'elle ne dissimulait rien entre ou sous les seins, et lui demanda de retirer ses chaussures pour les inspecter.

Les dents serrées, elle endura la séance. Elle fut en mesure de contenir sa rage, simplement parce que l'expression amorphe et maussade de son garde lui indiqua que la fouille n'avait rien de sexuel.

Ils l'enfermèrent à clef. Elle déplia une couverture et la posa sur le matelas nu, écoutant les deux Faes discuter entre elles dans leur langue aux consonances celtes. Elle entendit des pas s'éloigner : elle espérait que c'était pour aller lui chercher quelque chose à manger. Elle allait devoir se forcer à avaler ce qu'ils lui donneraient, afin de reprendre des forces. Elle espérait juste que ce ne serait pas de la viande.

Le soir était tombé, semblait-il, le ciel était plombé, la chambre plongée dans la pénombre. Elle s'allongea et contempla les murs.

— *Dragos ?* tenta-t-elle. *Tu es là ?*

Rien que le silence. Qu'est-ce que cela voulait dire ? Elle déploya sa conscience prudemment. Elle ne percevait rien, pas de pulsations de magie, pas d'autres Faes, rien que la lourde chape glacée de la Force d'Urien. Était-il en mesure de neutraliser la magie qui se trouvait dans son voisinage ?

Elle leva les sourcils en baissant les yeux sur ses mains et ses bras. Elle n'était pas luminescente. Il devait être en mesure de neutraliser la magie, en effet, mais pas de briser les sorts déjà en place.

Son récit ne tiendrait pas longtemps. Elle ignorait, par exemple, ce qu'Adela savait exactement sur elle, et l'étendue de son implication avec les Faes noires.

Et qu'en était-il de cette connexion elfique ? Ferion connaissait la vérité sur sa lignée, avait parlé au seigneur elfique suprême et à la dame, et avait été présent à la téléconférence. Pouvait-elle espérer que le contact d'Urien chez les Elfes ne soit pas Ferion ? Il l'avait traitée avec tellement de chaleur.

Il était possible qu'Urien l'ait manipulée ou lui ait menti. Aussi, la seule chose qu'elle osait espérer, c'était qu'elle s'était acheté un peu de temps.

Elle entendit des pas s'approcher et s'assit au moment où la clef jouait dans la serrure. Chose Deux entra et déposa un plateau par terre. Il ressortit et verrouilla la porte. Elle inspecta le repas.

La moitié d'un pain noir, des pommes, et de l'eau. Gagné.

Elle se jeta sur la nourriture. Le pain était légèrement rassis, mais il avait encore une texture savoureuse et était très bon. Les pommes étaient délicieuses. Elle dévora tout, but la moitié de l'eau et sentit immédiatement un regain d'énergie. Formidable.

Maintenant, quoi ? Il y avait deux possibilités de sortir de la pièce. Elle repoussa le plateau contre le mur afin d'éviter de renverser le reste d'eau, et alla inspecter la fenêtre.

Les barreaux se trouvaient de l'autre côté du panneau de verre. Ils consistaient en deux simples grilles verticales en métal dotées de barres transversales en haut et en bas. Elles étaient posées sur des gonds de chaque côté de la fenêtre et fixées par un cadenas et une chaîne en métal entortillée autour des barreaux.

Elle ouvrit doucement la fenêtre, puis marqua une pause pour écouter. Ses deux gardes poursuivaient leur conversation.

Elle posa la main sur le cadenas et tira. Il s'ouvrit.

Elle le retira et déroula la chaîne. Celle-ci était solide et faisait plus d'un mètre de longueur. Elle l'enroula deux fois autour de son poing et fit le geste de la lancer afin d'en apprécier le poids.

Ce n'était pas une mauvaise arme, pour quelqu'un qui n'avait pas beaucoup d'options. Elle laissa tomber le cadenas sur le lit, termina l'eau et baissa la grille de métal de cinq centimètres en essayant de scruter le sol qui entourait la demeure.

Urien avait été suffisamment futé pour s'assurer qu'aucun arbuste n'entoure la maison. L'aménagement paysager n'offrait également aucune possibilité de se cacher. Elle recula alors qu'un garde débouchait d'un des coins du bâtiment et passait sous sa fenêtre.

Elle observa un moment et fit le compte des gardes. Le cinquième garde était en fait le premier, ce qui signifiait qu'ils étaient quatre, un pour chaque côté de la maison. Ils effectuaient leur patrouille en cercle. Quatre, plus chose Une et chose Deux, les gardes qui se trouvaient à l'intérieur, postés devant les fenêtres dans la salle de réunion, et aussi ceux qu'elle n'avait pas vus. Urien avait peut-être une vingtaine d'hommes avec lui au total.

Deux choix s'offraient à elle : elle pouvait remettre le cadenas en place, s'asseoir sur le lit et attendre, ce qui était risqué. Ou elle pouvait sauter par la fenêtre, régler son compte à un garde et détaler comme si elle avait le diable aux trousses. Très risqué.

Si elle restait, elle serait à la merci du roi. Elle ne voulait pas penser à ce qui se passerait s'il découvrait qu'elle attendait l'enfant de Dragos.

Elle n'avait donc en fait pas le choix.

Elle étudia les gardes qui continuaient de défiler. Lequel avait l'air le plus endormi, le plus lent, le plus incompétent ? Bon sang, ils avaient tous l'air efficaces.

— Accroche-toi, crevette, murmura-t-elle en posant un pied sur le rebord de la fenêtre.

Au moment où le garde suivant passait, elle poussa la grille métallique et bondit. Le bruit mat qu'elle fit en touchant le sol alerta l'homme, qui levait déjà son arbalète quand il se retourna.

Il était rapide.

Elle fut plus rapide encore.

Elle pivota en faisant voltiger la chaîne. Elle sut qu'elle l'avait tué sur le coup en voyant qu'il avait été frappé à la tempe.

Elle ne ressentit rien, ni pitié ni remords, tandis qu'il s'écroulait. Hum. C'était donc cela, l'instinct de tueur.

Bon.

Elle s'empara de l'arbalète et l'examina d'un coup d'œil rapide. Elle était chargée. C'était un arc à poulies moderne, léger et élégant, doté d'une mire télescopique et d'un carquois monté sur le bras principal et qui contenait cinq carreaux. Elle connaissait cette arme.

Ouf.

Le cœur battant, elle se précipita en courant aussi vite que possible en direction du coin de la demeure d'où allait déboucher le garde suivant. Elle s'aplatit contre le mur, inspira profondément et attendit, l'arme levée.

Elle se retrouva face au garde au moment où il tournait le coin. Il écarquilla les yeux. Elle tira le carreau à bout portant et jeta un coup d'œil vers l'endroit d'où il venait.

Cette section de la maison lui sembla plus longue et elle avait aperçu un autre bâtiment. Peut-être une écurie ? Où gardaient-ils leurs drôles de libellules ?

Elle recula, rechargea l'arbalète et se mit à compter.

Quatre, trois, deux…

Elle ne l'entendait pas, mais le garde devait être là. Elle tourna le coin, l'abattit d'un carreau puis tira son corps, le hissant par-dessus l'autre garde. Elle rechargea et compta de nouveau.

Elle n'en revint pas quand le dernier garde s'écroula. Elle contempla son cadavre. Elle venait de tuer quatre personnes en moins de cinq minutes.

Le moment était venu de faire en sorte que ces morts n'aient pas servi à rien.

Elle laissa tomber son arme et s'empara de l'arbalète du dernier garde et de son carquois plein. Puis elle se mit à courir.

# 19

Cela faisait une demi-heure que Dragos avait perdu la connexion avec Pia par le biais du sort de pistage. Ses sentinelles et lui arrivèrent à l'intersection de l'A17 et d'Averill Avenue. Ils tombèrent sur des voitures de police, une ambulance et une voiture de pompiers qui entouraient un pick-up noir Dodge. Il envoya Tiago, Rune et Grym survoler le Harriman State Park au sud-est afin d'y chercher une Lexus grise.

D'une superficie qui approchait les vingt mille hectares, le parc était l'un des plus vastes de l'État de New York. Il comptait plus de trente lacs et trois cents kilomètres environ de sentiers de randonnée. Il comportait également un passage menant à une poche importante d'une Autre Contrée.

Se dissimulant aux yeux des humains, Dragos se posa, suivi par Graydon, Bayne et Constantine. Dès qu'ils se furent métamorphosés, il courut vers les véhicules d'urgence, flanqué par les griffons.

Graydon s'approcha d'une femme agent de police et se présenta.

— Qu'est-ce qui s'est passé ?

— Il y a eu une fusillade, répondit la femme en regardant Dragos et ses sentinelles d'un air surpris. La victime est un type d'âge mûr qui a été abattu. Des gamins l'ont trouvé…

Dragos n'écouta pas la suite. Il passa rapidement à côté du pick-up. Il vit une flaque de sang, et Bayne s'arrêta pour l'inspecter. Les portières de l'ambulance étaient ouvertes. Dragos regarda à l'intérieur. Deux infirmiers prodiguaient les premiers soins à un homme.

— Il est conscient ? demanda-t-il à l'un d'eux.

— Vous ne pouvez pas être là, fit l'homme sans lever les yeux.

Dragos le saisit et le sortit de l'ambulance, puis s'adressa à l'autre.

— Cet homme est-il conscient ?

Il opina, les yeux ronds comme des soucoupes.

— Nous essayons de le stabiliser. Il faut qu'on le conduise à l'hôpital.

Dragos monta dans le véhicule et s'accroupit à côté du brancard. La victime avait un regard vitreux. Dragos baissa le masque à oxygène.

— Elle était vivante quand ils l'ont emmenée ? questionna-t-il.

L'homme tenta de dire quelque chose. Il haletait.

Dragos se pencha plus près.

— La femme qui a été kidnappée. *Était-elle vivante quand ils l'ont emmenée ?*

— Oui… je crois… réussit à énoncer le malheureux. Lui ont tiré dessus… tiré dessus…

L'infirmier posa une main sur celle de Dragos afin de remettre le masque à oxygène.

— Je vous en prie. Son cœur s'est déjà arrêté une fois.

Constantine lâcha l'infirmier qu'il avait sorti de l'ambulance quand il en descendit. Dragos se redressa, livide, les poings serrés.

— Il pense qu'elle était vivante. Il a dit qu'ils lui avaient tiré dessus.

— Merde, fit Graydon en pâlissant.

Constantine saisit le bras de Dragos.

— N'oublie pas qu'ils l'ont droguée et kidnappée la première fois – ils ne l'ont pas tuée. Ils la veulent vivante.

— Tu as raison. (Il les regarda, les yeux injectés de sang.) Elle est enceinte. Urien tient ma compagne de vie, et elle est enceinte.

Les griffons le regardèrent d'un air à la fois horrifié et stupéfait.

C'est alors que Tiago dit :

— *Nous avons trouvé la Lexus. Ils sont passés de l'autre côté ici précisément.*

Galvanisés, ils s'éloignèrent en courant afin de pouvoir s'envoler sans être vus. Il n'y avait aucune trace de sang dans la Lexus. Il respira mieux.

Ils localisèrent le passage et se retrouvèrent dans l'Autre Contrée. Le sort de pistage posé sur sa tresse avait été rompu. Ils seraient obligés de la pister en étudiant le terrain.

C'était heureux qu'ils aient avec eux l'un des meilleurs pisteurs de toutes les espèces. Tiago se déplaçait en effectuant de larges arcs, étudiant le sol, puis il se mit à courir dans une direction. Rune et Graydon partirent reconnaître le terrain plus loin, pendant que les autres accompagnaient Tiago.

Dragos resta dans les airs, dissimulant sa présence en effectuant des cercles, devançant Tiago mais suivant la même trajectoire.

La mort était un autre de ses compagnons et volait sur ses traces.

Pia n'avait aucune idée de l'endroit où elle se trouvait, pas plus qu'elle ne savait où elle allait. Elle avait un but : s'éloigner le plus possible d'Urien, le plus vite possible. Elle espérait qu'il n'avait pas une de ces drôles de libellules avec lui.

Le paysage vallonné était parsemé d'épais bouquets d'arbres et de zones ouvertes tapissées d'une profusion de fleurs des champs. Elle marqua une pause à la lisière d'un bois et balaya rapidement du regard la scène derrière elle. Pas le moindre signe de poursuite.

Le champ vert émeraude qu'elle venait de traverser était constellé de taches dorées, violettes et écarlates. Elle remarqua soudain une magnifique fleur violette aux pétales cannelés comme du muguet, au moment où celle-ci crachait à la vitesse de l'éclair un long pédoncule duveteux qui attrapa un insecte bourdonnant sur son extrémité collante, puis se rétracta dans la fleur avec sa proie.

Pia jeta l'arbalète sur son épaule et plongea dans la zone boisée. Elle évita tout ce qui ressemblait de près ou de loin à un sentier. Si elle arrivait à s'éloigner suffisamment, elle réfléchirait mieux aux moyens de dissimuler ses traces, mais pour l'instant elle n'en avait pas le temps.

Une pluie fine commença à crépiter sur la cime des arbres et une goutte l'atteignait de temps à autre. Elle aurait peut-être la chance qu'il se mette à pleuvoir des cordes. Une grosse pluie aiderait à dissiper son odeur.

La Wyr nouvellement libérée qui vivait en elle était impatiente de dégourdir ses jambes et de partir au galop, mais l'esprit humain de Pia ne pouvait s'empêcher de ressentir de la frustration. Elle aurait pu utiliser les ruses que sa mère avait essayé de lui inculquer pour brouiller sa piste. Mais en l'état actuel des choses, elle n'osait pas puiser dans sa Force, craignant de commettre une erreur et de révéler sa position.

Elle eut peut-être une quinzaine de minutes de paix et de silence. Puis Urien siffla dans sa tête :

— *Vous venez de commettre une très grave erreur, Pia Giovanni. Ce que j'ai fait à votre petit ami n'est rien, comparé à ce que je vais vous faire quand je remettrai la main sur vous.*

La cinglée qui habitait parfois son corps s'adressa au roi des Faes.

— *Je peux courir plus vite que le vent, connard. Attrapez-moi si vous le pouvez.*

Bon, ce n'était pas la chose la plus futée qu'elle ait dite. Mais elle en avait soupé des gens désagréables, aujourd'hui.

La pluie redoubla et elle courut plus vite encore.

Elle se concentra sur ce qui l'entourait, repérant les obstacles, planifiant sa course à travers les arbres et veillant à garder l'équilibre sur un terrain qui devenait de plus en plus glissant. Elle fut bientôt trempée jusqu'aux os. La forêt devint plus dense.

Puis elle vit une ouverture dans les arbres devant elle. Elle réussit à s'arrêter de justesse en dérapant, évitant de dégringoler une pente.

Oh, oh, pas cool. Une prairie vallonnée s'étendait devant elle. Elle n'était pas aussi grande que la plaine où Dragos et elle s'étaient retrouvés piégés, mais elle était toutefois bien trop vaste à son goût.

Elle se mordit la lèvre et essaya de réfléchir. Elle ne pouvait pas rebrousser chemin. Elle ne pouvait pas bifurquer vers la gauche ou la droite. Urien avait certainement déployé ses hommes. Mince. Pas d'autre solution que d'aller de l'avant.

Elle dévala la pente, arriva en bas et se mit à courir aussi vite qu'elle le put.

— *Pia*, fit Dragos.

Elle mit le pied dans une espèce de terrier et tomba.

Une douleur foudroyante déchira sa jambe.

— *Dragos ! Bon sang.*

— *Où es-tu ?*

— *Je n'en sais rien, imagine-toi*, répondit-elle sèchement. *J'ai été encore une fois droguée et transportée jusqu'à l'une des demeures d'Urien. Puis je me suis échappée et maintenant il me poursuit, et je viens de me prendre le pied dans un trou, une espèce de terrier. Mince, mince, et mince de mince...*

— *Est-ce que tu t'es cassé quelque chose ?*

— *Je ne sais pas !*

Elle tenta de s'appuyer sur sa cheville.

— *Décris où tu te trouves*, commanda-t-il.

Elle repoussa ses cheveux, regarda autour d'elle et lui décrivit ce qu'elle voyait. Sa cheville protesta, mais supporta le poids. Elle se remit à courir en boitant, mais elle ne pouvait plus aller vite.

— *Tu ne peux pas savoir comme je suis contente que tu sois venu et à quel point cela fait du bien d'entendre ta voix.*

Elle essaya d'accélérer. Impossible. Chaque pas se traduisait par une douleur foudroyante.

Elle n'allait pas y arriver.

Elle posa les mains sur ses hanches, reprit son souffle et marcha. La pluie faisait du bien, fraîche et agréable. Elle avait traversé la moitié de la prairie à peu près, quand la sensation d'une présence maléfique la fit se retourner. Elle regarda en direction de la ligne des arbres d'où elle venait.

Urien et ses hommes, montés sur des chevaux, avaient les yeux rivés sur elle.

Cela faisait un bon moment qu'elle n'avait plus rien à perdre. Reculant en boitant, elle fit un bras d'honneur au roi des Faes.

Les chevaux dévalèrent la colline. Puis ses hommes et lui s'approchèrent au trot.

Elle saisit son arbalète. Dès qu'ils seraient dans sa ligne de mire, elle serait dans la leur aussi. Dans la pénombre, elle devait se détacher comme un phare. Elle arracha son tee-shirt blanc et le jeta sur le côté.

Je suis tellement désolée, crevette.

Elle localisa Urien dans la lunette de l'arbalète. Le salaud arborait un sourire venimeux. Il passa au petit galop. Elle tira au moment où un coup l'atteignait.

Et la terrassait.

Elle resta étendue sur le dos, clignant les yeux vers la pluie qui faisait tant de bien ; elle fut donc peut-être la seule personne à terre à voir le dragon plonger en hurlant.

Les pattes antérieures tendues, les serres déployées, Dragos arracha Urien de son cheval. Puis il battit des ailes afin de monter au-dessus des arbres ; là, il rejeta la tête en arrière et rugit en mettant le roi des Faes en pièces.

— Le voilà, mon voyou, chuchota-t-elle.

Dans la prairie, on aurait dit une scène de cauchemar. Des griffons attaquaient des Faes tandis que les chevaux hurlaient et se cabraient de terreur. Elle eut l'impression de voir une créature ailée à l'aspect démoniaque déchirer la gorge d'une Fae. Il y avait aussi un énorme oiseau noir qui faisait éclater le tonnerre avec le battement de ses ailes. Des éclairs fusaient de ses yeux. Mais peut-être avait-elle commencé à halluciner…

Graydon se pencha sur elle.

— Oh, merde, non, murmura-t-il.

Il s'empara du tee-shirt, le mit en boule et le pressa autour du carreau de l'arbalète qui sortait de sa poitrine.

— Tiens bon, mignonne.

Elle toucha sa main.

Ça va, essaya-t-elle de dire. Tout va aller, maintenant.

Il essuya sa joue sur son épaule et cria :

— Dragos !

Puis Dragos tomba à genoux à côté d'elle et la terre se remit à tourner normalement. Il était livide, le regard grave. Il pressa davantage le tissu sur la blessure et posa une main contre sa joue.

— Pia. Ne pense même pas à me quitter, je te l'interdis. Je jure que je te suivrai aux enfers s'il le faut et que je te ramènerai en te traînant par les cheveux.

Elle posa la main sur sa joue.

— Tu dis des trucs affreux, souffla-t-elle.

Elle était fatiguée et elle ferma les yeux.

Elle se souvint par la suite d'une série d'images, un peu comme des perles enfilées sur un fil.

Elle ouvrit les yeux pour constater que Graydon la tenait serrée contre lui, un bras autour de ses épaules, l'autre autour de sa taille. Ils étaient assis dans une cage formée par les serres des deux pieds antérieurs de Dragos. Rune se tenait au-dessus d'eux et regardait à travers les serres.

— Tiens-la exactement comme ça, dit-il d'un air grave. Ne la laisse pas être secouée.

— Je la tiens bien, répondit Graydon. Partons.

Ils étaient tous tellement dramatiques, comme s'il s'agissait d'une histoire de vie ou de mort. Tu parles de guerriers redoutables. Ils étaient pires qu'un groupe de collégiennes.

Elle perdit connaissance au moment où Dragos prenait son envol.

Ensuite, elle se rappela être dans les bras de Dragos. Elle aurait pu avoir un verre plein à ras bord entre les mains, elle n'en aurait pas renversé une goutte alors qu'il montait l'escalier quatre à quatre.

— Je m'en fous ! rugissait-il. Trouvez-moi n'importe quel toubib aussi vite que possible. Je veux que l'un de vous aille à New York et ramène notre guérisseur wyr !

Elle essaya d'ajuster son regard trouble. Est-ce que c'était la maison d'Urien, de nouveau ? Je suis réveillée, je dors, je dors, je suis réveillée. Je suis dans la maison, je suis dehors. Maintenant j'y suis de nouveau. Ça devient ridicule, tout ça.

Et elle s'évanouit.

C'est alors que tout devint vraiment étrange.

Elle était plongée dans la Force du dragon. Il l'avait absorbée. Il soufflait dans ses poumons. Son cœur faiblit. L'extraordinaire moteur du sien vint le seconder. Pia sentit sa Force s'estomper, mais il avait son Nom. Il exigea qu'elle reste dans son enveloppe corporelle. Elle se laissa dériver en lui, inextricablement tenue par sa force de vie.

Elle crut entendre sa mère dire :

— *Il ne peut pas te tenir pour l'éternité. Tu peux venir me rejoindre, si tu veux.*

Mais il y avait quelqu'un d'autre avec eux, une minuscule étincelle éclatante et têtue. Il était une toute nouvelle création, mais il avait déjà son caractère. Dragos tenait sa vie contre son corps, mais la Force de son fils palpitait en elle.

Il essayait de la soigner. Elle tressaillit.

Oh non, amour de bébé. Tu es trop petit encore.

La crevette n'était pas de cet avis.

Un rougeoiement chaud d'énergie inonda son corps, tellement semblable à la Force de guérison de sa mère, tellement semblable à la sienne. Pendant un moment fugace, tout brilla, tout fut harmonieux et serein.

Précieux petit garçon.

Les doigts de Pia avancèrent d'un centimètre sur le drap. Ils étaient tenus par une main bien plus grande et plus puissante, qui ne la lâcha pas tandis qu'elle s'endormait.

# 20

Quand elle se réveilla pour de bon, elle était dans leur lit dans la tour. Elle contempla le plafond un long moment et observa la lumière changer. Il n'y avait pas de bruit. Elle était au chaud, propre et sèche, et n'avait plus mal.

Dragos était étendu à côté d'elle, un bras autour de sa taille. Elle regarda son visage endormi et y vit quelque chose de nouveau. Il avait l'air épuisé et usé, comme s'il était allé au bout de lui-même. Elle fronça les sourcils. Avait-il été blessé au cours de la bataille ?

Elle essaya de lever le bras pour lui caresser le visage, mais n'y parvint pas. Elle tira, et Dragos se dressa soudain sur un coude. Il posa la main sur son bras.

— Amour, ne fais pas ça.

— Ma main est prise dans quelque chose, marmonna-t-elle. (Elle le regarda avec inquiétude.) Qu'est-ce qui ne va pas ? Tu as l'air si triste. Tu es blessé ?

Il lui sourit, ses yeux d'or brillaient et l'expression d'épuisement disparut.

— Je n'ai pas été blessé, si ce n'est dans mon cœur.

Elle essaya de lever la main en tirant pour la dégager.

— Pia, arrête. Regarde ton bras. Tu as une perfusion. Tu n'arrêtes pas d'essayer de tirer dessus en dormant, alors on t'a attaché la main. Nous ne voulions pas que tu te fasses du mal.

— Oh.

Se sentant bête, elle se calma. Elle se retourna vers lui.

— Quelqu'un t'a blessé au cœur ?

Il l'embrassa sur le nez.

— Oui. Toi, métaphoriquement parlant. Tu mourais, espèce de saleté. Ton cœur a cessé de battre. J'ai dû prendre le relais un moment. Ensuite, notre fils a décidé d'aider et a failli brûler en te guérissant. J'ai perdu des siècles de vie, tellement j'ai eu peur.

Elle frotta sa joue contre la sienne.

— Je suis désolée, murmura-t-elle. (Une larme glissa d'un coin de son œil et mouilla ses cheveux, suivie d'une autre.) Je suis tellement désolée pour tout.

Il prit son visage en coupe entre ses mains et essuya les larmes.

— Arrête. Ce n'est pas de ta faute. J'ai appelé le Dr Medina et j'ai eu une discussion intéressante avec elle. Premièrement, j'ai appris ce qu'était un stérilet et comment il aurait pu vous mettre en danger, toi et le bébé. Je comprends pourquoi tu as paniqué et pourquoi tu as craint que je n'aie forcé cette grossesse.

— J'aurais dû savoir que tu ne l'aurais pas fait.

— Comment le pouvais-tu ? Cela faisait moins d'une semaine que nous étions ensemble, et dans des circonstances loin d'être idéales. Mais bien sûr que je n'ai pas voulu te féconder. (Il caressa ses cheveux.) Je n'avais pas la moindre idée d'avoir perdu le contrôle à ce point.

Elle ne le quitta pas des yeux tandis qu'elle posait sa main libre sur son ventre, dans un geste de protection qui devenait déjà une habitude. Quelque chose de timide et fragile dans son expression capta l'attention de Dragos. Il couvrit sa main, entrelaçant ses doigts aux siens.

— Cette grossesse est une surprise totale, dit-il. Me connecter à notre fils quand il t'a soignée – il est l'une des plus belles créatures que j'aie jamais vues. Je ne peux pas arriver à décrire ma réaction en face de lui. Je n'ai jamais ressenti ces émotions auparavant.

— C'est une bonne manière de décrire les choses, murmura-t-elle. Moi non plus. Je suis terrorisée.

Il l'embrassa, ses lèvres se promenant doucement tandis qu'il la savourait.

— Je ne sais absolument pas comment me comporter devant un petit être. Mais je suis *content*.

Elle lui sourit, les yeux brillants. Puis son regard s'assombrit.

— J'ai tué cinq personnes.

— Comment ça ?

— C'est de ma faute si l'homme du pick-up a été tué.

— Il n'est pas mort. Il va s'en sortir, d'après les médecins.

— Dieu merci, soupira-t-elle.

— Il y avait, toutefois, quatre cadavres de gardes autour de la demeure d'Urien, et on se pose beaucoup de questions là-dessus. C'était toi ?

Elle fit une grimace et opina.

Il sourit.

— Je suis tellement fier de toi. Tu as fait ce qu'il fallait quand il le fallait, et tu as pu t'enfuir.

— Pour tout te dire, précisa-t-elle, je me sentais coupable de ne pas me sentir coupable. Sauf pour le type du pick-up.

— C'est idiot et alambiqué comme raisonnement. Tu vas arrêter tout de suite.

Elle émit un fantôme de rire.

— Et voilà, tu recommences à donner des ordres. Sa Majesté se sent mieux… Oh, à propos de majesté. Urien pensait sérieusement qu'il allait me commander.

— Ce qui est une des choses qui l'a finalement tué. Incroyable, non ?

Elle dormit un moment du sommeil profond des convalescents. Elle se réveilla une fois pour dire d'un ton frôlant la panique :

— Ne t'en va pas, surtout.

Il était étendu sur la couette, en bermuda, adossé contre une pile d'oreillers, et lisait des dossiers. Il les mit sur le côté et la regarda avec calme.

— Je ne quitte pas ton chevet, Pia. Je ne vais nulle part.

Son visage adoré était aussi inébranlable qu'une montagne. Elle fit un signe de tête et se détendit. Il ne reprit pas ses dossiers avant qu'elle soit profondément endormie.

Avoir failli mourir est une épreuve pour l'organisme. L'éclat de Force émanant de la crevette avait assuré l'essentiel, mais il fallait qu'elle fasse le reste toute seule.

Elle était restée inconsciente deux jours. Dragos avait un cadeau pour elle, un charme antiémétique serti dans un diamant de deux carats qu'elle pouvait mettre autour du cou. Le jour suivant son réveil, le médecin retira sa perfusion.

Elle n'était pas en mesure de se concentrer sur autre chose que des revues et des séries télévisées, et elle s'endormait souvent.

Dragos lui fit le récit de leur poursuite, jusqu'au moment final quand toutes les sentinelles avaient pris leur envol à la recherche de la prairie qu'elle avait décrite. Avec son regard aiguisé de rapace, Bayne avait saisi le mouvement d'Urien et ses hommes plongeant vers elle. Ils avaient foncé aussi vite qu'ils le pouvaient.

Chaque parcelle de l'extraordinaire puissance de Dragos s'était concentrée sur l'élimination d'Urien avant que le roi des Faes puisse puiser dans sa Force et riposter. Il n'avait pas vu que Pia avait été touchée, mais il avait vu le carreau qu'elle avait tiré frapper Urien à l'épaule. Ce n'était pas un coup meurtrier, mais suffisant pour distraire le Roi durant les quelques secondes qui avaient permis à Dragos et aux sentinelles de lancer leur attaque.

Ils l'avaient tous vue faire un bras d'honneur à Urien. Et les sentinelles en faisaient des gorges chaudes, étalées sur les canapés, les pieds sur les meubles, dévorant des pizzas et buvant de la bière en regardant des séries télé.

— J'aime bien cette jumelle maléfique, fit Graydon en pointant l'écran plat à l'aide de sa bouteille. L'autre est trop gentille. Personne n'est comme ça.

— Merde, bien sûr que non, répliqua Constantine. Mais tu dois reconnaître que l'actrice est vraiment canon.

Pia les regarda par-dessus son exemplaire de *Cosmopolitan*, mais s'empêcha de faire le moindre commentaire. Elle se dit que cela aurait pu être pire.

Elle était pelotonnée sur le canapé, sous une légère couverture en soie. Une fois qu'elle avait commencé à reprendre des forces, elle avait pu convaincre Dragos de s'occuper de tout son travail en retard, mais cela signifiait que les sentinelles se relayaient constamment pour être avec elle, et elle n'avait pas eu un moment à elle.

Quand elle s'en plaignit à Graydon, il lui dit :

— C'est juste une précaution, mignonne. Nous traquons encore quelques Faes d'Urien.

— De toute façon, je suis dans le penthouse de la tour. Cet endroit est plus sécurisé que Fort Knox. Personne ne me traque plus. Et je ne risque pas de bouger pour le moment.

— Certes, mais il faut que tu gardes en tête, fit le griffon en lui donnant une chiquenaude sur le nez, que tu as épouvanté le patron. Il n'est pas habitué à avoir peur. Si tu ne le laisses pas te couver, je crains qu'il ne pète un plomb. Et tu nous as fichu la trouille à nous aussi, entre parenthèses. Et puis, tu es un membre de la famille désormais, et on s'amuse bien. C'est comme des vacances.

Il lui fit un clin d'œil.

Famille. Waouh.

— OK, marmonna-t-elle.

Une Tricks déprimée vint la remercier pour le rôle qu'elle avait joué dans l'élimination d'Urien et pour lui dire au revoir. La fée s'en allait en vue d'être couronnée reine des Faes noires. Elle avait retiré la teinture lavande de ses cheveux et avait adopté une coiffure plus sobre. Ils étaient redevenus noir de jais, leur couleur naturelle. Pia fut étonnée de constater à quel point cela changeait l'apparence de la fée et lui donnait un air sérieux.

— Mon Dieu, viens me rendre visite bientôt, fit Tricks. Ne m'abandonne pas à la cour des Faes noires. On déjeunera de nouveau ensemble.

— D'accord. Mais la prochaine fois, on laisse tomber le vin blanc et le cognac.

— On verra, répondit Tricks en lui adressant un petit sourire en coin.

— Tu vas me manquer, ajouta Pia.

— Tu vas me manquer toi aussi, renchérit la fée en faisant un geste ample des bras.

Déjeuner avec la reine des Faes noires. Invitation à rendre visite au seigneur suprême des Elfes et à sa dame. Oui, sa vie était décidément devenue étrange.

— Est-ce que tu as trouvé quelqu'un pour te remplacer ? demanda-t-elle.

— Non. Je n'ai pas eu le temps. Pourquoi ? Tu veux toujours le job ?

Pia leva une épaule.

— Je vais peut-être en parler à Dragos.

— Quelle que soit ta décision, tiens bien ce dragon par le bout des naseaux, conseilla la fée en pouffant. C'est son karma d'être le centre de l'univers ici. Cela lui fera le plus grand bien.

Elle eut une autre visiteuse un après-midi. Pia leva les yeux alors qu'Aryal s'affalait sur un canapé à côté du sien. Les cheveux noirs de la harpie étaient comme d'habitude en désordre. Elle portait un jean taille basse, un gilet sans manches en cuir et les armes habituelles des sentinelles.

L'étrange beauté âpre de la harpie n'avait rien à voir avec un régime, car si elle était grande et maigre, elle était aussi extrêmement musclée. Pia regarda ses bras et son ventre plat sur lequel on aurait pu casser un œuf, pensant à l'entraînement que cela supposait. Oui, bon, pas pour elle. Pas dans cette vie.

Aryal lança un regard peu amène sur la série télé qu'elle était en train de regarder et balança nerveusement le pied. Elle saisit un exemplaire de *Harper's Bazaar*, le feuilleta, puis l'abandonna. Pia crut l'entendre marmonner :

— Je n'y connais rien à ces trucs de filles...

Pia leva les sourcils et se demanda si elle était censée dire quelque chose.

Aryal regardait la télé, puis elle dit :

— Vous pouvez croire un truc pareil ? D'abord la sorcière Adela vous vend un serment d'engagement, le lendemain elle pose un sort de pistage sur vous pour Dragos, et ensuite elle conclut un contrat avec les Faes noires pour vous retrouver. Vous avez vraiment été une vache à lait pour elle.

— J'ai toujours été mal à l'aise en sa présence.

— On a retrouvé son cadavre dans le fleuve Hudson, poursuivit la harpie. La gorge tranchée. Apparemment, elle a vendu ses services une fois de trop. Le compte rendu du médecin légiste est peu concluant, mais on pense qu'elle a été tuée par les Faes noires. L'estimation de l'heure du décès le place peu après votre enlèvement.

— Je vois, fit Pia d'un ton neutre.

Le silence s'installa. Puis les étranges yeux gris tourmentés d'Aryal croisèrent les siens.

— Bayne et moi sommes vraiment consternés par le kidnapping. Mais je ne ressens aucune culpabilité pour le reste.

— Je ne demande pas de culpabilité. Vous avez le droit d'avoir vos opinions, et vous vous efforciez de protéger Dragos à votre manière. Je respecte ça, et je n'ai rien à ajouter.

Un sourire fendit le visage d'Aryal.

— Euh, dites donc, quand vous vous sentirez mieux, j'aimerais bien que l'on dispute un match ou deux sur les tapis. Pendant un moment, les griffons ne parlaient de rien d'autre.

— Pourquoi pas, répliqua Pia. Étant donné la situation, je ferais bien de rester en forme.

— OK.

Aryal posa les mains sur ses genoux et s'apprêta à se lever.

— Juste une chose, reprit Pia.

La harpie marqua une pause et la regarda. Pia planta un regard froid dans le sien.

— Essayez de me plaquer une seconde fois contre un mur et je vous fais mordre la poussière.

Le sourire d'Aryal se transforma en grimace. Après un moment, elle opina.

Pia lui fit un signe de tête et retourna à son magazine. Le geste éloquent la congédiait. La harpie le comprit très bien et quitta la pièce.

Pia eut également le temps de passer un coup de fil à Quentin. Elle sortit sur le balcon un après-midi ensoleillé et referma les portes-fenêtres pour être tranquille. Puis elle s'appuya au nouveau muret et contempla la ville pendant qu'ils parlaient.

Elle raconta à Quentin tout ce qui s'était passé depuis son bref séjour dans sa villa, y compris le fait qu'elle était apparemment la compagne de vie de Dragos et qu'elle portait son enfant.

Lorsqu'elle eut terminé son récit, un long silence suivit. Elle observa la circulation en donnant des petits coups de pied nerveux dans l'une des dalles.

— Il va me falloir du temps pour digérer tout ça, finit par dire Quentin d'une voix scrupuleusement neutre.

— M'en parle pas.

— Comment… est-il ?
— Tu vois Rex Harrison dans *My Fair Lady* ?
— Le professeur bougon et super-chiant ?
— Ouais, eh bien, Dragos est pire.

La remarque entraîna une longue diatribe qui disait en gros : il-a-intérêt-à-bien-te-traiter-ou-je-le-tuerai-de-mes-propres-mains. Elle appuya le front sur le muret et endura le discours avec patience, faisant des bruits de temps à autre pour prétendre qu'elle écoutait.

— Je veux te voir en chair et en os, finit-il par dire. Je veux m'assurer que ce salaud ne t'a pas envoûtée.

— Il ne l'a pas fait. Mais j'irai bientôt te voir à Elfie's.

— T'as intérêt, répondit Quentin d'un ton maussade. Ou alors, aussi allergique que je sois à la tour, je débarque et je t'embarque.

— Dis à tout le monde que vous me manquez.
— Oui. À bientôt.

Il insista sur le mot.

— Oui, je te le promets.

Elle raccrocha. Elle était épuisée. Commencer une nouvelle vie était franchement du boulot.

Elle voyait moins Dragos. Il se plongea dans la stabilisation de plusieurs entreprises dans l'Illinois. Il devait le faire avant de les vendre, et il lui toucha un mot de son projet de racheter une entreprise de service public appartenant au secteur privé.

Elle se demandait si la distance qui s'était installée entre eux serait la norme, désormais. Il la rejoignait au lit chaque soir et la prenait dans ses bras, et cette proximité lui apportait beaucoup de réconfort. Mais ils ne faisaient pas l'amour, ne… s'unissaient pas.

Le fait de pouvoir se métamorphoser et d'être devenue complètement wyr rehaussa son aptitude à guérir. Après trois jours de convalescence, elle ne tenait plus en place. Enfin le Dr Medina, qui passait la voir chaque jour, l'autorisa à utiliser le tapis de jogging, mais avec modération.

— Super !

— Pas question de courir à fond avant la semaine prochaine, l'avertit le médecin. Cette blessure à la poitrine a secoué votre système respiratoire.

— Compris. Merci.

Elle saisit une tenue de sport et l'enfila.

— De rien. (Le médecin sourit.) Je n'ai pas besoin qu'on m'escorte.

Pia s'assit au bord du lit pour mettre ses baskets – une nouvelle paire, encore une fois – tandis que le médecin quittait la pièce. Après que sa nouvelle paire de chaussures eut rendu l'âme suite à sa fuite effrénée dans la forêt détrempée, Dragos lui en avait acheté six paires.

La porte s'ouvrit. Elle leva les yeux, prête à dire aux griffons qu'ils pouvaient aller dans la salle de sport. Dragos entra. Comme d'habitude, sa présence envahit la pièce.

Il la regarda longuement, puis referma la porte. Il portait un jean noir et une chemise de soie noire qui soulignait les lignes athlétiques de son corps, et ne fit aucun effort pour atténuer la gravité qui se lisait sur son visage.

Même sous sa forme humaine, il avait l'air capable de mettre le roi des Faes en pièces de ses mains nues. Était-il normal qu'elle trouve ça tellement sexy ? Elle se gratta la tête. Elle se posait vraiment des questions quant à sa santé mentale.

— Hé, lança-t-elle. Je ne m'attendais pas à te voir.

— Apparemment, tu n'attends pas grand-chose de moi, répliqua-t-il.

— Pardon ? fit-elle, interloquée.

Il se mit à arpenter lentement la pièce. C'était sa démarche de prédateur, de longs membres musclés ondulant sous la soie et la toile. Elle se tordit pour l'observer.

— La toubib t'a autorisée à faire de l'exercice, déclara-t-il. Cela veut donc dire que tu as repris suffisamment de forces pour faire face à d'autres choses.

— Euh... oui.

— Tu peux dire que je suis obsessionnel, mais j'ai un petit compte à régler avec toi, ou disons un truc à discuter.

Il avait un air sombre. Elle plissa le front.

— Qu'est-ce qui ne va pas ? Qu'est-ce que j'ai encore fait ?

Il se tourna pour lui faire face, les mains sur ses hanches.

— Tu te souviens quand tu t'es tordu la cheville dans le terrier ?

— Je ne risque pas de l'oublier.

Ses yeux s'étrécirent pour ne plus former que deux fentes d'or liquide.

— Tu te souviens de ce que tu as dit ?

Elle haussa les épaules, ne voyant pas du tout ce qu'il voulait dire.

Il s'approcha, posa les mains sur ses épaules et la poussa. Elle tomba sur le matelas.

— Hé, ho !

Puis il rampa sur le lit jusqu'à se retrouver à genoux au-dessus d'elle. Il la fusilla du regard. Tout en lui respirait le mâle wyr en colère.

— Tu as dit : « Tu ne peux pas savoir comme je suis contente que tu sois venu et à quel point cela fait du bien d'entendre ta voix. »

— Oui, et alors ?

Elle le frappa sur les épaules du plat de la main. Bien entendu, il ne bougea pas d'un centimètre.

— Arrête un peu avec le discours primitif, y en a marre.

— Tu as peut-être remarqué que j'étais un mec plutôt primitif. (Il montra les dents et approcha son visage du sien.) Tous ces siècles de civilisation ? Pfff, un vernis.

— Oh, pour l'amour du ciel. Est-ce que tu rumines ce que j'ai dit depuis tout ce temps ?

Il pencha la tête, son regard était de la lave en fusion.

— Tu as dit ça comme si j'étais une espèce de visiteur. Ou comme si tu n'étais pas sûre que je viendrais alors que tu avais été *kidnappée*. Alors que tu venais de m'annoncer que tu attendais *mon enfant*. Je ne sais pas ce que tu penses que je suis, bordel, si ce n'est un monstre sanguinaire.

— Dragos ! (Elle le regarda avec effarement et toucha son visage.) Je plaisantais quand j'ai dit ça.

— Et alors ? Je suis un monstre sanguinaire et tu es ma compagne de vie. (Aucune douceur ne se lisait sur son visage.) Et je suis à toi. Qu'est-ce qu'il va falloir pour que tu l'acceptes ?

Elle lui caressa la joue.

— Je l'accepte, je t'assure, je l'accepte. Quelque part entre l'horrible forteresse des orques et le moment où tu t'es métamorphosé dans la plaine, je suis tombée éperdument amoureuse de toi. Mais je viens d'un univers humain. L'amour, être amoureux, faire l'amour – tout cela a du sens pour moi. Cela fait partie de mon identité. Et tu as admis que tu ne savais pas ce qu'était l'amour. Alors je n'ai toujours pas les repères que je recherche. Même si nous sommes ensemble, je ne sais pas comment me comporter, ni ce que cela veut dire.

Son expression s'était adoucie au fur et à mesure qu'il l'écoutait. Il embrassa sa paume.

— Cela veut dire, bêtasse, que j'apprends moi aussi. Maintenant, écoute-moi : je ne cesse de penser à toi. Tu es avec moi partout où je vais, mais tu me manques quand nous sommes séparés. J'ai déjà prouvé que je tuerais pour toi. Je mourrais aussi pour toi. Tu me fais rire. Tu me rends heureux. Tu es mon miracle et mon foyer. Si tu ne fais même que frémir ou tressaillir, j'ai une érection. Je viendrai toujours te chercher, je te voudrai toujours, et j'aurai toujours besoin de toi. C'est clair ?

Elle rayonnait.

— Ça ressemble drôlement à l'amour.

— Je trouve aussi, fit le dragon.

Puis, avec une rapidité extraordinaire, il lui saisit les mains et les plaqua au-dessus de sa tête. Elle sursauta, mais se détendit bientôt. Son regard farouche brilla dans la lumière. Il se baissa jusqu'à ce que leurs nez se touchent.

— Alors dis-le, siffla-t-il.

Elle lui adressa un sourire radieux plein de tendresse.

— Je suis à toi, murmura-t-elle.

— C'est pas trop tôt, gronda-t-il.

Il se redressa et l'attira à lui. Puis il saisit son débardeur et le mit en pièces.

— Dis-le encore.

Elle éclata de rire. Elle avait l'impression d'être ivre. Elle tendit les mains vers sa chemise et essaya de défaire les boutons avec des doigts maladroits, en lui répétant :

— Je suis à toi.

Il la fit pivoter jusqu'à ce qu'elle lui tourne le dos. La violence contenue de ses gestes calma son rire. Ses genoux tremblèrent. Il arracha le reste de ses vêtements et la poussa sur le lit, la mettant à genoux, puis il lui écarta les cuisses jusqu'à ce qu'elle s'offre totalement à lui. Le sentiment de vulnérabilité était presque insupportable, et elle frissonna.

Elle entendit un froissement derrière elle. Elle essaya de regarder par-dessus son épaule pour voir ce qu'il faisait.

Il posa ses lèvres brûlantes sur son sexe et lécha les plis délicats. Il chatouilla son clitoris de sa langue et articula, la bouche collée à sa vulve :

— Dis-le encore.

Le désir déferla en elle. Elle s'affala contre le matelas, sa joue humide sur les draps, haletante.

Le mouvement l'exposa encore davantage. Il lécha, mordilla et suça, guidant son plaisir avec des gestes doux et habiles, puis se faisant exigeant, brutal, la saisissant par les hanches pour la maintenir en place pendant qu'il la savourait avec une sensualité animale qui la propulsa au nirvana.

Et il continua à insister pour qu'elle admette être à lui. Elle obtempéra chaque fois. Elle le gémit, le soupira, le sanglota, jusqu'à se retrouver étendue sur le dos, pantelante, les nerfs à fleur de peau.

Quand il se plaça enfin sur elle et positionna son membre à l'entrée mouillée de sa grotte, puis l'enfonça, il n'y avait pas une parcelle de sa peau qu'il n'avait pas possédée. Elle caressa son dos tandis qu'il la pénétrait, ivre de plaisir. Ses larmes se mirent à couler.

Il encadra son visage de ses grandes mains au moment où son sexe disparaissait totalement en elle. Il avait enfin brûlé sa propre férocité, et tout ce qui resta alors sur son visage sévère fut de la tendresse.

— J'ai appris tellement de choses au cours des siècles, murmura-t-il en allant et venant en elle. J'ai obtenu des tributs de souverains et j'ai assisté à l'effondrement d'empires. Mais tu es mon meilleur professeur.

— Je t'aime, dit-elle en caressant sa joue.

— Je sais, répliqua-t-il en souriant, ses yeux d'or éclairés par un simple émerveillement.

Puis il se concentra tandis qu'il accentuait ses coups de boutoir. Elle se cambra alors qu'il touchait le point le plus sensible, et son corps vigoureux et puissant trembla au moment où il éjacula. Elle l'enlaça, le serra, enfouit son visage dans son cou. Puis elle lui caressa les cheveux comme ils se laissaient dériver tranquillement.

Il se releva juste suffisamment pour se retirer d'elle et, basculant sur le dos, il l'attira contre lui.

— Bon, une bonne chose de réglée, dit-il avec satisfaction.

Il laissa courir ses doigts dans sa chevelure, puis les démêla en envoyant une salve de Force.

Elle passa un doigt sur sa bouche.

— Quoi, que nous sommes compagnons de vie ?

Il baisa son doigt.

— Oui. Vu qu'on se marie.

— On se… (Elle se mordit la lèvre.) C'est ta proposition ? Comme ça : on se marie.

— Oh.

Il tendit la main vers sa chemise tombée par terre, fouilla dans une poche et déposa une bague sertie d'un énorme diamant sur ses seins.

— Tiens.

Elle leva les yeux au ciel.

— Écoute, Dragos, c'est une chose de convenir que nous sommes compagnons de vie, mais pour le mariage, je ne sais pas. Je lis *Cosmopolitan*, tu manges des gens. Je crois que le tribunal des divorces appellerait cela « des différences inconciliables ».

Il roula sur le côté. Le drap glissa tandis qu'il s'appuyait sur un coude et la regardait, les yeux mi-clos. C'était son regard ombrageux, têtu. Elle adorait cette expression. Elle pouvait voir les engrenages tourner dans sa tête.

Après un moment, il dit :

— S'il te plaît.

— C'est mieux, *mister*.

Elle hocha la tête et glissa la bague à son doigt.

*Découvrez les prochaines nouveautés des différentes collections J'ai lu pour elle*

**Le 3 avril**

*Inédit*

***Aimer encore*** **Carolyn Jewel**

Le scandaleux comte de Banallt est un séducteur né, qui attire toutes les femmes dans son lit. Toutes, hormis Sophie Evans. Mariée à un libertin notoire, désabusée, elle l'éconduit. Mais tenir tête à Banallt est un jeu dangereux… Quatre ans plus tard, quand Sophie devient veuve, Banallt se jure de conquérir celle qu'il désire depuis bien trop longtemps.

*Inédit*

***Les trois grâces - 2 -Possédé par la grâce*** **Jennifer Blake**

Angleterre, 1486. Victime d'une malédiction qui causerait la mort de son futur époux, lady Catherine Milton a abandonné l'espoir de se marier. Le roi, lui, en a décidé autrement et lui intime l'ordre de séduire l'Écossais Ross Dunbar. De fait, Ross tombe aussitôt sous le charme de la belle. Et réciproquement. Mais Catherine doit se rendre à l'évidence : si elle succombe à son amour pour Ross, il en mourra…

*Inédit*

***Pacte sensuel*** **Cecilia Grant**

Veuve depuis peu, Martha Russell doit à tout prix protéger son domaine des griffes de son détestable beau-frère. Et pour garder ses terres, il lui faut un héritier. Forte de cette idée lumineuse, elle propose un marché à son voisin, le scandaleux et débauché Theophilus Mirkwood : un mois de passion en échange d'une rémunération…

***La fiancée offerte*** ☙ **Julie Garwood**
Au vainqueur du tournoi, le roi a promis la main de lady Nicholaa. Alors que la belle captive s'avance parmi la foule, elle commet un acte de bravoure en sauvant des flammes une enfant. Devant l'assemblée pétrifiée, le roi, ému par un tel courage, propose alors à la jeune femme de choisir elle-même un prétendant. Voilà pour elle l'occasion idéale de se venger de Royce, de ses humiliations et de ses caresses osées...

**Le 17 avril**

Inédit ***Les McCabe - 2 -La séduction du Highlander*** ☙ **Maya Banks**
Dans l'Écosse du Moyen Âge, les mœurs sont parfois impitoyables. Rejetée par les membres de son clan, Keeley McDonald a été trahie par tous ceux qu'elle aimait. Pourtant, son cœur est pur et noble. Aussi, quand elle aperçoit un guerrier entre la vie et la mort, elle le recueille, le soigne, puis succombe à la tentation. Caresses exquises, étreintes passionnées, le bel Highlander l'ensorcèle. Et lui fait courir un immense danger...

***Les Highlanders du Nouveau Monde - 2 -Fidèle à son clan*** ☙ **Pamela Clare**
1759. Quand Morgan McKinnon, le chef d'un bataillon de soldats sanguinaires, tombe aux mains des Français, il est voué à une mort atroce. Car ces derniers vont le livrer aux Abénaquis. Or, dans un premier temps, le prisonnier est confié à la pupille du commandant du fort. Contre toute attente, Amalie sent son cœur vaciller pour ce barbare sans foi ni loi...

***Des roses pour le dire*** ☙ **Jacquie d'Alessandro**
Alors qu'il se rend à son pavillon de chasse pour quelques jours de repos, Stephen Barrett tombe dans un traquenard. Il parvient à échapper à ses agresseurs mais après une chute de cheval, il perd connaissance. À son réveil, une ravissante jeune femme est à son chevet. Troublé par la beauté de Hayley, Stephen, huitième marquis de Glenfield, préfère dissimuler son identité...

**Le 3 avril**

# PROMESSES

*Inédit*

***Destiny - 2 - À l'ombre des pommiers*** ☙ **Toni Blake**

Rachel Farris revient à Destiny avec un objectif en tête : faire déguerpir Mike Romo qui veut s'approprier la pommeraie familiale. Or Mike est intraitable sur le sujet, persuadé que les terres lui ont été spoliées des années plus tôt. S'engage alors un bras de fer des plus intenses entre la jeune femme et le séduisant policier.

*Inédit*

***Toi, mon héros*** ☙ **Laura Kaye**

Quand Alyssa Scott comprend que Marco Vieri travaille dans le bar où elle vient d'accepter un job, elle manque défaillir. Le meilleur ami de son grand frère est encore plus beau qu'avant, mais bien plus sombre aussi. Et si par le passé l'ex-soldat l'a protégée d'un père violent, c'est à elle aujourd'hui de délivrer Marco de ses démons...

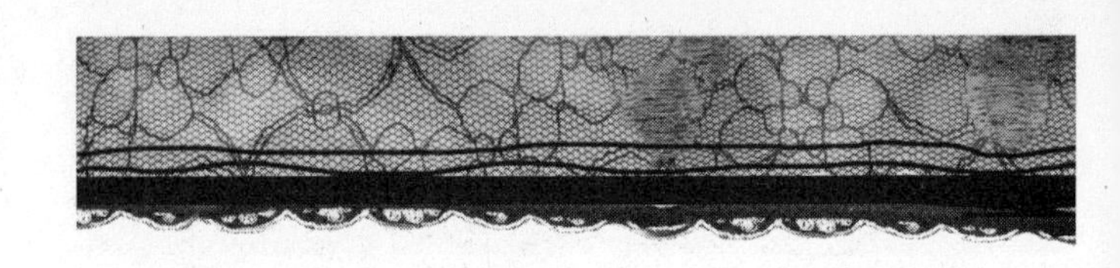

# Passion intense

**Des romans légers et coquins**

**Le 17 avril**

***Une lady nommée Passion*** ☙ **Lisa Valdez**
Quel est cet inconnu qui, profitant d'une bousculade au Crystal Palace, a enlacé audacieusement Passion et réveillé la sensualité de cette veuve respectable ? Comment ose-t-il, ici, au beau milieu d'honnêtes gens ? Tourmentée par le désir, persuadée qu'elle ne le reverra jamais, Passion se donne à lui. Et bientôt, elle se découvre esclave de celui dont elle ne connaît que le prénom. Mark...

Inédit ***Carrément dingue de toi*** ☙ **Erin McCarthy**
Quand le coureur automobile Ryder Jefferson réalise qu'il est encore marié à Suzanne, il est à la fois fou de rage... et de joie. Cela fait deux ans qu'ils sont séparés mais le divorce n'a jamais été effectif ! Ce malentendu ne serait-il pas l'occasion pour Ryder de reconquérir celle qu'il aime toujours ? En employant, par exemple, leur plus grand point commun : le sexe...

*Et toujours la reine du roman sentimental :*

# Barbara Cartland

« Les romans de Barbara Cartland nous transportent dans un monde passé, mais si proche de nous en ce qui concerne les sentiments. L'amour y est un protagoniste à part entière : un amour parfois contrarié, qui souvent arrive de façon imprévue.
Grâce à son style, Barbara Cartland nous apprend que les rêves peuvent toujours se réaliser et qu'il ne faut jamais désespérer. »

*Angela Fracchiolla, lectrice, Italie*

**Le 3 avril**
*Le prince russe*